Krishnamurti
O LIVRO DA VIDA

Krishnamurti
O LIVRO DA VIDA

365 *meditações diárias*

Tradução
Magda Lopes

academia

Copyright © Krishnamurti Foundation of America, 1995
Copyright © Editora Planeta do Brasil, 2016
Título original: *The book of life*
Todos os direitos reservados.

Preparação de texto: Marcelo Nardeli
Revisão: Sirlene Prignolato e Ana Paula Felippe
Diagramação: 2 estúdio gráfico
Capa: Departamento de criação da Editora Planeta do Brasil
Imagens do miolo: Freepik
Imagem de capa: © NadyaJema/Shutterstock e © The Estate of David Gahr/ Getty Images

CIP-BRASIL. CATALOGAÇÃO NA FONTE
SINDICATO NACIONAL DOS EDITORES DE LIVROS, RJ

K93L

Krishnamurti, J.
 O livro da vida: 365 meditações diárias / J. Krishnamurti; [tradução Magda Lopes]. - 1. ed. - São Paulo: Planeta, 2016.

Tradução de: The book of life
ISBN 978-85-422-0607-4

 1. Vida espiritual - Budismo. 2. Meditação - Budismo. I. Lopes, Magda. II. Título.

15-26639 CDD: 294.3443
CDU: 24-7

Ao escolher este livro, você está apoiando o manejo responsável das florestas do mundo

2024
Todos os direitos desta edição reservados à
EDITORA PLANETA DO BRASIL LTDA.
Rua Bela Cintra, 986 – 4º andar
01415-002 – Consolação – São Paulo-SP
www.planetadelivros.com.br
faleconosco@editoraplaneta.com.br

Tabela de assuntos

Introdução

Janeiro
Escutando
Aprendendo
Autoridade
Autoconhecimento

Fevereiro
Tornando-se
Crença
Ação
O bem e o mal

Março
Dependência
Ligação
Relacionamento
Medo

Abril
Desejo
Sexo
Casamento
Paixão

Maio
Inteligência
Feelings
Palavras
Condicionamento

Junho
Energia
Atenção
Consciência sem escolha
Violência

Julho
Felicidade
Sofrimento
Dor
Tristeza

Agosto
Verdade
Realidade
O observador e o observado
O que existe

Setembro
Intelecto
Pensamento
Conhecimento
Mente

Outubro
Tempo
Percepção
Cérebro
Transformação

Novembro
Viver
Morrer
Renascimento
Amar

Dezembro
Solidão
Religião
Deus
Meditação

Siglas para abreviação das referências

Referências

Introdução

"Krishnamurti influenciou profundamente minha vida e me ajudou pessoalmente a transpor os limites das minhas próprias restrições autoimpostas à minha liberdade." – DEEPAK CHOPRA

Em 1934, Krishnamurti perguntou: "Por que vocês querem ser estudantes de livros em vez de estudantes da vida? Descubram o que é verdadeiro e falso no seu entorno, com todas as opressões e crueldades, e então vão descobrir qual é a verdade". Ele repetidamente apontava que o "livro da vida", que está sempre mudando com uma vitalidade que não pode ser mantida no pensamento, era a única coisa digna de ser "lida"; todos os outros livros estão repletos de informações de segunda mão. "A história da humanidade está dentro de vocês: a vasta experiência, os medos profundamente enraizados, as ansiedades, as mágoas, o prazer e todas as crenças que o homem vem acumulando há milênios. Vocês são esse livro."

O livro da vida: 365 meditações diárias foi composto em uma ordem parecida com a maneira como Krishnamurti dava suas palestras. Ele em geral iniciava com a escuta e o relacionamento entre o orador e a audiência, e terminava com temas que emergem naturalmente quando a vida está em ordem e uma maior profundidade começa a surgir na consciência. Durante seus últimos dias, entre 1985 e 1986, ele falou sobre a criatividade e a possibilidade de um estilo de vida totalmente novo, e esses temas estão contidos neste livro.

Muitos assuntos eram recorrentes ao longo dos seus ensinamentos. Sua visão era a observação ampla da condição humana, na qual todo aspecto da vida está interconectado. O Livro da Vida apresenta passagens sobre um tema novo para cada semana do ano, cada tópico desenvolvido durante sete dias. As citações são identificadas por sua fonte e referenciadas no índice ao final do livro. Os leitores que estiverem interessados em explorar temas específicos estão convidados a buscar os textos completos das obras das quais as citações foram extraídas.

Krishnamurti começou a falar em público em 1929, com uma voz que Aldous Huxley descreveu como de uma "autoridade intrínseca". Sua poderosa investigação da natureza da verdade e da liberdade resultou na publicação de suas palestras e diálogos, que venderam milhões de cópias e foram traduzidas para mais de quarenta idiomas.

Embora tímido e reservado, Krishnamurti deu, incansavelmente, milhares de palestras, proferidas sem anotações ou preparação, nas quais desenvolvia um tema seminal. A verdade pode ser descoberta por qualquer um, sem a ajuda de nenhuma autoridade e, enquanto houver vida, em um instante. Suas palestras abrangiam toda a série de conflitos e preocupações pessoais e sociais. A observação da profundidade e do escopo do nosso comportamento, como ele ocorre neste momento, torna-se a ação necessária para a nossa transformação e da nossa sociedade. Quando algum espectador de suas palestras lhe perguntava por que ele falava e o que ele queria alcançar, Krishnamurti respondia: "Eu quero lhes dizer algo, talvez a maneira de descobrir o que é a realidade – não como um sistema, mas como um processo. E se vocês conseguirem descobrir isso por si mesmos, não haverá necessidade de um palestrante; todos nós estaremos falando, todos nós expressaremos essa realidade em nossas vidas, onde quer que estejamos... A verdade não pode ser acumulada. O que é acumulado está sempre sendo destruído, definha. A verdade nunca pode definhar porque só pode ser encontrada de momento em momento em todo pensamento, em todo relacionamento, em toda palavra, em todo gesto, em um sorriso, em uma lágrima. E se vocês e eu conseguirmos encontrar este momento e vivenciá-lo – a própria vida é a descoberta dela mesma –, então não vamos nos tornar propagandistas; vamos ser seres humanos criativos – não seres humanos perfeitos, mas criativos, o que é algo totalmente diferente. E eu acho que é por isso que estou falando, e talvez seja por isso que vocês estão aqui escutando".

"Há somente o problema, não há resposta; pois no entendimento do problema está sua dissolução." Com frequência, quando lhe faziam alguma pergunta, Krishnamurti respondia: "Vamos descobrir o que queremos dizer com...", e examinava a questão, abrindo-a para investigação, sem oferecer imediatamente uma resposta. Para Krishnamurti, esmiuçar uma questão estimulava mais a indagação do que simplesmente seguir uma busca lógica e intelectual por uma resposta. As passagens são apresentadas neste livro como formas de questionamento, e não pretendem induzir o leitor a uma resposta definitiva.

Krishnamurti enfatizava que o diálogo com seus ouvintes não era intelectual nem estava ancorado em pensamentos e ideais. Ele dizia: "Afinal, o propósito destas palestras é nos comunicarmos uns com os outros, e não impor determinada série de ideias. As ideias nunca mudam a mente, nunca produzem uma transformação radical na mente. Mas se pudermos nos comunicar individualmente um com o outro ao mesmo tempo e no mesmo nível, então talvez haja um entendimento que não seja simplesmente propaganda... Então, estas palestras não pretendem dissuadi-los ou persuadi-los de alguma maneira, quer efetiva ou subliminarmente".

Em quase todas as suas palestras públicas e diálogos, Krishnamurti usava os termos "humanidade" ou "homem" quando se referia a todos os seres humanos. Nos últimos momentos da sua vida, ele frequentemente se interrompia para esclarecer: "Por favor, quando eu digo 'homem', estou me referindo também às mulheres. Portanto, não fiquem zangados comigo".

Krishnamurti falava com extraordinária simplicidade e não como guru ou educador religioso com um ensinamento derivado, um vocabulário especial ou vínculos com qualquer organização ou seita. A demanda por seus ensinamentos claros e autênticos aumentava à medida que ele viajava pelo mundo. De 1930 até sua morte, em 1986, ele deu palestras na Europa, América do Norte, Austrália, América do Sul e Índia, que aumentavam a cada novo encontro.

Este livro contém trechos extraídos de palestras publicadas e inéditas, de diálogos e escritos de 1933 a 1968. Entre eles está o primeiro livro de Krishnamurti a atingir grande popularidade, *A Educação e o Significado da Vida*, escrito debaixo de um grande carvalho em Ojai, na Califórnia, e publicado em 1953 pela Harper & Row, editora que iria continuar, por mais de trinta anos, a publicar suas obras nos Estados Unidos. Seu livro seguinte, *A Primeira e Última Liberdade*, foi publicado em 1954 com um longo prefácio escrito pelo amigo Aldous Huxley.

Reflexões sobre a Vida foi escrito a mão entre 1949 e 1955 em letra cursiva, em páginas sem margens e sem nenhuma correção ou rasura. Aldous Huxley encorajou Krishnamurti a escrevê-lo, e o manuscrito, editado por D. Rajagopal, foi publicado em 1956, em três volumes. Trata-se essencialmente de uma crônica das entrevistas de Krishnamurti com as pessoas que iam procurá-lo para conversar, e a sensação é a de um encontro de dois amigos que conversam e exploram um tema sem hesitação ou medo. A maioria dos capítulos desses livros começa com uma breve descrição da paisagem, do clima ou de animais próximos. Da simplicidade desse mundo natural inicia-se uma leve transição para a paisagem interior, em que há confusão, ansiedade, crenças – as preocupações gerais e individuais que as pessoas levavam para seus encontros com Krishnamurti. Algumas entrevistas não foram publicadas nesses três primeiros volumes de *Reflexões sobre a Vida*, e aparecem aqui pela primeira vez. Em algumas delas, Krishnamurti usou o "pensamento-sentimento" para descrever uma resposta unitária.

O Verdadeiro Objetivo da Vida e *Pense Nisso* foram editados por Mary Lutyens, amiga de Krishnamurti, em 1963 e 1964, e também publicados pela Harper & Row. Esses dois livros compreendem um compêndio de perguntas e respostas selecionadas e editadas de palestras com jovens, e foram tão bem recebidos que passaram a ser considerados clássicos religiosos e literários. Foram seguidos por um corpo de trabalho que se estende por mais de cinquenta livros.

Krishnamurti se achava irrelevante e desnecessário para o processo de entendimento da verdade, de enxergarmos a nós mesmos. Em certa ocasião referiu-se a si mesmo como um telefone, um mecanismo a ser usado por um ouvinte. Ele disse: "O que o palestrante está dizendo tem em si pouquíssima importância. O que realmente importa é que a mente esteja tão facilmente consciente que estará o tempo todo em um estado de entendimento. Se não entendemos e meramente ouvimos as palavras, invariavelmente saímos com uma série de conceitos ou ideias, estabelecendo um padrão ao qual tentamos nos ajustar em nosso cotidiano ou suposta vida espiritual".

Vale a pena atentar também à maneira que Krishnamurti encarava o relacionamento entre duas pessoas buscando a verdade. Em 1981, ele disse: "Somos como dois amigos sentados em um parque num dia agradável falando sobre a vida, conversando sobre nossos problemas, investigando a natureza intrínseca da nossa existência, e nos perguntando seriamente por que a vida se tornou um problema tão grande, por que, embora sejamos intelectualmente muito sofisticados, nossa vida diária é tão pesada, sem nenhum significado exceto a sobrevivência que, com frequência, é muito duvidosa. Por que a vida, a existência cotidiana, tornou-se tal tortura? Podemos ir à igreja, seguir algum líder, político ou religioso, mas a vida diária é sempre um tumulto; embora haja alguns períodos ocasionalmente prazerosos, felizes, há sempre uma nuvem escura sobre a nossa vida. E esses dois amigos, como nós, vocês e o orador, estão conversando de maneira amigável, talvez com afeição, com cuidado, com preocupação, quando é totalmente impossível viver nossa vida diária sem um único problema".

Janeiro

Escutando

Aprendendo

Autoridade

Autoconhecimento

1 de janeiro

Escutando com tranquilidade

Alguma vez você permaneceu sentado silenciosamente, sem fixar sua atenção em nada, sem fazer nenhum esforço para se concentrar, mas com a mente muito quieta, realmente tranquila? Então você escutou tudo, não foi? Escutou os ruídos longínquos, e também aqueles não tão distantes, e aqueles muito próximos, os sons imediatos – o que significa que você está escutando tudo realmente. Sua mente não está confinada a um canal pequeno e estreito. Se você conseguir escutar dessa maneira, com tranquilidade, sem tensão, vai descobrir que está ocorrendo uma extraordinária mudança dentro de você, uma mudança que chega sem sua volição, sua indagação; e nessa mudança há uma grande beleza e um profundo *insight*.

2 de janeiro

Removendo os filtros

Como você escuta? Você escuta com suas projeções, através delas, através de suas ambições, desejos, lágrimas, ansiedades, percebendo apenas o que você quer escutar, somente o que será satisfatório, o que vai lhe agradar, o que vai lhe dar conforto, o que no momento vai aliviar seu sofrimento? Se você escuta através do filtro dos seus desejos, então obviamente escuta sua própria voz – você está escutando seus próprios desejos. E há alguma outra forma de escutar? Não é importante descobrir como escutar além do que está sendo dito, escutar tudo – os ruídos nas ruas, a conversa dos passarinhos, o barulho do bonde, o mar revolto, a voz do seu cônjuge, dos seus amigos, o choro de um bebê? Escutar só tem importância quando não se está projetando seus próprios desejos através do que se escuta. Alguém consegue pôr de lado todos esses filtros através dos quais nós escutamos e realmente escutar?

3 de janeiro

Além do ruído das palavras

Escutar é uma arte que não se adquire facilmente, mas nela há beleza e um grande entendimento. Nós escutamos com as várias profundidades do nosso ser, mas nossa escuta está sempre acompanhada de uma pressuposição ou de um ponto de vista particular. Não escutamos simplesmente; há sempre o filtro interveniente dos nossos próprios pensamentos, conclusões e preconceitos... Escutar deve ser uma quietude interna, uma liberdade da tensão da aquisição, uma atenção libertada. Esse estado de alerta, porém de passividade, permite fazer escutar o que está além da conclusão verbal. As palavras confundem; elas são apenas o meio de comunicação externo; mas para nos comunicarmos além do ruído das palavras, devemos escutar em uma passividade alerta. Aqueles que amam podem escutar; mas é extremamente raro encontrar um ouvinte. A maioria de nós está em busca de resultados, de atingir objetivos; estamos sempre superando e conquistando, e por isso não há escuta. Somente escutando se ouve o som das palavras.

4 de janeiro

Escutando sem o pensamento

Não sei se você já escutou um pássaro. Escutar algo exige que a mente esteja quieta – não uma quietude mística, mas simplesmente quietude. Eu estou lhe dizendo algo, e para me escutar você tem de estar quieto, não ter uma profusão de ideias zumbindo na sua mente. Quando você olha uma flor, você olha para ela, mas não a nomeia, nem a classifica, nem diz que ela pertence a determinada espécie – quando você faz essas coisas, você deixa de olhar para a flor. Por isso, escutar é uma das coisas mais difíceis – escutar o comunista, o socialista, o congressista, o capitalista, qualquer pessoa, sua esposa, seus filhos, seu vizinho, o motorista do ônibus, o passarinho – apenas escutar. Só quando você escuta sem a ideia ou o pensamento você está diretamente em contato, e dessa maneira vai entender se o que está sendo dito é verdadeiro ou falso; você não tem que discutir.

5 de janeiro

Escutar induz a liberdade

Quando você faz um esforço para escutar, está escutando? O esforço não seria uma distração que acaba lhe impedindo de escutar? Você faz algum esforço quando escuta algo que o encanta? Você não está consciente da verdade nem enxerga o falso como falso, pois sua mente está ocupada, de alguma maneira, em esforçar-se, comparando, justificando ou condenando...

A escuta em si é um ato completo; ele induz sua própria liberdade. Mas você está realmente preocupado em escutar ou em modificar o turbilhão interno? Se você escutasse..., no sentido de estar consciente dos seus conflitos e contradições sem pressioná-los para pertencer a algum padrão particular de pensamento, talvez eles pudessem cessar totalmente. Veja, nós estamos constantemente tentando ser isto ou aquilo, alcançar determinada situação, captar um tipo de experiência e evitar outro, e então a mente está eternamente ocupada com algo; ela nunca vai parar para escutar o ruído das suas próprias lutas e sofrimentos. Seja simples... E não tente se tornar algo ou se apoderar de alguma experiência.

6 de janeiro

Escutar sem esforço

Você agora está me escutando; não está fazendo esforço para prestar atenção, está apenas escutando; e se houver verdade naquilo que escuta, você vai descobrir que está ocorrendo uma notável mudança – que não é premeditada ou desejada, uma transformação, uma completa revolução em que apenas a verdade é o mestre, e não as criações da sua mente. E, se posso lhe sugerir algo, você deve escutar tudo dessa maneira – não apenas o que eu estou dizendo, mas também o que outras pessoas estão dizendo, os passarinhos, o apito de uma locomotiva, o ruído do ônibus passando. Você vai descobrir que quanto mais você escuta tudo, maior é o silêncio, e esse silêncio não é rompido pelo barulho. Só quando você está resistindo a algo, quando está erguendo uma barreira entre você e aquilo que você não quer escutar – só então há uma luta.

7 de janeiro

Escutar a si mesmo

QUESTIONADOR: Enquanto o estou escutando, pareço entender, mas quando estou longe daqui, não entendo, ainda que eu tente aplicar aquilo que você diz.

KRISHNAMURTI: ...Você está escutando a si mesmo, e não o palestrante. Se estiver escutando o palestrante, ele se torna seu líder, seu caminho para o entendimento – o que é um horror, uma abominação, porque você estabeleceu a hierarquia da autoridade. Então, o que está fazendo aqui é escutando a si mesmo. Está olhando para o quadro que o palestrante está pintando, que é o seu próprio quadro, não o do palestrante. Se tudo isso está claro, que você está olhando para si mesmo, então pode dizer: "Bem, eu me vejo como sou e não quero fazer nada a respeito" – e esse é o fim. Mas se você diz: "Eu me vejo como sou, e deve haver uma mudança", então começa a desenvolver seu próprio entendimento – o que é inteiramente diferente de aplicar o que o palestrante diz... Mas, se enquanto o palestrante fala, você escuta a si mesmo, então surgem a clareza, a sensibilidade, e com essa escuta a mente se torna saudável, forte. Nem obedecendo nem resistindo, ela se torna viva, intensa – e só um ser humano assim pode criar uma nova geração, um novo mundo.

8 de janeiro

Olhe com intensidade

...Parece-me que a aprendizagem é espantosamente difícil, assim como a escuta. Nunca escutamos nada realmente porque a nossa mente não é livre; nossos ouvidos estão repletos daquelas coisas que já conhecemos, e por isso escutar torna-se extraordinariamente difícil. Eu acho – ou, antes, é um fato – que se você consegue escutar algo com todo o seu ser, com vigor, com vitalidade, então o próprio ato da escuta é um fator libertador, mas infelizmente você nunca escuta porque nunca aprendeu a escutar. Afinal, só se aprende quando há entrega total. Quando você se entrega totalmente à matemática, você aprende; mas quando está em um estado de contradição – quando não quer aprender, mas é obrigado –, então a aprendizagem se torna apenas um processo de acumulação. Aprender é como ler um romance com inúmeros personagens: requer toda a sua atenção, não uma atenção contraditória. Se você quer aprender sobre uma folha – uma folha da primavera ou uma folha do verão –, você deve realmente olhar para ela, ver sua simetria, sua textura, a qualidade da folha viva. Há beleza, vigor, vitalidade em uma simples folha. Então, para aprender sobre a folha, a flor, a nuvem, o pôr do sol ou o ser humano, você precisa olhar com toda a intensidade.

9 de janeiro

Para aprender, a mente precisa estar tranquila

Para descobrir algo novo, você precisa começar por você mesmo; precisa iniciar uma jornada completamente despojado(a), especialmente de conhecimento, porque é muito fácil, mediante o conhecimento e a crença, ter experiências, mas elas são simplesmente o produto da autoprojeção, por isso totalmente irreais, falsas. Para descobrir por si mesmo o que é novo, não é bom carregar o peso do velho, especialmente o conhecimento, por mais incrível que ele seja. Usamos o conhecimento como um meio de autoprojeção, de nos manter seguros, e acreditamos que estaremos certos apenas se tivermos as mesmas experiências que Buda, Cristo ou X tiveram. Porém, um homem que está se protegendo constantemente com auxílio do conhecimento, é óbvio que não é um buscador da verdade...

Para a descoberta da verdade não há caminho... Quando se quer encontrar algo novo, quando se está experimentando alguma coisa, a mente tem de estar muito tranquila, certo? Se a mente está sobrecarregada, repleta de fatos e conhecimento, estes atuam como um impedimento ao novo. Para a maioria de nós, a dificuldade é que a mente se torna tão importante, tão predominantemente significativa, que interfere constantemente em qualquer coisa que possa ser nova, em qualquer coisa que possa existir simultaneamente com o conhecido. Por isso, o conhecimento e a aprendizagem são impedimentos para aqueles que buscam, tentam entender aquilo que é eterno.

10 de janeiro

Aprendizagem não é experiência

A palavra *aprendizagem* tem grande importância. Há dois tipos de aprendizagem. Para a maioria de nós, aprender significa acumular conhecimento, experiência, tecnologia, uma habilidade, uma linguagem. Há também a aprendizagem psicológica, por meio da experiência – ou das experiências imediatas da vida, que deixam certo resíduo da tradição, da raça, da sociedade. São esses os dois tipos de aprendizagem para enfrentar a vida: psicológica e fisiológica; ou seja, habilidades externas e internas. Na verdade, não há uma linha que separa os dois; eles se justapõem.

No momento, não estamos considerando a habilidade que aprendemos mediante a prática, o conhecimento tecnológico adquirido com o estudo. O que nos preocupa agora é a aprendizagem psicológica, adquirida através dos séculos ou herdada como tradição, conhecimento ou experiência. Nós chamamos de "experiência", mas eu questiono se existe nisso alguma aprendizagem. Não falo sobre a aprendizagem de uma habilidade, um idioma ou uma técnica, mas questiono se a mente sempre aprende psicologicamente. Se sim, a mente aprendeu a enfrentar o desafio da vida. Está sempre traduzindo a vida ou o novo desafio de acordo com aquilo que aprendeu. É isso que estamos fazendo. Isso é aprendizagem? A aprendizagem não implica algo novo, algo que eu não sei e estou aprendendo? Se estou meramente adicionando ao que já sei, isso não é mais aprendizagem.

11 de janeiro

Quando a aprendizagem é possível?

Questionar e aprender é a função da mente. Por aprendizagem não me refiro ao mero cultivo da memória ou à acumulação de conhecimento, mas à capacidade de pensar com clareza e sensatamente sem ilusão, partindo dos fatos, e não de crenças e ideais. Não há aprendizagem se o pensamento se origina de conclusões. Simplesmente adquirir informações ou conhecimento não é aprender. A aprendizagem implica no amor pelo entendimento e por fazer uma coisa por si mesma. A aprendizagem só é possível quando não há nenhum tipo de coerção. E a coerção assume muitas formas, não é? A coerção pode surgir por meio da influência, de ligação ou ameaça, do encorajamento persuasivo ou de formas sutis de recompensa.

A maioria das pessoas acha que a aprendizagem é encorajada pela comparação, enquanto a verdade é justamente o contrário. A comparação cria frustração, só encoraja a inveja e é chamada de competição. Como outras formas de persuasão, a comparação impede a aprendizagem e gera medo.

12 de janeiro

A aprendizagem nunca é acumulativa

Aprendizagem é uma coisa e adquirir conhecimento é outra. A aprendizagem é um processo contínuo, não um processo de adição nem um processo em que você coleta para, então, partir para a ação. A maioria de nós reúne conhecimento como memória, ideia, armazena-o como experiência e, então, age. Ou seja, nós agimos a partir do conhecimento, do conhecimento tecnológico, do conhecimento como experiência, do conhecimento como tradição, do conhecimento derivado de nossas tendências idiossincráticas particulares; com essa bagagem, esse acúmulo de conhecimento, experiência e tradição, nós agimos. Nesse processo não há aprendizagem. A aprendizagem nunca é acumulativa: é um movimento constante. Não sei se você já se perguntou isso: o que é aprendizagem e o que é aquisição de conhecimento?... Não se pode armazenar aprendizagem para agir. Aprende-se enquanto se está vivendo. Por isso, nunca há um momento de retrocesso, deterioração ou declínio.

13 de janeiro

A aprendizagem não tem passado

A sabedoria é algo que tem de ser descoberto por cada um, e não o resultado do conhecimento. O conhecimento e a sabedoria não andam juntos. A sabedoria chega quando há maturidade do autoconhecimento. Sem o conhecimento de si mesmo, a ordem não é possível, e por isso não há virtude.

Ora, aprender e acumular conhecimento sobre si mesmo são duas coisas diferentes... Uma mente que adquire conhecimento nunca está aprendendo. Ela está fazendo o seguinte: reunindo informações para si – experiência como conhecimento – e, a partir dessa bagagem, experimentando, aprendendo; e por isso nunca está realmente aprendendo, mas sempre conhecendo, adquirindo.

A aprendizagem está sempre no presente ativo, ela não tem passado. No momento em que você diz para si mesmo: "Eu aprendi", isso já se torna conhecimento; e com a bagagem desse conhecimento você pode acumular, trasladar, mas não aprender mais. Somente uma mente que não está adquirindo, mas sempre aprendendo, pode entender a entidade que chamamos de "eu", o *self*. Eu tenho de me conhecer – a estrutura, a natureza, a importância da entidade total; mas não posso fazer isso sobrecarregado com meu conhecimento prévio e minha experiência, ou com uma mente condicionada, caso contrário eu não estou aprendendo. Estou simplesmente interpretando, trasladando, olhando com um olho já enevoado pelo passado.

14 de janeiro

A autoridade impede a aprendizagem

Nós geralmente aprendemos por meio do estudo, dos livros, da experiência ou através de um exemplo, ou seja, quando somos instruídos. Essas são as maneiras usuais da aprendizagem. Encarregamos à memória o que fazer e o que não fazer, o que pensar e o que não pensar, como sentir, como reagir. Por meio da experiência, do estudo, da análise, da sondagem e do exame introspectivo, armazenamos conhecimento como memória, que reage a outros desafios e demandas, fazendo surgir cada vez mais aprendizagem... O que é aprendido está comprometido com a memória como conhecimento, e esse conhecimento funciona sempre que há um desafio ou sempre que temos de fazer alguma coisa.

Agora, eu acho que há uma maneira totalmente diferente de aprender e vou falar um pouquinho sobre isso – mas para entender e aprender essa maneira diferente, você deve estar totalmente livre de autoridade; do contrário, vai meramente ser instruído e repetir o que já escutou. Por isso é muito importante entender a natureza da autoridade. A autoridade impede a aprendizagem – a aprendizagem que não é a acumulação do conhecimento como memória. A memória sempre responde em padrões; nela não há liberdade. Um homem que está sobrecarregado de conhecimento, de instruções, que é oprimido pelas coisas que aprendeu, nunca está livre. Ele pode ser extraordinariamente erudito, mas seu acúmulo de conhecimento o impede de ser livre, e por isso ele é incapaz de aprender.

15 de janeiro

Destruir é criar

Para ser livre, deve-se examinar a autoridade – todo o esqueleto da autoridade –, destruindo todas as coisas sujas. E isso requer energia – energia física real –, e também exige energia psicológica. Mas a energia é destruída, desperdiçada, quando se está em conflito... Então, quando há o entendimento de todo o processo de conflito, há o fim do conflito, há abundância de energia. Logo, você pode prosseguir, derrubando a casa que você construiu no decorrer dos séculos e que não tem nenhum significado.

Destruir é criar. Precisamos destruir, não os prédios nem o sistema social ou econômico – isso acontece diariamente –, mas o psicológico, o inconsciente e as defesas conscientes, seguranças que foram construídas racional, individual, profunda e superficialmente. Precisamos destruir tudo aquilo que é totalmente indefensável, porque é preciso estar indefeso para amar e ter afeição. Somente então é possível ver e entender a ambição, a autoridade, e se começa a enxergar quando a autoridade é necessária e em que nível – a autoridade do policial, e nada mais. Então, não há autoridade de aprendizagem, não há autoridade de conhecimento, não há autoridade da capacidade – nenhuma autoridade em que a função assuma e se torne *status*. Para entender a autoridade – dos gurus, dos Mestres, entre outros –, é necessário uma mente muito aguçada, um cérebro claro, não um cérebro lodoso, embotado.

16 de janeiro

A virtude não tem autoridade

A mente pode ficar livre da autoridade? O que significa ficar livre do medo, de maneira que sucumbir a ele não aconteça mais? Se possível, isso dará um fim à imitação, que se torna mecânica. Afinal, virtude e ética não são uma repetição do que é bom. Se o momento torna-se mecânico, ele deixa de ser virtude. A virtude é algo que deve estar presente de momento a momento, como a humildade. A humildade não pode ser cultivada – e uma mente que não tem humildade é incapaz de aprender. Por isso, a virtude não tem autoridade. A moralidade social não é absolutamente moralidade: ela é imoral porque admite a competição, a ganância, a ambição – por isso a sociedade está encorajando a imoralidade. A virtude é algo que transcende a moralidade. Sem virtude não há ordem, e a ordem não existe segundo um padrão, uma fórmula. Uma mente que segue uma fórmula mediante sua autodisciplina para atingir a virtude cria para si o problema da imoralidade.

Uma autoridade externa que a mente objetifica, com exceção da lei – como Deus, a moral etc. –, torna-se destrutiva quando a mente está procurando entender o que é a virtude real. Temos a nossa própria autoridade como experiência, como conhecimento, que estamos tentando seguir. Há essa constante repetição, imitação, que todos nós conhecemos. A autoridade psicológica – não a autoridade da lei, do policial que mantém a ordem –, a autoridade psicológica que cada um tem torna-se destruidora da virtude porque esta é algo que está vivo, se movendo. Quando você não consegue cultivar a humildade, quando não consegue cultivar o amor, também a virtude não pode ser cultivada, e há uma grande beleza nisso. A virtude não é mecânica, e sem ela não há base para o pensamento claro.

17 de janeiro

A mente velha é restringida pela autoridade

O problema, então, é o seguinte: é possível para uma mente que tem sido tão condicionada – educada em inúmeras seitas, religiões e com todas as superstições e medos – libertar-se de si mesma, e desse modo criar uma nova mente?... A mente velha é essencialmente restringida pela autoridade. Não estou usando a palavra *autoridade* no sentido legal, mas como tradição, conhecimento, experiência, o meio de encontrar segurança e permanecer nela (externa ou internamente), porque, afinal, é isso que a mente está sempre buscando: um lugar em que ela possa estar segura, não perturbada. Tal autoridade pode ser proveniente de uma suposta ideia religiosa autoimposta de Deus, e que não tem realidade para uma pessoa religiosa. Uma ideia não é um fato, é uma ficção. Deus é uma ficção: você pode acreditar nele, mas ele continua sendo uma ficção. Para encontrar Deus você deve destruir completamente a ficção, porque a mente velha é a mente amedrontada, ambiciosa, que teme a morte, a vida e o relacionamento e está sempre, consciente ou inconscientemente, buscando uma segurança permanente.

18 de janeiro

Livre no início

Se conseguirmos entender a compulsão por trás do nosso desejo de dominar ou ser dominado, talvez possamos nos livrar dos efeitos incapacitantes da autoridade. Ansiamos por estar certos, ser justos, ser bem-sucedidos, saber; e esse desejo de certeza, de permanência, constrói dentro de nós a autoridade da experiência pessoal, embora externamente crie a autoridade da sociedade, da família, da religião etc. Simplesmente ignorar a autoridade, livrar-se de seus símbolos externos, é pouquíssimo importante.

Romper com uma tradição e se adaptar a outra, deixar esse líder e seguir aquele, são apenas atitudes superficiais. Para ter consciência de todo o processo da autoridade, enxergar a interioridade dele, entender e transcender o desejo de certeza, é preciso ter consciência e *insight* extensivos, estar livre – não no fim, mas no início.

19 de janeiro

Libertação da ignorância, da tristeza

Escutamos com esperança e medo; buscamos a luz de outro, mas não somos cautelosamente passivos para ser capazes de entender. Se o liberto parece preencher nossos desejos, nós o aceitamos; caso contrário, continuamos nossa busca por aquele que será libertado; o que a maioria de nós deseja é a gratificação em diferentes níveis. O importante não é reconhecer aquele que está liberto, mas entender a si mesmo. Nenhuma autoridade, agora ou no futuro, poderá lhe dar o conhecimento de você mesmo; sem o autoconhecimento não há libertação da ignorância, da tristeza.

20 de janeiro

Por que nós seguimos?

Por que aceitamos? Por que seguimos? Nós seguimos a autoridade do outro, a experiência do outro, e depois duvidamos dela. Essa busca pela autoridade e sua sequela – a desilusão – é um processo doloroso para a maioria de nós. Responsabilizamos ou criticamos a autoridade anteriormente aceita – o líder, o professor –, mas não examinamos o nosso próprio anseio por uma autoridade que possa dirigir a nossa conduta. Quando entendermos esse anseio, compreenderemos a importância da dúvida.

21 de janeiro

A autoridade corrompe tanto o líder quanto o seguidor

Obter autoconsciência é uma tarefa árdua, e como a maioria de nós prefere uma maneira fácil, ilusória, nós criamos a autoridade para dar forma e padrão à nossa vida. Essa autoridade pode ser o coletivo, o Estado ou pode ser o pessoal, o Mestre, o salvador, o guru. Qualquer tipo de autoridade é cego, gera imprudência, e como a maioria de nós acha que ser ponderado é sofrer, nos entregamos à autoridade. A autoridade gera poder, e o poder sempre se torna centralizado, por isso totalmente corruptor: ele corrompe não somente aquele que exerce o poder, mas aquele que o segue. A autoridade do conhecimento e da experiência é perversora, seja investida no Mestre, em nossos representantes ou no sacerdote. O importante é a própria vida, esse conflito aparentemente eterno, e não o padrão ou o líder. A autoridade do Mestre e do sacerdote nos afasta da questão central, que é o conflito dentro de nós mesmos.

22 de janeiro

Posso confiar na minha experiência?

A maioria de nós está satisfeita com a autoridade porque ela nos proporciona uma continuidade, uma certeza, uma sensação de proteção. Mas aquele que entendesse as implicações dessa profunda revolução psicológica deveria estar livre da autoridade, não é? Não se pode buscar nenhuma autoridade, seja de criação própria ou imposta por outra pessoa. Isso é possível? É possível para não confiar na autoridade da própria experiência?

Mesmo tendo rejeitado todas as expressões externas da autoridade – livros, professores, sacerdotes, igrejas, crenças –, ainda tenho a sensação de que pelo menos posso confiar no meu próprio julgamento, em minhas próprias experiências, minha própria análise. Mas será que eu posso confiar na minha experiência, no meu julgamento, na minha análise? Minha experiência é o resultado do meu condicionamento, assim como o de qualquer pessoa, não é? Posso ter sido criado como muçulmano, budista ou hindu, e minha experiência vai depender dos meus antecedentes cultural, econômico, social e religioso. Eu posso confiar nisso? Posso confiar na orientação, na esperança, na visão que me dará fé no meu próprio julgamento, que mais uma vez é o resultado de lembranças acumuladas, experiências, o condicionamento do passado encontrando o presente?... Ora, quando eu coloco todas essas questões para mim mesmo e estou consciente do problema, vejo que pode haver apenas um estado em que a realidade e a novidade podem ser geradas, o que provoca uma revolução. Nesse estado a mente está completamente vazia do passado, não há analista, experiência, julgamento nem qualquer tipo de autoridade.

23 de janeiro

O autoconhecimento é um processo

Então, para entender os inúmeros problemas que cada um de nós tem, não é essencial que haja autoconhecimento? Por ser a autoconsciência uma das coisas mais difíceis, obtê-la não significa um isolamento, um recolhimento? Obviamente, conhecer a si mesmo é essencial; mas conhecer a si mesmo não implica um isolamento do relacionamento. E certamente seria um erro pensar que uma pessoa possa se conhecer de maneira significativa, completa, mediante o isolamento, a exclusão, ou procurando algum psicólogo ou sacerdote, ou que se possa aprender o autoconhecimento por meio de um livro. O autoconhecimento é obviamente um processo, não um fim em si, e para conhecer a si mesmo deve-se estar consciente de si mesmo em ação, ou seja, no relacionamento. Você se descobre não no isolamento nem no recolhimento, mas no relacionamento – com a sociedade, seu cônjuge, seu irmão, o homem. Mas descobrir como você reage, quais são suas reações, requer uma extraordinária atividade da mente, uma percepção aguda.

24 de janeiro

A mente desprendida

A transformação do mundo é provocada pela transformação de si mesmo, porque o *self* é o produto e uma parte do processo total da existência humana. Para haver transformação, o autoconhecimento é essencial; sem saber o que você é não há base para um pensamento correto, e sem conhecer a si mesmo não pode haver transformação. O indivíduo precisa se conhecer como ele é, não como deseja ser, pois é meramente um ideal e, por isso, fictício, irreal; só esse *o que* pode ser transformado, não aquele que você deseja ser.

Conhecer-se como se é requer uma mente extraordinariamente alerta, porque *o que* está constantemente sofrendo transformações, mudanças: e para segui-lo depressa a mente não deve estar presa a nenhum dogma ou crença particular, a nenhum padrão de ação. Se você quiser seguir qualquer coisa, não é bom estar preso. Para conhecer a si mesmo é necessário ter consciência, uma extraordinária atividade da mente em que há a liberdade de todas as crenças, de toda idealização, porque as crenças e os ideais só lhe proporcionam uma cor, pervertendo a verdadeira percepção. Se quiser saber o que você é, não pode imaginar ou acreditar em algo que você não é. Se eu sou ganancioso, invejoso, violento, o simples fato de ter um ideal de não violência, de não ganância, é de pouco valor... O entendimento do que você é – seja feio ou bonito, malvado ou maligno –, sem distorção, é o início da virtude. A virtude é essencial, pois ela proporciona liberdade.

25 de janeiro

Autoconhecimento ativo

Sem o autoconhecimento, a experiência gera ilusão; com o autoconhecimento, a experiência, que é a resposta ao desafio, não deixa um resíduo cumulativo como memória. O autoconhecimento é a descoberta contínua das maneiras do *self*, de suas intenções e buscas, de seus pensamentos e aspirações. Nunca pode existir "a sua experiência" e "a minha experiência"; o próprio termo "minha experiência" indica ignorância e aceitação da ilusão.

26 de janeiro

A criatividade mediante o autoconhecimento

Não há método para o autoconhecimento. Buscar um método invariavelmente implica o desejo de atingir algum resultado – e isso é o que todos queremos. Nós seguimos a autoridade – se não a de uma pessoa, então a de um sistema, de uma ideologia – porque queremos um resultado que seja satisfatório, que nos dê segurança. Nós realmente não queremos entender a nós mesmos, os nossos impulsos e reações, todo o processo do nosso pensamento, o consciente e o inconsciente; preferimos buscar um sistema que nos garanta um resultado. Mas a busca de um sistema é invariavelmente o resultado do nosso desejo de segurança, de certeza, e o resultado obviamente não é o entendimento de si mesmo. Quando seguimos um método, precisamos ter autoridades – o professor, o guru, o salvador, o Mestre –, e elas irão nos garantir o que desejamos; certamente, esse não é o caminho para o autoconhecimento.

A autoridade impede o entendimento de si mesmo, certo? Sob a proteção de uma autoridade, um guia, podemos desfrutar temporariamente de uma sensação de segurança, de bem-estar – mas isso não é o entendimento do processo total de si mesmo. A autoridade, em sua própria natureza, impede a plena consciência de si mesmo, e por isso destrói fundamentalmente a liberdade; apenas na liberdade pode haver criatividade. E só pode haver criatividade por meio do autoconhecimento.

27 de janeiro

Mente tranquila, mente simples

Quando somos conscientes de nós mesmos, toda a vida não é uma maneira de revelar o "eu", o ego, o *self*? O *self* é um processo muito complexo que só pode ser revelado no relacionamento, em nossas atividades diárias, na maneira como falamos, julgamos, calculamos, na maneira em que condenamos os outros e a nós mesmos. Tudo isso revela o estado de condicionamento do nosso próprio pensamento – e não é importante estar consciente de todo esse processo? Somente por meio da consciência contínua do que é verdadeiro ocorre a descoberta do atemporal, do eterno. Sem o autoconhecimento, o eterno não pode existir. Quando não nos conhecemos, o eterno se torna uma mera palavra, um símbolo, uma especulação, um dogma, uma crença, uma ilusão da qual a mente pode escapar. Mas se começarmos a entender o "eu" em todas as suas várias atividades do dia a dia, então, nesse próprio entendimento, sem nenhum esforço, o anônimo, o eterno, acontecerá. Mas o eterno não é uma recompensa para o autoconhecimento. Aquilo que é eterno não pode ser buscado, a mente não pode adquiri-lo. Ele acontece quando a mente está tranquila, e a mente só pode estar tranquila se ela for simples, se não estiver mais armazenando, condenando, julgando, pesando. Só uma mente simples pode entender o real, não uma mente repleta de palavras, conhecimentos, informações. A mente que analisa, calcula, não é uma mente simples.

28 de janeiro

Autoconsciência

Se você não se conhecer, se não fizer o que deseja, provavelmente não poderá existir o estado de meditação. Por "autoconsciência" refiro-me ao conhecimento de todo pensamento, todo humor, toda palavra, todo sentimento: o conhecimento da atividade da sua mente. Se não conhecemos o *self* supremo – o grande *self* –, isso não existe; o *self* mais elevado, o sopro vital, está ainda dentro do campo do pensamento. O pensamento é o resultado do seu condicionamento; o pensamento é a resposta da sua memória – ancestral ou imediata. Simplesmente tentar meditar sem primeiro estabelecer profundamente, irrevogavelmente, essa virtude que surge através da autoconsciência é totalmente enganoso e absolutamente inútil.

Por favor, para aqueles que são sérios, é muito importante entender. Porque se você não conseguir fazer isso, sua meditação e sua vida real estão divorciadas – tão amplamente separadas que, embora você possa meditar e assumir posturas indefinidamente pelo resto da sua vida, você não enxergará além do seu nariz; qualquer postura que assuma, qualquer coisa que faça, não terá nenhum significado.

...É imperativo entender que o autoconhecimento é apenas estar desprovido de qualquer escolha, consciente do "eu", que tem sua fonte em um punhado de memórias – apenas ter consciência dele sem interpretação, simplesmente para observar o movimento da mente. Mas essa observação é impedida quando você está meramente acumulando através da observação – o que fazer, o que não fazer, o que conseguir; se você fizer isso, estará pondo um fim no processo vivo do movimento da mente como *self*. Ou seja, deve--se observar e enxergar o fato, o real, *o que existe*. Se eu o abordo com uma ideia, com uma opinião ("eu não devo" ou "eu devo", que são reações da memória, por exemplo), então o movimento *do que existe* é impedido, é bloqueado, e por isso não há aprendizagem.

29 de janeiro

Vazio criativo

Você não pode só escutar isso como o solo recebe a semente e ver se a mente é capaz de ser livre, vazia? Pode estar vazia apenas entendendo todas as nossas projeções, suas próprias atividades, não desligada e ligada, mas no dia a dia, de momento a momento. Então você vai encontrar a resposta, vai ver que a mudança chega sem você pedir, que o estado do vazio criativo não é uma coisa a ser cultivada – ele está ali, chega misteriosamente, sem nenhum convite, e apenas nesse estado há uma possibilidade de renovação, de novidade, de revolução.

30 de janeiro

Autoconhecimento

O pensamento correto vem com o autoconhecimento. Sem entender a si mesmo, não há base para o pensamento; sem autoconhecimento, o que se pensa não é verdade.

O mundo e você não são duas entidades diferentes com problemas separados: o mundo e você são um só. Seu problema é o problema do mundo. Você pode ser o resultado de algumas tendências, de influências ambientais, mas o mundo e você não são fundamentalmente diferentes um do outro. Internamente, somos muito parecidos; somos todos direcionados pela ganância, pela má intenção, pelo medo, pela ambição etc. Nossas crenças, esperanças e aspirações têm uma base comum. Somos um só, uma humanidade, embora as fronteiras artificiais da economia, da política e do preconceito nos dividam. Se você mata outra pessoa, está destruindo a si mesmo. Você está no centro do todo, e sem entender a si mesmo não poderá entender a realidade.

Temos um conhecimento intelectual dessa unidade, mas mantemos o conhecimento e o sentimento em compartimentos diferentes, e por isso nunca experienciamos a extraordinária unidade do homem.

31 de janeiro

O relacionamento é um espelho

O autoconhecimento não segue nenhuma fórmula. Você pode ir a um psicólogo ou a um psicanalista para descobrir coisas sobre si mesmo, mas isso não é autoconhecimento. O autoconhecimento surge quando estamos conscientes de nós mesmos no relacionamento, que mostra o que somos de momento a momento.

O relacionamento é um espelho em que nos enxergamos como realmente somos. Mas a maioria de nós é incapaz de enxergar a si mesmo como realmente é no relacionamento, porque imediatamente começa a condenar ou justificar o que vê. Nós julgamos, avaliamos, comparamos, negamos ou aceitamos, mas nunca observamos realmente *o que existe*; e para a maioria das pessoas essa parece ser a coisa mais difícil de fazer. Mas esse é só o início do autoconhecimento.

Se alguém for capaz de se enxergar como é nesse extraordinário espelho do relacionamento que não distorce, se conseguir simplesmente enxergar com toda a atenção e ver realmente *o que existe*, estar consciente disso sem condenação, sem julgamento, sem avaliação – e fizer isso quando há um ardente interesse –, então vai descobrir que a mente é capaz de se libertar de todo condicionamento, e só então a mente estará livre para descobrir o que está além do campo do pensamento.

Afinal, por mais instruída e mais bonita que possa ser a mente, ela é consciente ou inconscientemente limitada, condicionada, e qualquer extensão desse condicionamento ainda está dentro do campo do pensamento. A liberdade é algo inteiramente diferente.

Fevereiro

Tornando-se

Crença

Ação

O bem e o mal

1 de fevereiro

Tornar-se é contestação

A vida como a conhecemos, nossa vida diária, é um processo de transformação. Eu sou pobre e ajo com um objetivo em vista, o de me tornar rico. Sou feio, então quero me tornar bonito. Por isso, minha vida é o processo em que eu me torno algo. A vontade de ser é a vontade de se tornar, em diferentes níveis de consciência e estados em que existem desafio, reação, denominação e registro. Ora, este tornar-se é contestação, é sofrimento, não é? É uma luta constante: eu sou isto e quero me tornar aquilo.

2 de fevereiro

Todo tornar-se é desintegração

A mente tem uma ideia, talvez agradável, e quer ser como essa ideia, que é uma projeção do seu desejo. Você é isso de que você não gosta e quer se tornar algo de que você gosta. O ideal é uma autoprojeção, o oposto é uma extensão *do que existe*; não é de modo nenhum o oposto, mas uma continuidade *do que existe*, talvez um pouco modificado. A projeção é obstinada, e o conflito é a luta rumo à projeção... Você luta para se tornar algo, e esse algo é parte de você. O ideal é a sua própria projeção. Veja como a mente pregou uma peça em si mesma. Você luta por palavras, buscando sua própria projeção, sua própria sombra. Você é violento e luta para se tornar não violento, o ideal; mas o ideal é uma projeção *do que existe*, apenas com um nome diferente.

Quando você está consciente dessa peça que pregou em si mesmo, então o falso é visto como tal. A luta por uma ilusão é o fator de desintegração. Todo conflito, todo tornar-se, é desintegração. Quando se está consciente dessa peça que sua mente lhe pregou, resta apenas *o que existe*. Quando a mente é esvaziada de todo o tornar-se, de todos os ideais, de toda comparação e condenação, quando sua própria estrutura desmoronou, então *o que existe* sofreu uma completa transformação. Enquanto houver a nomeação *do que existe*, haverá um relacionamento entre a mente e *o que existe*; mas quando esse processo de nomeação – que é a memória, a verdadeira estrutura da mente – não existe, então *o que existe* não existe. Somente nessa transformação há integração.

3 de fevereiro

A mente rude pode se tornar sensível?

Escute a pergunta, o significado que está por trás das palavras. A mente rude pode se tornar sensível? Se eu digo que a minha mente é rude e tento me tornar sensível, o próprio esforço para eu me tornar sensível é rudeza. Por favor, veja isso. Não fique intrigado, mas observe. Se eu reconheço que sou rude sem querer mudar, sem tentar me tornar sensível, se começo a entender o que é a rudeza, a observá-la em minha vida diária – a maneira voraz como faço minhas refeições, a grosseria com a qual trato as pessoas, o orgulho, a arrogância, a vulgaridade dos meus hábitos e pensamentos –, então essa própria observação transforma *o que existe*.

Do mesmo modo, se sou estúpido e digo que preciso me tornar inteligente, o esforço para me tornar inteligente é apenas uma forma maior de estupidez; porque o importante é entender a estupidez. Por mais que eu possa tentar me tornar inteligente, minha estupidez vai permanecer. Posso adquirir o refinamento superficial da erudição, ser capaz de citar livros, repetir passagens de grandes autores; no entanto, vou continuar estúpido. Mas se eu vejo e entendo a estupidez como ela se expressa em minha vida diária – como eu me comporto em relação ao meu empregado, como encaro o meu vizinho, o homem pobre, o homem rico, o balconista –, então essa própria consciência produz uma ruptura da estupidez.

4 de fevereiro

Oportunidades para a autoexpansão

A estrutura hierárquica oferece uma excelente oportunidade para a autoexpansão. Você pode desejar a irmandade, mas como pode haver irmandade se você está buscando distinções espirituais? Você pode sorrir diante de títulos mundanos, mas quando admite o Mestre, o salvador, o guru no reino do espírito, será que não está transferindo a atitude mundana? Pode haver divisões ou graus hierárquicos no crescimento espiritual, no entendimento da verdade, na compreensão de Deus? O amor não admite divisões. Ou você ama ou não ama, mas não transforme a falta de amor em um processo contínuo, cujo objetivo é o amor. Quando você sabe que não ama, quando está absolutamente consciente desse fato, então há uma possibilidade de transformação; mas cultivar diligentemente essa distinção entre o Mestre e o pupilo, entre aqueles que atingiram e aqueles que não atingiram, entre o salvador e o pecador, isto é negar o amor. O explorador, que também é explorado, encontra um afortunado campo de caça nessa escuridão e nessa ilusão.

...A separação entre Deus ou realidade e você mesmo é produzida por você, pela mente que se apega ao conhecido, à certeza, à segurança. Essa separação não pode ser transposta; não há ritual, não há disciplina, não há sacrifício que possa transpô-la; não há salvador, não há Mestre, não há guru que possa conduzi-lo ao real ou destruir essa separação. A divisão não está entre o real e você; está em você mesmo.

...O essencial é entender o crescente conflito do desejo; e esse entendimento só surge por meio do autoconhecimento e da constante consciência dos movimentos do *self*.

5 de fevereiro

Além de toda experiência

O entendimento do *self* (o eu interior) requer muita inteligência, muita vigilância, prontidão, observação incessante, para ele não escapar. Eu, que sou muito sério, quero dissolver o *self*. Quando digo isso, sei que é possível dissolver o *self*. Por favor, seja paciente. No momento em que digo: "Eu quero dissolver isto" e executo a dissolução, ocorre a experimentação do *self* – e, portanto, o *self* é fortalecido. Então, como é possível o *self* não ser experimentado? Pode-se ver que a criação não é toda a experiência do *self*. A criação existe quando o *self* não está presente, porque a criação não é intelectual, não pertence à mente, não é autoprojetada; pelo que sabemos, é algo que está além de toda experiência. É possível para a mente ficar bem tranquila, em um estado de não reconhecimento, ou seja, de não experimentação, em um estado em que a criação possa ocorrer – o que significa, quando o *self* não está presente, quando o *self* está ausente? Estou sendo claro, ou não? ...O problema é este, não é? Qualquer movimento da mente, positivo ou negativo, é uma experiência que realmente fortalece o "eu". É possível para a mente não reconhecê-lo? Isso só pode acontecer quando há completo silêncio, mas não o silêncio que é uma experiência do *self* e que por isso o fortalece.

6 de fevereiro

O que é o *self*?

A busca por poder, posição, autoridade, ambição e todo o resto representa as diferentes formas do *self*. O importante, no entanto, é entender o *self*, e eu tenho certeza de que você e eu estamos convencidos disso. Vamos levar a sério esta questão, porque sinto que se você e eu – como indivíduos, não como pessoas pertencentes a determinadas classes, sociedades, divisões climáticas – pudermos entender e atuar sobre isso, então acho que haverá uma verdadeira revolução. No momento em que se tornar universal e mais bem organizado, o *self* vai se abrigar nisso; enquanto se você e eu, como indivíduos, conseguirmos amar e pudermos realmente realizar isso na vida diária, a tão essencial revolução se tornará realidade.

Você sabe o que eu entendo por *self*? É a ideia, a memória, a conclusão, a experiência, as várias formas de intenções nomeáveis e não nomeáveis, o esforço consciente para ser ou não ser, a memória acumulada do inconsciente, do racial, dos grupos, do indivíduo, do clã e do conjunto disso tudo, quer esteja projetado externamente na ação ou espiritualmente, como virtude; o empenho, após tudo isso, é o *self*. Nele está incluída a competição, o desejo de ser. Todo esse processo é o *self*, e sabemos realmente que ele é uma coisa ruim quando estamos diante dele. Estou usando a palavra ruim intencionalmente, porque o *self* é divisório, é autocontido; suas atividades, embora nobres, são separadoras e isoladas. Sabemos tudo isso. Também sabemos como são extraordinários os momentos em que o *self* não está presente, quando não há a sensação de empenho e de esforço, e que acontecem quando existe amor.

7 de fevereiro

Quando existe amor, não existe *self*

A realidade e a verdade não devem ser reconhecidas. Para a verdade existir, a crença, o conhecimento, a experiência, a virtude, a busca da virtude – que é diferente de ser virtuoso –, todos devem desaparecer. A pessoa virtuosa consciente de buscar a virtude não pode nunca encontrar a realidade. Ela pode ser uma pessoa muito decente, mas isso é inteiramente diferente da pessoa verdadeira, da pessoa que entende. Para a pessoa verdadeira, a verdade passou a existir. A pessoa virtuosa é a pessoa íntegra, e uma pessoa íntegra nunca pode entender o que é a verdade, porque, para ela, a virtude é o invólucro do *self*, o fortalecimento do *self*, pois ela está buscando a virtude. Quando ela diz: "Eu não devo ser ambiciosa", o estado em que ela não é ambiciosa e que ela experiencia fortalece o *self*. Por isso é tão importante ser pobre, não somente nas coisas do mundo, mas também na crença e no conhecimento. Um homem rico de pertences mundanos ou de conhecimento e crença jamais conhecerá nada senão a escuridão, e será o centro de todo mal e de toda miséria. Mas se você e eu, como indivíduos, conseguirmos enxergar todo esse trabalho do *self*, então saberemos o que é o amor. Asseguro-lhe que essa é a única reforma que tem possibilidade de mudar o mundo. O amor não é o *self*. Ele não consegue reconhecer o amor. Você diz: "Eu amo", mas no simples fato de dizê-lo, de experimentá-lo, o amor não está presente. Quando se conhece o amor, o *self* não está presente. Quando existe amor, não existe *self*.

8 de fevereiro

Entender o que existe

Certamente, um homem que está entendendo a vida não deseja crenças. Um homem que ama não tem crenças – ele ama. Um homem consumido pelo intelecto tem crenças, porque o intelecto está sempre buscando segurança, proteção – está sempre evitando o perigo e, por isso, constrói ideias, crenças e ideais por trás dos quais ele pode se abrigar. O que aconteceria se você, agora, agisse diretamente com violência? Você seria um perigo para a sociedade; e como a mente prevê o perigo, ela diz: "Eu vou atingir o ideal da não violência daqui a dez anos" – o que é um processo fictício, falso... Entender *o que existe* é mais importante do que criar e seguir ideais, porque eles são falsos, e *o que existe* é real. Entender *o que existe* requer uma enorme capacidade, uma mente rápida e não preconceituosa. Como não queremos enfrentar e entender *o que existe*, inventamos muitas maneiras de escapar e lhe dar nomes adoráveis, como ideal, crença, Deus. Certamente, só quando vejo o falso como falso minha mente é capaz de perceber o que é verdade. Uma mente confusa diante do que é o falso nunca pode encontrar a verdade. Por isso, deve-se entender o que é falso nos relacionamentos, nas ideias, nas coisas relacionadas a mim, porque para perceber a verdade é necessário entender o falso. Sem remover as causas da ignorância não pode haver esclarecimento; e buscar esclarecimento quando a mente não está esclarecida é algo absolutamente vazio, sem significado. Por isso, devo começar a enxergar o falso no meu relacionamento com as ideias, com as pessoas, com as coisas. Quando a mente enxerga aquilo que é falso, o que é verdade passa a existir, e então há o êxtase, há a felicidade.

9 de fevereiro

O que acreditamos

A crença proporciona entusiasmo? O entusiasmo pode se sustentar sem uma crença? Ele é minimamente necessário ou é um tipo diferente de energia, de vitalidade? A maioria de nós tem entusiasmo por uma coisa ou outra. Somos muito apaixonados, entusiasmados por concertos, exercícios físicos ou até por um piquenique. A menos que isso seja alimentado por uma coisa ou outra a todo momento, acaba desvanecendo e passamos a ter um novo entusiasmo por outras coisas. Há uma força autossustentável, uma energia que não depende de uma crença?

Outra questão é: necessitamos de algum tipo de crença? E, se isso for verdade, por que ela é necessária? Esse é um dos problemas envolvidos. Não necessitamos crer que a luz do sol existe, nem as montanhas e os rios. Não necessitamos crer que nós e nossos cônjuges brigamos. Não temos de crer que a vida é um mistério terrível, com sua angústia, conflito e constante ambição – isso é um fato. Mas exigimos uma crença quando queremos escapar de um fato para uma irrealidade.

10 de fevereiro

Agitado pela crença

Então, sua religião, sua crença em Deus, é uma fuga da realidade, e por isso não há religião alguma. O homem rico que acumula dinheiro por meio da crueldade, da desonestidade, da exploração astuciosa, acredita em Deus; e você também acredita em Deus – você também é astuto, cruel, desconfiado, invejoso. Encontra-se Deus mediante a desonestidade, a fraude, os truques astuciosos da mente? Pelo fato de você colecionar todos os livros sagrados e os vários símbolos de Deus, isso indica que você é uma pessoa religiosa? Então, a religião não é uma fuga do fato: a religião é o entendimento do que você é em seus relacionamentos cotidianos; é a maneira que você se expressa, o modo como fala, como se dirige a seus empregados, como trata seu cônjuge, seus filhos e seus vizinhos. Enquanto você não entender seu relacionamento com seu vizinho, com a sociedade, com seu cônjuge e filhos, haverá confusão; e por estar confusa, o que quer que a mente faça, só vai criar mais confusão, problemas e conflitos. Uma mente que foge do real, dos fatos do relacionamento, nunca encontrará Deus; uma mente agitada pela crença não conhecerá a verdade. Mas a mente que entende seu relacionamento com a propriedade, as pessoas, as ideias, a mente que não luta mais com os problemas que o relacionamento cria – e para os quais a solução não é o recolhimento, mas o entendimento do amor –, só essa mente pode entender a realidade.

11 de fevereiro

Além da crença

Achamos que a vida é feia, dolorosa, triste; queremos algum tipo de teoria, algum tipo de especulação ou satisfação, algum tipo de doutrina que possa explicar tudo isso, e assim ficamos presos na explicação, nas palavras, nas teorias, e pouco a pouco as crenças ficam profundamente enraizadas e inabaláveis, porque, por trás dessas crenças, desses dogmas, há o medo constante do desconhecido. Mas nunca encaramos esse medo, nós nos afastamos dele. Quanto mais fortes forem as crenças, mais fortes serão os dogmas. E quando examinamos essas crenças – o cristianismo, o hinduísmo, o budismo – percebemos que elas dividem as pessoas. Cada dogma, cada crença, tem uma série de rituais, uma série de compulsões que restringem e separam o homem. Então, começamos uma investigação para descobrir o que é verdadeiro, qual o significado dessa infelicidade, dessa luta, desse sofrimento; e logo somos capturados pelas crenças, pelos rituais, pelas teorias.

A crença é corrupção, porque por trás dela e da moralidade se esconde a mente, o *self* – o *self* que cresce, poderoso e forte. Consideramos a crença em Deus, a crença em alguma coisa, religião. Achamos que acreditar é ser religioso. Você entende o que estou falando? Se não acredita, será considerado um ateu, condenado pela sociedade. Uma sociedade vai condenar aqueles que acreditam em Deus, enquanto outra vai condenar aqueles que não acreditam. As duas são iguais. Então, a religião se torna uma questão de crença – e a crença atua e tem uma influência correspondente na mente; por esse motivo, a mente nunca consegue ser livre. Mas só na liberdade é possível descobrir o que é verdadeiro, o que é Deus; não por meio da crença, que você acredita ser Deus, ser a verdade.

12 de fevereiro

A tela da crença

Você acredita em Deus e outra pessoa não, e assim suas crenças os separam um do outro. A crença, em todo o mundo, é organizada como hinduísmo, budismo ou cristianismo, e assim ela separa o homem do homem. Ficamos confusos e achamos que mediante a crença vamos esclarecer a confusão; ou seja, que a crença irá se sobrepor à confusão, eliminando-a. Mas a crença é simplesmente uma fuga da confusão; ela não nos ajuda a enfrentar e a entender o fato, mas a fugir da situação conflituosa em que estamos. A crença não é necessária para entendermos a confusão. Ela atua como uma tela entre nós e nossos problemas. Então, a religião, que é a crença organizada, torna-se um meio de fuga *do que existe* (a confusão). O homem que acredita em Deus, que acredita na vida após a morte ou que tem qualquer outra forma de crença, está fugindo do fato do que ele é. Você não conhece aqueles que acreditam em Deus, que fazem o *puja*[1], que repetem alguns cantos e palavras, mas que em suas vidas diárias são dominadores, cruéis, ambiciosos, trapaceiros, desonestos? Será que eles encontrarão Deus? Estarão realmente buscando um? Será que Deus deve ser encontrado por meio da repetição de palavras, por meio da crença? Essas pessoas, no entanto, acreditam em Deus, o adoram, vão ao templo todos os dias, fazem tudo para evitar o fato do que elas são – e você considera essas pessoas respeitáveis porque são você mesmo.

---

1 *Puja* é um ritual religioso realizado pelos hindus como forma de oferecer símbolos de gratidão às divindades, pessoas ilustres ou convidados especiais. (N. T.)

13 de fevereiro

Encontrando de novo a vida

Parece-me que uma das coisas que a maioria de nós aceita entusiasticamente e como verdade é a questão das crenças. Não estou atacando as crenças. O que estou tentando fazer é descobrir por que as aceitamos. E, se conseguirmos entender os motivos, a causa da aceitação, então talvez possamos ser capazes não apenas de entender por que o fazemos, mas também de nos libertar disso. Poderemos ver como as crenças políticas, religiosas, crenças nacionalistas e tantas outras separam as pessoas, criam conflitos, confusão e antagonismo – o que é um fato óbvio. No entanto, não estamos dispostos a desistir delas. Há a crença hindu, a cristã, a budista – inúmeras crenças sectárias e nacionalistas, diversas ideologias políticas, todas lutando umas contra as outras, cada uma tentando converter a outra a seus próprios princípios.

Obviamente, a crença está separando as pessoas, criando intolerância. É possível viver sem crença? Talvez isso só aconteça se for permitido estudar a si mesmo no relacionamento com uma crença. É possível viver neste mundo sem uma crença – não mudar de crença nem substituir uma pela outra, mas ser inteiramente livre de *todas*, para encontrar a vida de novo a cada minuto? Esta, afinal, é a verdade: ter a capacidade de encontrar tudo de novo, de momento a momento, sem a reação condicionante do passado, para que não haja o efeito cumulativo que atua como uma barreira entre si mesmo e *o que existe*.

14 de fevereiro

A crença impede o verdadeiro entendimento

Se não tivéssemos uma crença, o que nos aconteceria? Não deveríamos ficar muito atemorizados com o que poderia acontecer? Se não tivermos um padrão de ação baseado em uma crença – seja em Deus, no comunismo, no socialismo, no imperialismo, em algum tipo de fórmula religiosa, algum dogma ao qual estejamos condicionados –, devemos nos sentir totalmente perdidos, não é? Mas a aceitação de uma crença não é o encobrimento desse medo – o medo de ser realmente nada, de ser vazio? Afinal, uma xícara só é útil quando está vazia; e uma mente que está repleta de crenças, com dogmas, asserções, citações, é na verdade uma mente não criativa, é meramente uma mente repetitiva. Escapar desse medo – do vazio, da solidão, da estagnação, de não conseguir, não ser bem-sucedido, não alcançar, não ser algo, não se tornar alguém – é certamente uma das razões por que aceitamos as crenças de um modo tão entusiasmado e ambicioso, não é mesmo? Mas será que por meio da aceitação da crença entendemos a nós mesmos? Ao contrário. Uma crença, religiosa ou política, obviamente impede o entendimento de nós mesmos. Ela atua como uma tela através da qual olhamos para nós mesmos. Mas será que conseguimos olhar para nós mesmos sem crenças? Se as removermos, as muitas crenças que temos, restará alguma coisa para olharmos? Se não tivermos crenças com as quais a mente se identifica, então a mente, sem identificação, será capaz de olhar para si mesma como ela é – e certamente será o início do entendimento de si mesmo.

15 de fevereiro

Observação direta

Por que as ideias se enraízam em nossas mentes? Por que os fatos não se tornam vitais – e sim as ideias? Por que as teorias, as ideias, tornam-se tão importantes, mais que o fato? Será que, por não conseguirmos entender o fato, não temos capacidade para isso? Ou será porque tememos enfrentar o fato? Por conseguinte, as ideias, as especulações, as teorias, são um meio de escapar do fato...

Você pode fugir, fazer todo tipo de coisa... os fatos estão aí: o fato de que você está zangado, é ambicioso, é exageradamente ligado ao sexo e tantas outras coisas. Você pode dissimulá-las, transmutá-las – que é outra forma de dissimulação –, controlá-las, mas elas estarão todas dissimuladas, controladas e disciplinadas com ideias... As ideias não enfraquecem nossa energia? Não entorpecem a mente? Você pode ser engenhoso na especulação, nas citações, mas é obviamente uma mente entorpecida que cita, que leu muito e cita.

...Você remove o conflito do oposto de um só golpe se convive com o fato, e assim libera a energia para enfrentar o fato. Para a maioria de nós, a contradição é um campo extraordinário no qual a mente é aprisionada. Eu quero fazer isso, mas faço algo inteiramente diferente; contudo, se enfrento o fato de querer fazer isso, não há contradição; desse modo, de um só golpe, elimino todo o sentido do oposto, e minha mente então se torna completamente interessada *no que existe* e com o entendimento *do que existe*.

16 de fevereiro

Ação sem ideia

Uma ação sem ideia só acontece quando a mente está isenta da noção da qual pode estar experienciando. As ideias não são a verdade; e a verdade é algo que deve ser experienciado diretamente, a cada momento. Não é uma experiência que você quer, é apenas sensação. Só quando se pode ir além do acúmulo de ideias – além do "eu", da mente, que tem uma continuidade parcial ou completa –, quando o pensamento está completamente silencioso, há um estado de experimentação. Então, se saberá qual é a verdade.

17 de fevereiro

A ação sem o processo do pensamento

O que se entende por ideia? Certamente, a ideia é o processo do pensamento. Não é? A ideia é um processo de implementação do pensamento; e o pensamento é sempre uma reação do consciente ou do inconsciente. O pensamento é um processo de verbalização, que é o resultado da memória; o pensamento é um processo do tempo. Então, quando a ação é baseada no processo do pensamento, essa ação deve inevitavelmente ser condicionada, isolada. A ideia deve se opor à ideia; a ideia deve ser dominada pela ideia. Surge então uma lacuna entre a ação e a ideia.

O que estamos tentando descobrir é se é possível existir a ação sem a ideia. Vemos como a ideia separa as pessoas. Além disso, o conhecimento e a crença são qualidades essencialmente separadas. As crenças nunca unem as pessoas, sempre as separam. Quando a ação é baseada na crença, em uma ideia ou em um ideal, essa ação deve inevitavelmente ser isolada, fragmentada. É possível agir sem o processo do pensamento – o pensamento enquanto processo de tempo, cálculo, autoproteção, crença, negação, condenação, justificação. Com certeza, isso deve ter acontecido com você como aconteceu comigo, se a ação for minimamente possível sem a ideia.

18 de fevereiro

As ideias limitam a ação?

As ideias sempre produzem a ação ou as ideias simplesmente moldam o pensamento e, por isso, limitam a ação? Quando a ação é impelida pela ideia, ela nunca pode liberar o homem. É extraordinariamente importante entendermos esse ponto. Se uma ideia molda a ação, a ação nunca pode produzir a solução para os nossos infortúnios, porque, antes de ser posta em ação, temos de descobrir como se produziu a ideia.

19 de fevereiro

A ideologia impede a ação

O mundo está sempre próximo da catástrofe. Mas agora parece estar ainda mais próximo. Observando a catástrofe que se aproxima, a maioria de nós a abriga na ideia. Achamos que essa catástrofe, essa crise, pode ser resolvida por uma ideologia. A ideologia é sempre um impedimento ao relacionamento direto, o que também impede a ação. Queremos a paz apenas como ideia, mas não como realidade. Queremos a paz no nível verbal, ou seja, no nível do pensamento, que orgulhosamente chamamos de nível intelectual. Mas a palavra *paz* não significa paz. A paz só pode existir quando cessar a confusão que o homem criou. Estamos ligados ao mundo das ideias e não à paz. Buscamos novos padrões sociais e políticos, não a paz. Estamos preocupados com a reconciliação dos efeitos, e não em pôr de lado a causa da guerra. Essa busca trará apenas respostas condicionadas pelo passado. E esse condicionamento é o que chamamos de conhecimento, experiência; os fatos recentemente alterados são traduzidos e interpretados segundo esse conhecimento. Então, há conflito entre *o que existe* e a experiência que foi acumulada. O passado, que é o conhecimento, estará sempre em conflito com o fato, que sempre está no presente. Portanto, isso não resolverá o problema, mas perpetuará a condição que o criou.

20 de fevereiro

A ação sem ideação

A ideia é o resultado do processo do pensamento, o processo do pensamento é a resposta da memória, e a memória é sempre condicionada. A memória está sempre no passado, e essa memória ganha vida no presente por meio de um desafio. A memória não tem vida própria, ela surge no presente quando confrontada por um desafio. E toda memória, seja ela dormente ou ativa, é condicionada, não é mesmo? Por isso, tem de haver uma abordagem totalmente diferente. Você tem de descobrir por si mesmo, internamente, se está agindo segundo uma ideia, e se pode haver ação sem ideação.

21 de fevereiro

A ação sem ideia é o caminho do amor

O pensamento será sempre limitado pelo pensador que está condicionado; o pensador estará sempre condicionado e nunca livre. Se o pensamento ocorre, imediatamente segue-se a ideia. A ideia para agir necessariamente cria mais confusão. Sabendo de tudo isso, será possível agir sem ideia? Sim, esse é o caminho do amor. O amor não é uma ideia, uma sensação, uma memória, uma sensação de adiamento, um dispositivo de autoproteção. Só podemos ter consciência do caminho do amor quando entendemos todo o processo da ideia. Então, será possível abandonar os outros caminhos e conhecer o caminho do amor, que é a única redenção? Nenhum outro caminho, político ou religioso, vai resolver o problema. Esta não é uma teoria sobre a qual você terá de pensar e adotar na sua vida; ela deve ser real.

...Quando você ama, existe a ideia? Não aceite isso. Apenas olhe para ela, examine-a, penetre profundamente nela, porque todos os outros caminhos nós já tentamos, e não há resposta para a infelicidade. Os políticos podem prometer a felicidade, as chamadas organizações religiosas também, mas não a temos agora, e o futuro é relativamente sem importância quando estou faminto. Já experimentamos todos os outros caminhos, e só poderemos conhecer o caminho do amor se conhecermos o caminho da ideia e a abandonarmos, o que consiste em agir.

22 de fevereiro

Conflito dos opostos

Pergunto-me se existe essa coisa que chamam de mal. Por favor, preste atenção e siga junto comigo, vamos investigar juntos. Dizemos que o bem e o mal existem. A inveja e o amor existem – e dizemos que a inveja é má e o amor é bom. Por que dividimos a vida chamando isso de bom e aquilo de mal, criando o conflito dos opostos? Não estou dizendo que não existem a inveja, o ódio e a brutalidade na mente e no coração humanos, uma ausência de compaixão, de amor. Mas por que dividimos a vida em algo chamado bem e algo chamado mal?

Na verdade, não existe apenas uma coisa, que é uma mente desatenta? Certamente, quando há uma atenção completa, isto é, quando a mente está totalmente consciente, alerta, vigilante, não existe essa coisa de bem ou mal, existe apenas um estado desperto. A bondade então não é uma qualidade nem uma virtude, é um estado de amor. Quando há amor, não há o bem nem o mal, há apenas amor. Quando você realmente ama alguém, não está pensando no bem ou no mal, todo o seu ser está preenchido com esse amor. Só quando há a cessação da atenção completa, do amor, surge o conflito entre o que eu sou e o que eu deveria ser. Então, o estado em que estou é mau, e aquele em que eu deveria estar é chamado de bom.

...Você observa a sua própria mente e vai ver que, no momento em que ela para de pensar em termos de se tornar algo, há uma suspensão da ação que não é estagnação. É um estado de total atenção: a bondade.

23 de fevereiro

Além da dualidade

Você não está consciente disso? Suas ações não são óbvias, seu sofrimento não é esmagador? Quem criou isso, senão cada um de nós? Quem é responsável por isso, senão cada um de nós? Quando criamos o bem, por menor que seja, também criamos o mal, por mais vasto que seja. O bem e o mal são parte de nós e também nos são independentes. Quando pensamos e sentimos insuficientemente – com inveja, mesquinharia e ódio –, estamos aumentando o mal que nos transtorna e dilacera. Esse problema do bem e do mal, esse problema conflitante, está sempre conosco enquanto o estamos criando. Ele se tornou parte de nós; esse desejar e não desejar, amar e odiar, ansiar e renunciar. Estamos continuamente criando essa dualidade em que o pensamento e o sentimento estão envolvidos. O pensamento e o sentimento só podem ir além e acima do bem e do seu oposto quando entendem sua causa – o desejo. Se entendermos o mérito e o demérito, estaremos livres de ambos. Os opostos não podem ser fundidos, e devem ser transcendidos pela dissolução do desejo. Cada oposto deve ser pensado e sentido da maneira mais extensiva e profunda possível, através de todas as camadas da consciência. Mediante esse pensamento e esse sentimento uma nova compreensão é despertada, que não é o produto do desejo ou do tempo.

Existe o mal no mundo, e contribuímos tanto para ele como para o bem. O homem parece se unir mais no ódio do que na bondade. Um homem sábio entende a causa do mal e do bem, e por meio do entendimento liberta o pensamento-sentimento.

24 de fevereiro

Justificando o mal

É óbvio que a crise atual no mundo todo é excepcional, sem precedentes. Tem havido crises de vários tipos em diferentes períodos em toda a história – sociais, nacionalistas, políticas. As crises vêm e vão; as recessões econômicas, as depressões, chegam, são modificadas e continuam de forma diferente. Sabemos disso, estamos familiarizados com esse processo. Certamente, a crise atual é diferente, não é? É diferente porque, em primeiro lugar, não estamos lidando com dinheiro nem com coisas tangíveis, mas com ideias. A crise é excepcional porque se dá no campo da ideação. Estamos brigando por ideias, justificando o assassinato; em toda parte do mundo estamos justificando o assassinato como um meio para atingir um fim justo, o que, em si, é algo sem precedentes.

Antes, o mal era reconhecido como algo mal, o assassinato era justificado como assassinato; mas agora o assassinato é um meio para se atingir um resultado nobre. O assassinato, seja de uma pessoa ou de um grupo delas, é justificado porque o assassino (ou o grupo que o assassino representa) o utiliza como medida para atingir um resultado que será benéfico ao homem. Ou seja, sacrificamos a pessoa em prol do futuro – e não importa que meios empreguemos, contanto que o nosso propósito declarado seja produzir um resultado que dizemos ser benéfico para o homem. Portanto, uma medida errada produzirá um fim correto, e será justificada por meio da ideação... Temos uma magnífica estrutura de ideias para justificar o mal, e certamente isso não tem precedente. O mal é o mal; ele não pode trazer o bem. A guerra não é um meio para se atingir a paz.

25 de fevereiro

O bem não tem motivação

Se eu tenho um motivo para ser bom, será que isso produz bondade? Ou a bondade é algo totalmente desprovido desse desejo de ser bom, que é sempre baseado em um motivo? Bom é o oposto de ruim, o oposto de mau? Tudo contém a semente do seu próprio oposto, não é mesmo? Há a ganância, e há o ideal da não ganância. Quando a mente busca a não ganância, quando tenta não ser gananciosa, isso ainda é ganância, porque ela quer ser algo. A ganância implica desejar, adquirir, expandir. Quando a mente percebe que não compensa ser gananciosa, ela quer deixar de ser dessa maneira, porém continua sendo, pois ainda deseja ser ou adquirir algo. Quando a mente deseja não querer mais, a raiz do querer, do desejo, ainda está presente. Então, o bem não é o oposto do mal: é um estado totalmente diferente. E qual é esse estado?

Obviamente, o bem não tem motivo, porque todo motivo é baseado no *self* – é o movimento egocêntrico da mente. Então, o que é o bem? É claro que o bem só existe quando há uma atenção total. A atenção não tem motivo. Quando há um motivo de atenção, existe atenção? Se eu presto atenção para adquirir algo, a aquisição, seja ela boa ou ruim, não é atenção – é uma distração, uma divisão. O bem só pode existir quando há uma totalidade de atenção em que não há esforço para ser ou não ser.

26 de fevereiro

Evolução humana

Precisamos conhecer a embriaguez para conhecer a sobriedade? Devemos ter a experiência do ódio para saber o que é ser compassivo? Devemos enfrentar guerras, destruir a nós mesmos e aos outros para experienciar a paz?

Certamente, essa é uma maneira totalmente equivocada de pensar, não é? Primeiro assumimos que há evolução, crescimento, um movimento do mal para o bem, e depois ajustamos o nosso pensamento a esse padrão. É óbvio que há crescimento físico, a plantinha se tornando a grande árvore; há o progresso tecnológico, a roda evoluindo ao longo dos séculos até o avião a jato. Mas e o progresso psicológico, a evolução? É isso que estamos discutindo – se há um crescimento, uma evolução do "eu", começando pelo mal e terminando com o bem.

Mediante um processo de evolução, no correr do tempo, pode o "eu", que é o centro do mal, algum dia se tornar nobre, bom? É claro que não. Aquilo que é mal – o "eu" psicológico – sempre permanecerá mal. Mas não queremos encarar isso. Achamos que por meio do processo do tempo, do crescimento e da mudança, o "eu" finalmente vai se tornar realidade. Essa é a nossa esperança, nosso anseio – que o "eu" seja aperfeiçoado com o correr do tempo. O que é esse "eu"? É um nome, uma forma, um conjunto de memórias, esperanças, frustrações, anseios, sofrimentos, mágoas, alegrias passageiras. Queremos que esse "eu" continue e se torne perfeito, e por isso dizemos que além do "eu" há um "supereu", um *self* mais elevado, uma entidade espiritual que é atemporal. Mas como temos pensado nela, essa entidade "espiritual" ainda está dentro do campo do tempo, não é? Se podemos pensar nela, é óbvio que ela está dentro do campo do nosso raciocínio.

27 de fevereiro

A liberdade da ocupação

A mente pode se libertar do passado, se libertar do pensamento – não do bom ou do mau pensamento? Como vamos descobrir isso? Só posso descobrir enxergando com o que a mente está ocupada. Se a minha mente está ocupada com o bem ou o mal, então ela só está interessada no passado, ocupada com ele. Ela não se libertou do passado. Então, o importante é descobrir como a mente está ocupada. Se ela está totalmente ocupada, está sempre ocupada com o passado, porque toda a nossa consciência está no passado. O passado não está apenas na superfície, mas no nível mais elevado, e a ênfase no inconsciente é também o passado...

A mente pode se libertar da ocupação? Isso significa que a mente pode estar completamente livre da ocupação e deixar a memória, os bons e os maus pensamentos, e avançar sem escolher entre eles? No momento em que a mente está ocupada com um pensamento, ela está ligada ao passado... Se você realmente escutou – não apenas verbalmente, mas profundamente –, então vai ver que há uma estabilidade que não faz parte da mente, que é a libertação do passado.

Mas o passado nunca pode ser posto de lado. Deve haver uma observação do passado enquanto ele passa, mas não uma ocupação com ele. Então, a mente está livre para observar, e não para escolher. Onde há escolha no movimento do rio da memória, há ocupação; e no momento em que a mente está ocupada, ela está aprisionada no passado; e quando a mente está ocupada com o passado, ela é incapaz de enxergar algo real, verdadeiro, novo, original, não contaminado.

28 de fevereiro

O pensamento gera esforço

"Como posso permanecer livre dos maus pensamentos, dos pensamentos maus e perversos?" Existe o pensador, aquele separado do pensamento, separado dos pensamentos maus e perversos? Por favor, observe sua própria mente. Dizemos: "Existe o *eu*, o *eu* que diz 'Este é um pensamento perverso', 'Isto é ruim', 'Eu devo controlar este pensamento,' 'Eu devo me limitar a este pensamento'". Isso é o que sabemos. É aquele – o *eu*, o pensador, o juiz, aquele que julga, o censor – diferente de tudo isso? O *eu* é diferente do pensamento, da inveja, do mal? O *eu* que diz que é diferente do mal está eternamente tentando me superar, me afastar, tornar-se algo. Então você tem essa luta, o esforço para afastar os pensamentos, para não ser perverso.

No próprio processo do pensamento nós criamos esse problema do esforço... Então, você dá origem à disciplina, controla o pensamento: o *eu* controla o pensamento que não é bom, controla o *eu* que está tentando não ser invejoso, violento, ser isto e ser aquilo. Então, você passou pelo mesmo processo de esforço quando há o *eu* e a coisa que ele está controlando. Esse é o fato da nossa existência cotidiana.

Março

Dependência

Ligação

Relacionamento

Medo

1 de março

Uma mente livre é humilde

Você já se aprofundou na questão da dependência psicológica? Se fizer isso muito profundamente vai descobrir que a maioria de nós é terrivelmente solitária. A maioria de nós tem mentes ocas, vazias. A maioria de nós não sabe o que significa o amor. Então, devido à solidão, a essa insuficiência, à privação da vida, ficamos ligados a algo, ligados à família – dependemos dela. E quando a esposa ou o marido se afasta de nós, sentimos ciúme. Ciúme não é amor; mas o amor que a sociedade reconhece na família torna-se respeitável. Essa é outra forma de defesa, outra maneira de escaparmos de nós mesmos. Assim, toda forma de resistência gera dependência. E uma mente dependente nunca poderá ser livre.

Precisamos ser livres, só assim veremos que uma mente livre tem a essência da humildade. Essa mente, que é livre e por isso tem humildade, pode aprender – não é uma mente que resiste. A aprendizagem é uma coisa extraordinária – aprender, não acumular conhecimento. Acumular conhecimento é uma coisa totalmente diferente. O que chamamos de conhecimento é comparativamente fácil, porque esse é um movimento do conhecido para o conhecido. Mas aprender é um movimento do conhecido para o desconhecido – só assim nós aprendemos, não é mesmo?

2 de março

Nunca questionamos o problema da dependência

Por que somos dependentes? Psicologicamente, interiormente, dependemos de uma crença, um sistema, uma filosofia. Pedimos a outra pessoa um modo de conduta. Procuramos professores que nos proporcionem um modo de vida que nos leve a ter alguma esperança, alguma felicidade. Então, estamos sempre (não estamos?) buscando algum tipo de dependência, de segurança. É possível a mente se libertar desse senso de dependência? Isso não significa que a mente deva adquirir independência – essa é apenas a reação à dependência.

Não estamos falando de independência, da liberdade de um estado particular. Se conseguirmos investigar sem buscar a liberdade de um estado particular de dependência, então podemos penetrar muito mais profundamente nele... Nós aceitamos a necessidade de dependência; dizemos que ela é inevitável. Nunca questionamos toda a questão, por que cada um de nós busca algum tipo de dependência. Isso não quer dizer que nós realmente, no fundo, pedimos segurança, permanência?

Quando estamos em um estado de confusão, queremos que alguém nos tire dele. Então, estamos sempre preocupados com a maneira de escapar ou evitar o estado em que estamos. No processo de evitar esse estado, nos tornamos propensos a criar algum tipo de dependência, que se torna a nossa autoridade. Se dependemos de outra pessoa para a nossa segurança, para o nosso bem-estar interior, dessa dependência surgem inúmeros problemas, e então tentamos resolvê-los – os problemas da ligação. Mas nunca questionamos, nunca penetramos no problema da própria dependência. Talvez, se pudéssemos de modo realmente inteligente, com plena consciência, penetrar nesse problema, poderíamos descobrir que a dependência não é absolutamente a questão, é apenas uma maneira de escapar de um fato mais profundo.

3 de março

Há algum fator mais profundo que nos faz depender

Nós sabemos que somos dependentes – do nosso relacionamento com as pessoas, de alguma ideia ou de um sistema de pensamento. Por quê?

...Na verdade, eu não acredito que a dependência seja o problema; acho que há algum outro fator mais profundo que nos faz dependentes. E se conseguirmos deslindá-lo, então tanto a dependência quanto a luta pela liberdade terão muito pouco significado; então todos os problemas que surgem da dependência irão definhar. Afinal, qual é a questão mais profunda? É o fato de a mente detestar e temer a ideia de estar só? Mas a mente conhece esse estado que é evitado? Enquanto essa solidão não for realmente entendida, sentida, penetrada, dissolvida – qualquer termo da sua preferência –, enquanto essa sensação de solidão permanecer, a dependência será inevitável, e a pessoa nunca poderá ser livre; nunca poderá descobrir por si mesma aquilo que é verdade, aquilo que é religião.

4 de março

Tornar-se profundamente consciente

A dependência acompanha o movimento da indiferença e da ligação, um constante conflito sem entendimento, sem uma liberação. Precisamos nos tornar conscientes do processo de ligação e dependência, nos tornar conscientes disso sem condenação nem julgamento, e então perceberemos a importância desse conflito de opostos. Se nos tornarmos profundamente conscientes e conscientemente direcionarmos o pensamento à compreensão do pleno significado da necessidade, da dependência, nossa mente consciente ficará aberta e clara com relação a ela; e então o subconsciente, com seus motivos ocultos, suas buscas e intenções, vai se projetar no consciente. Quando isso acontece, devemos estudar e entender cada intimação do subconsciente. Se fizermos isso muitas vezes, nos tornando conscientes das projeções do subconsciente após o consciente ter ponderado sobre o problema da maneira mais clara possível, então, mesmo que dediquemos nossa atenção a outras questões, o consciente e o subconsciente irão elaborar o problema da dependência, ou qualquer outro problema. Assim, fica estabelecida uma consciência constante, que irá paciente e suavemente gerar integração; e se a nossa saúde e dieta estiverem corretas, isso, por sua vez, vai produzir a plenitude do ser.

5 de março

Relacionamento

O relacionamento baseado na necessidade mútua só gera conflito. Não importa o quanto sejamos interdependentes um do outro, estamos usando um ao outro para um propósito, para um fim. Com um fim em vista, o relacionamento não existe. Vocês podem me usar, e eu posso usá-los. Nesse processo, perdemos o contato.

Uma sociedade fundamentada no uso mútuo é a base da violência. Quando usamos uns aos outros, só temos o objetivo para alcançar. O fim e o ganho impedem o relacionamento, a comunhão. No uso do outro, por mais gratificante e confortante que ele possa ser, há sempre o medo. Para evitá-lo, precisamos possuir. Dessa possessão surge a inveja, a suspeita e o conflito constante. Tal relacionamento nunca pode produzir felicidade.

Uma sociedade cuja estrutura é baseada na mera necessidade, seja ela fisiológica ou psicológica, irá gerar conflito, confusão e infelicidade. A sociedade é a projeção de si mesma na relação com o outro, na qual a necessidade e o uso predominam. Quando usamos, física ou psicologicamente, o outro para a nossa necessidade, na verdade não existe nenhum relacionamento; nós realmente não temos contato com o outro, não há comunhão. Como pode haver comunhão com o outro quando este é usado como uma peça de mobília, para a nossa conveniência e conforto? Por isso, é essencial entender a importância do relacionamento na vida diária.

6 de março

O "eu" é a possessão

A renúncia, o autossacrifício, não é uma atitude de grandeza a ser elogiada e copiada. Nós possuímos as coisas porque sem posses não existimos. As posses são muitas e variadas. Uma pessoa que não possui coisas materiais pode estar ligada ao conhecimento, às ideias; outra pode estar ligada à virtude; outra, ainda, à experiência; outra ao nome e à fama, e assim por diante. Sem posses, o "eu" não existe: o "eu" é a posse, a mobília, a virtude, o nome. Em seu medo de não existir, a mente é ligada ao nome, à mobília, ao valor; e irá desistir dessas coisas para estar em um nível mais elevado – o mais elevado sendo o mais gratificante, o mais permanente. O medo da incerteza de não ser cria ligação, possessão. Quando a posse é insatisfatória ou dolorosa, renunciamos a ela por uma ligação mais prazerosa. A posse mais gratificante é a palavra Deus, ou seu substituto, o Estado.

...Enquanto formos resistentes a ser nada (o que na verdade somos), devemos inevitavelmente produzir mágoa e antagonismo. A disposição para ser nada não é uma questão de renúncia, de imposição, interna ou externa, mas de enxergar a verdade *do que existe*. Enxergar a verdade *do que é* produz a libertação do medo da insegurança, do medo que produz ligação e conduz à ilusão do desligamento, da renúncia. O amor pelo *que existe* é o início da sabedoria. O amor sozinho compartilha, ele sozinho pode se comunicar, mas a renúncia e o autossacrifício são os caminhos do isolamento e da ilusão.

7 de março

Explorar é ser explorado

Como a maioria de nós busca o poder de uma forma ou de outra, o princípio hierárquico é estabelecido – o noviço e o iniciado, o pupilo e o Mestre... e até entre os Mestres há graus de crescimento espiritual. A maioria de nós adora explorar e ser explorado, e esse sistema oferece os meios, sejam eles ocultos ou explícitos.

Explorar é ser explorado. O desejo de usar os outros para suas necessidades psicológicas cria dependência, e quando dependemos precisamos reter, possuir; e o que possuímos nos possui. Sem a dependência – sutil ou flagrante –, sem possuir coisas – pessoas e ideias –, somos vazios, uma coisa sem importância. Queremos ser algo, e para evitar o medo torturante de ser nada pertencemos a essa ou àquela organização, a essa ou àquela ideologia, a essa igreja ou aquele templo. Então somos explorados e, consequentemente, também exploramos.

8 de março

O cultivo do desligamento

Há apenas ligação; essa coisa de desligamento não existe. A mente inventa o desligamento como uma reação ao sofrimento da ligação. Quando reagimos à ligação e nos "desligamos", ficamos ligados a outra coisa. Então, todo esse processo é, no fim das contas, um processo de ligação.

Vocês são ligados a sua esposa ou ao seu marido, a seus filhos, a ideias, à tradição, à autoridade etc. Sua reação a essa ligação é o desligamento. O cultivo do desligamento é o resultado de mágoa, sofrimento. Queremos escapar do sofrimento da ligação, e nossa fuga é encontrar algo ao qual achamos que podemos nos ligar. Então há apenas ligação, e só uma mente estúpida cultiva o desligamento. Todos os livros dizem "Seja desligado", mas vocês verão uma coisa extraordinária: por meio do cultivo do desligamento suas mentes estão ligadas a alguma outra coisa.

9 de março

Ligação é autoengano

Somos as coisas que possuímos, somos aquilo a que somos ligados. A ligação não possui nobreza. A ligação ao conhecimento não é diferente de qualquer outra dependência gratificante. Ligação é autoabsorção, seja no nível mais baixo ou no mais elevado. A ligação é autoengano, uma fuga do vazio do *self*.

As coisas às quais somos ligados – propriedade, pessoas, ideias – tornam-se absolutamente importantes, pois sem elas preenchendo nosso vazio, o *self* não existe. O medo de não ser resulta na possessão, e o medo gera ilusão, gera escravidão às conclusões.

As conclusões materiais ou ideacionais impedem a fruição da inteligência, a liberdade em que só a realidade pode vir a existir; e sem essa liberdade, a esperteza é encarada como inteligência. Os estilos de esperteza são sempre complexos e destrutivos. É essa esperteza autoprotetora que cria a ligação; e quando a ligação causa sofrimento, é essa mesma esperteza que busca o desligamento e encontra prazer no orgulho e na vaidade da renúncia. O entendimento dos estilos de esperteza, dos estilos do *self*, é o início da inteligência.

10 de março

Enfrente o fato e veja o que acontece

Todos nós já tivemos a experiência da enorme solidão, em que os livros, a religião, tudo desaparece, e ficamos terrível e interiormente solitários, vazios. A maioria de nós não consegue encarar esse vazio, essa solidão, e foge disso.

A dependência é uma das coisas para a qual corremos, porque não conseguimos suportar estar sozinhos. Precisamos do rádio, dos livros, da conversa, do tagarelar incessante sobre isso ou aquilo, sobre arte e cultura. Então chegamos àquele ponto em que sabemos que há essa extraordinária sensação de autoisolamento. Podemos ter um emprego muito bom, trabalhar freneticamente, escrever livros, mas interiormente há esse tremendo vazio. Queremos preenchê-lo, e a dependência é uma das maneiras. Usamos a dependência, a diversão, o trabalho na igreja, as religiões, a bebida, as mulheres, uma dúzia de coisas para preenchê-lo, cobri-lo. Se percebemos que é absolutamente inútil tentar cobri-lo, completamente inútil – não verbalmente, não com convicção, mas com acordo e determinação –, se enxergamos o total absurdo disso…, então somos confrontados com um fato. Não é uma questão de como nos livrarmos da dependência: isso não é um fato, é apenas uma reação a um fato… Por que não enfrentamos o fato e vemos o que acontece?

Surge, então, o problema do observador e do observado. O observador diz: "Estou vazio; não gosto disso", e foge. O observador diz: "Sou diferente do vazio". Mas o observador é o vazio; não o vazio visto por um observador. O observador é o observado. Há uma enorme revolução no pensamento, no sentimento, quando isso acontece.

11 de março

Ligação é fuga

Tente ficar consciente do seu condicionamento. Você só consegue conhecê-lo indiretamente quando está relacionado com alguma outra coisa. Não consegue ter consciência do seu condicionamento como uma abstração, porque isso é meramente verbal, sem muita importância.

Só temos consciência do conflito. O conflito existe quando não há integração entre o desafio e a resposta. Ele é o resultado do seu condicionamento. Condicionamento, por sua vez, é ligação – com o trabalho, com a tradição, com a propriedade, com as pessoas, com as ideias etc. Se não houvesse ligação, haveria condicionamento? É claro que não. Então, por que somos ligados? Sou ligado ao meu país porque, por meio da identificação que tenho com ele, eu me torno alguém. Eu me identifico com meu trabalho, e o trabalho se torna importante. Eu sou minha família, minha propriedade, sou ligado a elas. O objeto da ligação me oferece os meios de fuga do meu próprio vazio. Ligação é fuga, e a fuga é o que fortalece o condicionamento.

12 de março

Estar sozinho

Estar sozinho, o que não é uma filosofia da solidão, obviamente é estar em um estado de revolução contra toda a estrutura da sociedade – não apenas nesta sociedade, mas na comunista, na fascista, ou seja, em toda forma de sociedade bruta ou poder organizado. E isso significa uma extraordinária percepção dos efeitos do poder. Você já notou aqueles soldados em treinamento? Eles não são mais seres humanos, eles são máquinas, são seus filhos e os meus, de pé sob o sol. Isso está acontecendo aqui, na América, na Rússia e em toda parte – não somente no âmbito governamental, mas no âmbito monástico, em grupos que detêm um poder impressionante. E somente a mente que não faz parte disso pode estar só. A solidão não é algo que possa ser cultivada. Você está enxergando isso? Quando enxerga tudo isso, você está fora, e nenhum governo ou presidente vai convidá-lo para jantar. Fora dessa solidão há humildade. É essa solidão que conhece o amor, não o poder. O homem ambicioso – religioso ou comum – nunca vai saber o que é o amor. Então, se uma pessoa enxerga tudo isso, ela tem essa qualidade de vida total e, portanto, de ação total. Isso vem do autoconhecimento.

13 de março

Desejo é sempre desejo

Para evitar o sofrimento cultivamos o desligamento. Prevenidos de que a ligação mais cedo ou mais tarde vai acarretar sofrimento, queremos nos desligar. A ligação é gratificante, mas ao perceber o sofrimento nela presente queremos ser gratificados de outra maneira, mediante o desligamento. Desligamento é o mesmo que ligação, uma vez que produz gratificação. Então, o que estamos realmente buscando é gratificação: desejamos estar satisfeitos, não importa de que maneira.

Somos dependentes ou ligados porque isso nos dá prazer, segurança, poder, sensação de bem-estar, embora nisso haja sofrimento e medo. Buscamos o desligamento também por prazer, para não sermos magoados, para não sermos feridos interiormente. Nossa busca é por prazer, gratificação. Sem condenar ou justificar, devemos tentar entender esse processo, pois de outro modo não haverá saída para nossa confusão e contradição. O desejo poderá algum dia ser saciado ou é um poço sem fundo? Independentemente de desejarmos o inferior ou o superior, o desejo é sempre desejo, um fogo ardendo, e o que pode ser consumido por ele logo se torna cinzas. Mas o desejo de gratificação permanece, sempre ardendo, consumindo, e ele nunca tem fim. A ligação e o desligamento são igualmente compulsórios, e ambos devem ser transcendidos.

14 de março

A intensidade isenta de toda ligação

Quando há paixão sem uma causa, há a intensidade isenta de toda ligação. Mas quando a paixão tem uma causa, há ligação, e ela é o início do sofrimento.

A maioria de nós é ligada: nós nos apegamos a uma pessoa, um país, uma crença, uma ideia, e quando o objeto da nossa ligação é afastado ou de algum modo perde sua importância, nos vemos vazios, insuficientes. Tentamos preencher esse vazio nos apegando a alguma outra coisa, que mais uma vez se torna o objeto da nossa paixão.

15 de março

O relacionamento é um espelho

Certamente, só no relacionamento o processo de ser eu mesmo se desenvolve, não é? O relacionamento é um espelho no qual eu me vejo como sou. Mas como a maioria de nós não gosta do que é, começamos a disciplinar, positiva ou negativamente, o que percebemos no espelho do relacionamento. Ou seja, eu descubro algo no relacionamento, na ação do relacionamento, e não gosto do que descubro. Então, começo a modificar o que eu não gosto, o que percebo como sendo desagradável. Eu quero modificar isso – o que significa que já existe um padrão do que eu deveria ser. No momento em que esse padrão existe, não há a compreensão daquilo que eu sou. No momento em que existe um quadro do que eu quero, deveria ou não deveria ser – um padrão de acordo com o qual eu quero me modificar –, então certamente não há compreensão do que eu sou no momento do relacionamento.

Acredito ser realmente importante entender isso, pois é nesse ponto que a maioria de nós se desvia. Não queremos saber o que realmente somos em um dado momento do relacionamento. Se estamos apenas preocupados com o autoaperfeiçoamento, não há a compreensão de nós mesmos, *do que existe*.

16 de março

A função do relacionamento

O relacionamento é inevitavelmente doloroso, o que é mostrado na nossa existência cotidiana. Se no relacionamento não houver tensão, ele deixa de ser um relacionamento e se torna apenas um confortável estado de latência, um entorpecente – o que a maioria das pessoas quer e prefere. O conflito se dá entre esse desejo de conforto e o factual, entre a ilusão e a realidade. Se você reconhece a ilusão, então pode, colocando-a de lado, dar sua atenção ao entendimento do relacionamento. Mas se busca segurança no relacionamento, ele se torna um investimento no conforto, na ilusão – e a grandeza do relacionamento é sua própria insegurança. Se sua busca for por segurança no relacionamento, você está impedindo sua função, que é provocar suas próprias ações e infortúnios peculiares.

Certamente, a função do relacionamento é revelar o estado de bem-estar da pessoa. O relacionamento é um processo de autorrevelação, de autoconhecimento. Essa autorrevelação é dolorosa e exige constante ajustamento, flexibilidade do pensamento e da emoção. É uma luta dolorosa, com períodos de paz iluminada.

Mas a maioria de nós evita ou põe de lado a tensão no relacionamento, preferindo a calma e o conforto da dependência satisfatória, uma segurança não desafiada, um porto seguro. Então, a família e outros relacionamentos tornam-se um refúgio, o refúgio do imprudente.

Quando a insegurança desliza para a dependência, como inevitavelmente acontece, então esse relacionamento particular é posto de lado e um novo é assumido na esperança de encontrar uma segurança duradoura. Mas não há segurança no relacionamento, e a dependência só gera medo. Sem entender o processo da segurança e do medo, o relacionamento se transforma em um estorvo compulsório, em uma forma de ignorância. Então, toda a existência passa a ser luta e sofrimento, e não há saída para isso exceto no pensamento correto, que surge por meio do autoconhecimento.

17 de março

Como pode existir amor real?

A imagem que temos de uma pessoa, a imagem que você tem de políticos, do primeiro-ministro, de Deus, da sua esposa, dos seus filhos – essa imagem está sendo observada. Ela tem sido criada por meio do seu relacionamento, dos seus medos ou das suas esperanças. Os prazeres sexuais (e outros prazeres que você tem tido com seu cônjuge), a raiva, a bajulação, o conforto e todas as coisas que sua vida familiar proporciona – uma vida mortal – criaram uma imagem do seu cônjuge. Você se parece com essa imagem. Da mesma maneira, seu cônjuge tem uma imagem de você. Então, o relacionamento entre você e seu cônjuge, entre você e o político, é na verdade o relacionamento entre essas duas imagens. Certo? Isso é um fato. Como duas imagens que são o resultado do pensamento, do prazer etc. têm alguma afeição ou amor?

O relacionamento entre dois indivíduos muito próximos ou muito distantes é um relacionamento de imagens, símbolos, memórias. Como pode haver, então, um amor real?

18 de março

Somos aquilo que possuímos

Para entender o relacionamento deve haver uma consciência passiva, que não destrói o relacionamento. Ao contrário, ela torna o relacionamento muito mais vital, muito mais significativo. Então, há nesse relacionamento uma possibilidade de afeição real, há um calor, uma sensação de proximidade, que não é mero sentimento ou sensação. E se conseguimos essa abordagem ou estar nesse relacionamento com todas as coisas, então nossos problemas serão facilmente resolvidos – os problemas de propriedade, de possessão. Porque nós somos aquilo que possuímos. O homem que possui dinheiro é o dinheiro. O homem que se identifica com a propriedade é a propriedade, ou a casa, ou a mobília. O mesmo acontece com as ideias ou com as pessoas; e quando há possessividade, não há relacionamento.

Mas a maioria de nós possui porque não teremos mais nada se não possuirmos. Somos cascas vazias se não possuímos, se não preenchemos nossas vidas com móveis, música, conhecimento, com isso ou aquilo. E essa casca faz muito ruído – esse ruído nós chamamos de vida. E com isso ficamos satisfeitos.

Quando há uma ruptura, um desprendimento disso, então há sofrimento, porque de repente nos descobrimos como somos – uma casca vazia, sem muito significado. Estarmos conscientes de todo o conteúdo do relacionamento é ação, e a partir dela surge a possibilidade de um relacionamento real, a possibilidade de descobrir sua grande profundidade, sua grande importância, e de saber o que é o amor.

19 de março

Relacionar-se

Sem relacionamento não há existência: ser é relacionar-se... A maioria de nós não parece entender isto – que o mundo é o meu relacionamento com os outros, seja um ou muitos. Nosso problema é de relacionamento. O que somos, o que projetamos e, obviamente, se não entendemos a nós mesmos – todo o relacionamento é de confusão em círculos sempre maiores. Desse modo, o relacionamento se torna de extraordinária importância, não com a chamada massa, com a multidão, mas no mundo da minha família e dos meus amigos, por menor que seja o número de indivíduos – o relacionamento com a esposa, os filhos, o vizinho.

Em um mundo de vastas organizações, vastas mobilizações de pessoas, movimentos de massa, tememos atuar em uma escala pequena, ser pessoas sem peso limpando seu próprio espaço. Dizemos para nós mesmos: "O que eu, pessoalmente, posso fazer? Preciso me unir a um movimento de massa para reformar." Pelo contrário, a verdadeira revolução não acontece por meio de movimentos de massa, mas a partir da reavaliação interior do relacionamento – essa é a única e verdadeira reforma, uma revolução radical e contínua.

Tememos começar em uma escala pequena. Pelo fato de o problema ser tão vasto, achamos que devemos nos reunir com muitas pessoas, com uma grande organização, com movimentos de massa. Na verdade, devemos começar a lidar com o problema em uma escala pequena, e essa escala é o "eu" e o "você".

Quando entendo a mim mesmo, entendo você, e desse entendimento surge o amor. O amor é o fator que está faltando. Há uma carência de afeição, de cordialidade no relacionamento, e devido à ausência desse amor, dessa ternura, dessa generosidade, dessa compaixão no relacionamento, fugimos para a ação em massa, que produz mais confusão, mais sofrimento. Enchemos nossos corações com projetos para a reforma do mundo, e não enxergamos aquele fator resolutivo, que é o amor.

20 de março

Você e eu somos o problema, não o mundo

O mundo não é algo separado de você e de mim. O mundo, a sociedade, é o relacionamento que estabelecemos ou buscamos estabelecer uns com os outros. Então, você e eu somos o problema, e não o mundo, porque o mundo é a projeção de nós mesmos, e para entendê-lo precisamos entender a nós mesmos. Esse mundo não é separado de nós. Nós somos o mundo, e nossos problemas são os problemas do mundo.

21 de março

Não existe essa coisa de viver sozinho

Queremos fugir da nossa solidão, de seus medos apavorantes, e por isso dependemos um do outro, enriquecemos a nós mesmos com o companheirismo, e assim por diante. Somos os primeiros propulsores, e os outros se tornam peões em nosso jogo; e quando o peão se vira e exige algo em troca, ficamos chocados e tristes. Se a nossa própria fortaleza for forte, sem um ponto fraco em sua estrutura, esse ataque externo tem poucas consequências para nós. As tendências peculiares que surgem com o avanço da idade devem ser entendidas e corrigidas enquanto ainda somos capazes de uma auto-observação e um estudo imparciais e tolerantes. Nossos medos devem ser observados e entendidos agora. Nossas energias devem ser direcionadas, não apenas ao entendimento das pressões e exigências externas pelas quais somos responsáveis, mas à compreensão de nós mesmos, nossa solidão, nossos medos, necessidades e fragilidades.

Não existe essa coisa de viver sozinho, pois todo viver é relacionamento. Mas viver sem relacionamento direto exige uma inteligência superior, uma consciência rápida e maior da autodescoberta. Uma existência "solitária", sem a consciência apurada e fluente, fortalece as tendências já dominantes, causando desequilíbrio e distorção. É o momento de nos tornarmos conscientes dos hábitos estabelecidos e peculiares do pensamento-sentimento que vêm com a idade, e ao entendê-los, dispensá-los. Somente as riquezas interiores trazem paz e alegria.

22 de março

Libertando-se do medo

É possível a mente se libertar totalmente do medo? O medo, de qualquer tipo, gera ilusão, torna a mente embotada, vazia. Quando há menos medo, obviamente não há liberdade, e sem liberdade não há amor. A maioria de nós sente algum tipo de medo: do escuro, da opinião pública, de cobras, da dor física, da velhice, da morte. Temos, literalmente, dezenas de tipos de medo. Será possível nos livrarmos completamente dele?

É visível o que o medo faz a cada um de nós. Ele induz às mentiras, corrompe a pessoa de várias maneiras, torna a mente vazia, oca. Há cantos escuros na mente que jamais podem ser investigados e expostos enquanto a pessoa estiver com medo. A autoproteção física – a urgência instintiva de se manter longe da cobra venenosa, manter-se afastado do precipício, evitar cair embaixo do bonde etc. – são atitudes lúcidas, normais, saudáveis.

A questão, no entanto, é sobre a autoproteção psicológica, que torna a pessoa temerosa da doença, da morte, de um inimigo. Quando buscamos a realização em qualquer forma, seja por meio da pintura, da música, do relacionamento ou de qualquer outro desejo nosso, há sempre medo. Então, o importante é estar conscientes de todo esse processo, observar, aprender sobre ele, e não perguntar como se libertar do medo. Quando você quiser simplesmente se livrar do medo, vai encontrar meios de escapar dele. E, desse modo, nunca poderá haver a libertação do medo.

23 de março

Lidar com o medo

As pessoas têm medo da opinião pública, de não ter sucesso na vida, não se realizar, não ter oportunidades. Em meio a tudo isso, há esse extraordinário sentimento de culpa por terem feito uma coisa que não deveriam ter feito, o sentimento de culpa no próprio ato do fazer: somos saudáveis, mas o outro é pobre e doente; temos comida, mas o outro não tem o que comer. Quanto mais a mente é inquisitiva, penetrante, indagadora, maior o sentimento de culpa, a ansiedade... O medo é a urgência em buscar um Mestre, um guru; o medo é a capa de respeitabilidade que todos adoram tanto – "ser respeitável". A pessoa que se determina a ser corajosa para enfrentar os eventos na vida simplesmente racionaliza o medo à distância, ou encontra explicações que vão dar satisfação à mente que está prisioneira do medo? Como você lida com isso? Liga o rádio, lê um livro, vai a um templo, se apega a alguma forma de dogma, de crença?

O medo é a energia destrutiva no homem. Ele enfraquece a mente, distorce o pensamento, conduz a todos os tipos de teorias extraordinariamente brilhantes e sutis, superstições, dogmas e crenças absurdas. Se você vê que o medo é destrutivo, então como procede para manter a mente limpa? Talvez sondando a causa do medo para se libertar dele. Isso é verdade? Tentar descobrir e conhecer a causa do medo não o faz desaparecer.

24 de março

A porta para o entendimento

Não se pode pôr fim ao medo sem entender, sem realmente penetrar na natureza do tempo, que significa pensamento – a palavra. Daí surge a questão: existe um pensamento sem palavra, que é a memória? Se a pessoa não enxergar a natureza da mente, seu movimento, o processo de autoconhecimento, simplesmente dizer que deve se livrar do medo, não quer dizer muita coisa. É preciso considerar o medo no contexto da integralidade da mente. Para enxergar, para penetrar em tudo isso, é necessário energia.

A energia não surge mediante a ingestão de comida – isso faz parte da necessidade física. Mas enxergar (no verdadeiro sentido da palavra) requer uma enorme energia, e ela se dissipa quando você luta com as palavras, quando resiste, condena, quando está repleto de opiniões que o impedem de enxergar, de ver – nisso se esgota toda a energia. Então, ao considerar essa percepção, esse enxergar, mais uma vez a porta se abre.

25 de março

O medo nos obriga a obedecer

Por que fazemos tudo isso – obedecer, seguir, copiar? Por quê? Porque internamente tememos ser inseguros. Queremos ser seguros – financeiramente, moralmente –, queremos ser aprovados, estar em uma posição segura, nunca ser confrontados com problemas, dores, sofrimentos, queremos estar protegidos. Então o medo nos obriga, consciente ou inconscientemente, a obedecer ao Mestre, ao líder, ao sacerdote, ao governo. O medo também nos impede de fazer algo que possa ser prejudicial aos outros, porque seremos punidos. Por trás de todas essas ações, ambições, buscas, nos assombra esse desejo de certeza, de estarmos assegurados. Sem resolver o medo, sem estar livre dele, simplesmente obedecer ou ser obedecido tem pouca importância. O que realmente importa é entender o medo do dia a dia e como ele se mostra de diferentes maneiras. Só quando nos libertamos do medo surge aquela qualidade interior do entendimento, aquele isolamento em que não há acumulação de conhecimento ou de experiência. E só isso proporciona extraordinária clareza na busca do real.

26 de março

Face a face com o fato

Tememos um fato ou uma *ideia* do fato? Tememos a coisa como ela é ou o que *achamos* que ela seja? Considere a morte, por exemplo. Temos medo do fato da morte ou da ideia da morte? O fato é uma coisa, e a ideia é outra. Eu temo a palavra *morte* ou o fato em si? Como tenho medo da palavra, da ideia, nunca entendo o fato, nunca o considero, nunca estou em relação direta com ele. Se estou em completa comunhão com o fato, não existe o medo. Se não estou em comunhão com o fato, então o medo existe. E não haverá comunhão com o fato enquanto eu tiver uma ideia, uma opinião, uma teoria *sobre* ele. Deve-se ter clareza se é medo da palavra, da ideia ou do fato. Se estou face a face com o fato, não há nada a entender sobre ele: o fato está ali, consigo lidar com ele. Se existir medo da palavra, então é preciso entendê-la, penetrar em todo o processo do que a palavra, o termo, implica.

É minha opinião, minha ideia, minha experiência, meu conhecimento sobre o fato que cria o medo. Enquanto houver a verbalização do fato, dando a ele um nome, o identificando ou condenando, enquanto o pensamento estiver julgando o fato como um observador, haverá medo. O pensamento é o produto do passado; ele só pode existir mediante verbalização, símbolos, imagens. Enquanto o pensamento estiver considerando ou traduzindo o fato, haverá medo.

27 de março

Entrar em contato com o medo

Há o medo físico. Quando você vê uma cobra, um animal selvagem, instintivamente sente medo. Esse é um medo normal, saudável, natural. Além de medo, é um desejo de se proteger – e isso é normal. Mas a proteção psicológica de si mesmo – ou seja, o desejo de estar sempre seguro – gera medo. Uma mente que busca sempre estar segura é uma mente morta, porque não há certeza na vida, não há permanência... Quando você entra em contato direto com o medo, há uma resposta dos nervos e de todo o resto do corpo. Quando a mente não está mais escapando por meio de palavras ou de qualquer tipo de atividade, não há divisão entre o observador e a coisa observada como medo. Só a mente que está escapando se livra do medo. Mas quando há um contato direto com o medo, não há observador, não há uma entidade que diz: "Estou com medo". Então, no momento em que você está diretamente em contato com a vida, com qualquer coisa, não há divisão – é ela que gera a competição, a ambição, o medo.

Portanto, o importante não é como se livrar do medo. Se você busca uma maneira, um método, um sistema para se livrar do medo, estará permanentemente preso a ele. Mas se entende o medo – o que só pode ocorrer quando você entra diretamente em contato com ele, como quando está em contato com a fome ou ameaçado de perder o emprego –, então você faz algo: só então descobrirá que todo medo termina (*todo* medo, não apenas este ou aquele tipo).

28 de março

O medo é a não aceitação do que existe

O medo encontra várias fugas. O que mais varia é a identificação, não é? A identificação com o país, com a sociedade, com uma ideia. Você já percebeu como reage quando vê um desfile militar ou uma procissão religiosa, ou quando o país está correndo o risco de ser invadido? Você se identifica com o país, com um ser, com uma ideologia. Há outras ocasiões em que você se identifica com seu filho, com seu cônjuge, com uma forma particular de ação ou inação. A identificação é um processo de autoesquecimento. Enquanto estou consciente do "eu", sei que há sofrimento, luta, medo constante. Mas se consigo me identificar com algo maior, com algo que valha a pena, com a beleza, com a vida, com a verdade, com a crença, com o conhecimento, ainda que temporariamente, há uma fuga do "eu", não há? Se falo sobre o "meu país", esqueço de mim temporariamente, não é? Se consigo dizer algo sobre Deus, esqueço de mim. Se consigo me identificar com minha família, um grupo, determinado partido, determinada ideologia, então há uma fuga temporária.

Agora sabemos o que é o medo? Ele não é a aceitação *do que existe*? Precisamos entender a palavra *aceitação*. Ela não significa o esforço realizado para aceitar. A aceitação não ocorre quando percebo *o que existe*. Quando não enxergo claramente *o que existe*, então estabeleço o processo da aceitação. Por isso, o medo é a não aceitação *do que existe*.

29 de março

A desordem que o tempo cria

Tempo significa mover-se de *o que existe* para "o que deveria existir" – eu tenho medo, mas um dia me livrarei dele. Por isso, o tempo é necessário para nos livrarmos do medo – pelo menos, é isso que acreditamos. Mudar de *o que existe* para "o que deveria existir" envolve tempo. Ora, o tempo implica esforço nesse intervalo entre *o que existe* e "o que deveria existir". Não gosto do medo, então vou fazer um esforço para entendê-lo, analisá-lo, dissecá-lo, ou vou descobrir a causa dele ou fugir totalmente dele. Tudo isso implica esforço, e o esforço é aquilo com o qual já estamos acostumados. Estamos sempre em conflito entre *o que existe* e "o que deveria existir". "O que deveria existir" é uma ideia, ou seja, é fictício, não é "o que eu sou", que é o fato. "O que eu sou" só pode ser mudado quando eu entendo a desordem que o tempo cria.

...Será possível eu me livrar total e completamente, num instante, do medo? Se eu permito que o medo continue, vou criar desordem o tempo todo. Assim, vemos que o tempo é um elemento de desordem, não um meio para livrar-se fundamentalmente do medo. Por isso não existe um processo gradual de se livrar do medo, assim como não existe um processo gradual de se livrar do veneno do nacionalismo. Se você é partidário do nacionalismo e diz que um dia haverá a fraternidade dos homens, no intervalo há guerras, ódio, infelicidade, toda essa divisão abominável entre os homens. Portanto, o tempo está criando desordem.

30 de março

Como eu encaro a raiva?

Obviamente, eu encaro a raiva como um observador com raiva. Eu digo: "Estou com raiva". No momento da raiva não há "eu", ele vem imediatamente depois, o que significa tempo. Consigo encarar o fato sem o fator do tempo, que é o pensamento, a palavra? Isso acontece quando há o olhar sem o observador. Veja aonde isso me levou. Agora começo a perceber uma maneira de olhar – a percepção sem opinião, conclusão, condenação, julgamento. Por isso, percebo que pode existir o "ver" sem o pensamento, que é a palavra. Então, a mente está além dos aglomerados de ideias, do conflito da dualidade e de todo o resto. Desse modo, como posso encarar o medo sem que ele seja um fato isolado?

Se você isolar um fato que não abriu a porta para todo o universo da mente, então vamos voltar ao fato e começar de novo, considerando outro fato para que você mesmo comece a ver como a mente é extraordinária, para que você tenha a chave, possa abrir a porta e possa irromper dentro dela.

...A mera consideração de um medo – da morte, do vizinho, do seu cônjuge dominador, você conhece toda a questão da dominação – irá lhe abrir a porta? Isso é tudo o que importa – não como se livrar dele –, porque no momento em que você abre a porta, o medo é completamente varrido dali. A mente é o resultado do tempo, e o tempo é a palavra – como é extraordinário pensar nisso! Tempo é pensamento. Acredita-se que ele gera medo, que ele gera o medo da morte. E houve uma época em que se acreditava que ele tinha em suas mãos todas as complexidades e as sutilezas do medo.

31 de março

A raiz de todo medo

O anseio de se tornar causa medo. Ser, alcançar e depender também geram medo. O estado de ausência de medo não é a negação, não é o oposto do medo nem é coragem. Quando se entende a causa do medo, ele cessa. Não se trata de tornar-se corajoso, porque em tudo o que se torna há a semente do medo. A dependência de coisas, de pessoas ou de ideias gera medo. A dependência nasce da ignorância, da ausência de autoconhecimento, da pobreza interior. O medo causa incerteza na mente e no coração, impedindo a comunicação e o entendimento.

Mediante a autoconsciência começamos a descobrir e, assim, a compreender a causa do medo, não apenas a superficial, mas os profundos medos causais e acumulativos. O medo pode ser tanto inato quanto adquirido, está relacionado ao passado, e para libertar dele o pensamento-sentimento, o passado deve ser compreendido por meio do presente. O passado está sempre querendo dar origem ao presente, tornando-se a memória identificadora do "eu" e do "meu". O *self* é a raiz de todos os medos.

Abril

Desejo

Sexo

Casamento

Paixão

1 de abril

Só existe desejo

Não existe entidade separada do desejo; existe apenas desejo, não aquele que deseja. O desejo assume máscaras diferentes em épocas diferentes, dependendo dos seus interesses. A memória desses vários interesses encontra novos, que produzem conflito, e assim nasce a escolha, estabelecendo-se como uma entidade separada e distinta do desejo.

Mas a entidade não é diferente de suas qualidades. A entidade que tenta preencher ou fugir do vazio, da insuficiência, da solidão, não é diferente daquilo que ela está evitando: ela é aquilo. Não pode fugir de si mesma; tudo o que pode fazer é entender a si mesma. Ela é sua solidão, seu vazio e, enquanto encarar isso como algo separado de si mesma, estará na ilusão e num conflito sem fim.

A libertação do medo só pode ocorrer quando a entidade experimenta diretamente que ela é sua própria solidão. O medo só existe em relacionamento com uma ideia, e a ideia é a reação da memória como pensamento. O pensamento é o resultado da experiência. Embora possa ponderar sobre o vazio, o pensamento tem sensações com relação a ele, não pode conhecê-lo diretamente.

A palavra *solidão*, com suas lembranças de sofrimento e medo, impede a experiência. A palavra é memória, e quando ela não é mais importante, então o relacionamento entre o experimentador e o experimentado é totalmente diferente. Esse relacionamento se torna direto, não mediante uma palavra, mediante a memória. O experimentador é a experiência, que sozinha traz a libertação do medo.

2 de abril

Entendendo o desejo

Temos de entender o desejo. É muito difícil entender algo que é tão vital, tão exigente, tão urgente, porque na própria satisfação do desejo a paixão é engendrada, com o prazer e o sofrimento que ela produz. Para uma pessoa entender o desejo, obviamente não deve haver escolha. Você não pode julgar o desejo como bom ou ruim, nobre ou desprezível. Nem pode dizer: "Vou manter este desejo e negar aquele outro". Tudo isso deve ser posto de lado para descobrir a verdade do desejo – sua beleza, sua feiura etc.

3 de abril

O desejo tem de ser entendido

Vamos prosseguir considerando o desejo. Conhecemos o desejo que se contradiz, que é torturado, arrastado para diferentes direções: o sofrimento, o tumulto, a ansiedade, a disciplina, o controle. Na eterna batalha com o desejo, nós o despojamos de toda forma e reconhecimento; mas ele está ali, constantemente observando, esperando, pressionando. Independentemente do que você fizer, sublime-o, fuja dele, negue-o ou aceite-o, dê-lhe rédea solta – ele estará sempre ali.

Sabemos que professores religiosos têm dito que devemos ser desprovidos do desejo, cultivar o desapego, ser libertados das vontades – o que é, na verdade, um absurdo, porque o desejo tem de ser entendido, não destruído. Se você destrói o desejo, poderá destruir a própria vida. Se você o perverter, moldar, controlar, dominar, suprimir, poderá destruir algo extraordinariamente belo.

4 de abril

A qualidade do desejo

O que acontece se você não condenar o desejo, não julgá-lo como bom ou ruim, mas simplesmente estiver consciente dele? Pergunto-me se você sabe o que significa estar consciente de algo. A maioria de nós não está consciente porque nos tornamos muito acostumados a condenar, julgar, avaliar, identificar, escolher. A escolha obviamente impede a consciência, porque é sempre feita como resultado de um conflito. Estar consciente quando você entra em um aposento, observa todos os móveis, o tapete (ou a ausência dele) e assim por diante – apenas vê-lo –, estar consciente disso tudo sem qualquer julgamento é muito difícil. Você já tentou olhar para uma pessoa, uma flor, uma ideia, uma emoção sem qualquer escolha, qualquer julgamento?

E se você fizer a mesma coisa com o desejo, se conviver com ele? Não o negando nem dizendo: "O que vou fazer com este desejo? Ele é tão feio, tão desenfreado, tão violento", nem lhe dando um nome, um símbolo, nem o encobrindo com uma palavra. Então, ele não é mais a causa da desordem? O desejo é algo para ser descartado, destruído?

Queremos destruí-lo porque um desejo se volta contra outro, gerando conflito, infelicidade e contradição. E é possível perceber como tentamos fugir desse eterno conflito. Então, podemos ter consciência da totalidade do desejo? O que entendo por totalidade não é apenas um desejo ou muitos desejos, mas a qualidade total do próprio desejo.

5 de abril

Por que não se deve ter prazer?

Você vê um belo pôr do sol, uma árvore encantadora, um rio cuja correnteza é extensa e curva ou um bonito rosto. Olhar para tudo isso proporciona um grande prazer, um encantamento. O que há de errado nisso? Parece-me que a confusão e a infelicidade começam quando esse rosto, esse rio, essa nuvem, essa montanha tornam-se uma lembrança, e essa lembrança exige uma grande continuidade de prazer – queremos que essas coisas se repitam. Todos nós sabemos disso. Eu tive certo prazer ou você teve certo encanto com alguma coisa: queremos que isso se repita. Sexual, artística, intelectual ou algo diferente – queremos que o prazer se repita, e acho que isso acontece quando o prazer começa a toldar a mente e criar valores falsos.

O que importa é entender o prazer, não tentar se livrar dele – o que é demasiado estúpido. Ninguém pode se livrar do prazer. Mas entender a natureza e a estrutura dele é essencial, porque se a vida for só prazer, e se é isso que se deseja, então ao prazer seguem-se a infelicidade, a confusão, a ilusão, os falsos valores que criamos, e por isso não há clareza.

6 de abril

Uma reação saudável, normal

Eu tenho de descobrir por que o desejo tem tamanho poder na minha vida. Isso pode ser certo ou não. Tenho de descobrir. Percebo isso. O desejo surge, ele é uma reação, uma reação saudável, normal; do contrário, eu estaria morto. Vejo uma coisa bonita e digo: "Por Deus, eu quero isso". Se não quisesse, estaria morto. Mas na sua busca constante há sofrimento. Esse é o problema: existe sofrimento e prazer. Eu vejo uma mulher bonita, realmente bonita; seria um absurdo dizer: "Não, ela não é". Isso é um fato. Mas o que dá continuidade ao prazer? Obviamente, é o pensamento, pensar no prazer...

Ao pensar no prazer, não se trata mais do relacionamento com o objeto, que é o desejo. O pensamento aumenta esse desejo pensando nele, construindo imagens, quadros, ideias...

O pensamento chega e diz: "Por favor, você precisa tê-lo; isto é crescimento; isto é importante; isto não é importante; isto é vital para a sua vida; isto não é vital para sua vida".

Mas eu consigo olhar para isso e desejá-lo, e esse é o fim, sem interferência do pensamento.

7 de abril

Morrer por coisas pequenas

Você já tentou morrer por um prazer voluntariamente, não por imposição? Em geral, a morte não é algo desejável, que se espera acontecer. A morte vem e nos leva embora; não é um ato voluntário, exceto no suicídio. Mas você algum dia tentou morrer voluntariamente, como se fosse algo fácil, sentiu aquela sensação de abandono do prazer?

É óbvio que não! No presente, seus ideais, seus prazeres, suas ambições são as coisas que lhe dão o chamado "significado". A vida é viver – abundância, plenitude, abandono –, não uma sensação do "eu" como fator mais importante. Isso é mera intelecção. Se você experimenta morrer por coisas pequenas, isso é suficientemente bom. Apenas morrer por pequenos prazeres – à vontade, com conforto, com um sorriso – é suficiente, porque você vai perceber que sua mente é capaz de morrer por muitas coisas, por todas as lembranças. As máquinas – os computadores – estão assumindo as funções da memória, mas a mente humana é mais do que uma ferramenta meramente mecânica de associação e memória. No entanto, ela não pode ser esse algo mais se não morrer por tudo o que conhece.

Para ver toda essa verdade, é essencial ter uma mente jovem, que não esteja meramente funcionando no campo do tempo. A mente jovem morre por tudo. Você consegue ver, sentir a verdade disso imediatamente? Você pode não enxergar o total sentido extraordinário disso, a imensa sutileza, a beleza dessa morte, a riqueza desse acontecimento, mas detém-se para ouvi-la semear a semente e para ver a significância dessas palavras criar raízes – não apenas no nível superficial, consciente, mas em todo o inconsciente.

8 de abril

Sexo

Sexo é um problema, porque pode parecer que no ato o *self* se ausenta completamente. No momento do sexo você está feliz, porque ocorre a cessação da autoconsciência, do "eu". Além disso, o desejo de mais – mais abnegação do *self*, em que há a felicidade completa, sem passado ou futuro – exigindo essa felicidade completa por meio da plena fusão, integração, naturalmente se torna vital. Não é assim? Por oferecer uma alegria total, um completo esquecimento de mim mesmo, eu quero mais e mais disso. Ora, mas por quê? Porque em qualquer outro lugar eu estou em conflito, em qualquer outro lugar, em todos os diferentes níveis de existência há o fortalecimento do *self*. Econômica, social e religiosamente, há o constante adensamento da autoconsciência, que está em conflito. Afinal, somos autoconscientes apenas quando há conflito. A autoconsciência está na própria natureza do resultado do conflito.

Então, o problema certamente não é o sexo, mas livrar-se do *self*. Você já experimentou o estado em que o *self* não está presente; ou quando está presente por apenas alguns segundos, um dia; ou quando depende da sua vontade. Onde o *self* está, há conflito, infelicidade, disputa. Então, há um anseio constante por mais daquele estado livre do *self*.

9 de abril

A fuga fundamental

O que é, afinal, "problema do sexo"? É o ato ou um pensamento a respeito do ato? Certamente, não é o ato. O ato sexual não é um problema, assim como comer também não é. Mas se você pensa sobre comer ou qualquer outra coisa o dia todo porque não tem outra coisa em que pensar, isso se torna um problema… Por que exageramos? O cinema, as revistas, as histórias, a maneira como as mulheres se vestem, tudo exagera nossos pensamentos sobre o sexo. Mas por que a mente exagera, por que ela pensa em sexo? O problema é exatamente este: "Por quê?". Por que isso se tornou uma questão central na nossa vida? Quando há tantas coisas chamando e exigindo nossa atenção, voltamos nosso pensamento ao sexo. O que acontece, por que nossa mente está tão ocupada com isso? Porque essa é uma maneira fundamental de fuga, não é? É uma maneira de completo autoesquecimento. Por enquanto, pelo menos naquele momento, podemos esquecer de nós mesmos – e não há outra maneira de fazê-lo. Tudo o mais que façamos na vida dá ênfase ao "eu", ao *self*. Trabalho, religião, deuses, líderes, ações políticas e econômicas, fugas, atividades sociais, a ida a uma festa e a rejeição a outra – tudo está enfatizando e dando força ao "eu"… Quando só há uma coisa na vida, uma via para uma fuga fundamental, para o completo autoesquecimento, ainda que por alguns segundos, nos apegamos a ela porque esse é o único momento em que nos sentimos felizes…

Portanto, o sexo se torna um problema extraordinariamente difícil e complexo enquanto não entendemos a mente que pensa sobre o problema.

10 de abril

Nós tornamos o sexo um problema

Por que qualquer coisa que tocamos se transforma em um problema?... Por que o sexo se torna um problema? Por que nos submetemos a viver com problemas, por que não pomos um fim neles? Por que não morremos para os nossos problemas, em vez de carregá-los dia após dia, ano após ano? Certamente, o sexo é uma questão relevante, que eu devo responder presentemente, mas resta a questão primária: por que transformamos a vida em um problema? O trabalho, o sexo, ganhar dinheiro, pensar, sentir, experienciar, todas as atividades da vida – por que são um problema? Será, essencialmente, porque sempre pensamos de um ponto de vista particular, determinado?

Estamos pensando sempre do centro para fora, mas a parte periférica é o centro da maioria de nós, e por isso qualquer coisa que tocamos é superficial. Mas a vida não é superficial, ela demanda viver completamente, e como só estamos vivendo superficialmente, só conhecemos a reação superficial. Qualquer coisa que façamos na parte periférica deve inevitavelmente criar um problema, e essa é a nossa vida – vivemos no superficial e ali ficamos contentes em viver com todos os problemas. Portanto, os problemas existem enquanto vivemos no superficial, na periferia do "eu" e suas sensações, que podem ser exteriorizadas ou tornadas subjetivas, ser identificadas com o universo, o país ou alguma outra coisa criada pela mente. Por isso, enquanto vivermos dentro do campo da mente, deverá haver complicações, problemas, e isso é tudo o que conhecemos.

11 de abril

O que você entende por amor?

O amor é misterioso. Ele só pode ser entendido quando o conhecido é entendido e transcendido. Haverá amor só quando a mente estiver isenta do conhecido. Portanto, devemos abordar o amor negativamente, e não o contrário.

O que é o amor para a maioria de nós? Quando amamos, há possessividade, dominação ou subserviência. Dessa possessão surgem o ciúme e o medo da perda, por isso legalizamos esse instinto possessivo. Além do ciúme, surgem inúmeros conflitos com os quais cada um está familiarizado. Portanto, possessividade não é amor. Nem o amor sentimental. Ser sentimental, emocional, exclui o amor. A sensibilidade e as emoções são meramente sensações.

...Só o amor pode transformar a insanidade, a confusão e o conflito. Nenhum sistema, nenhuma teoria da esquerda ou da direita pode trazer paz e felicidade ao homem. Onde há amor não há possessividade, não há inveja. Há piedade e compaixão, não em teoria, mas verdadeiramente – por seu cônjuge e seus filhos, seu vizinho e seu subalterno... Só o amor pode trazer piedade e beleza, ordem e paz. Há amor com sua bênção quando "você" deixa de existir.

12 de abril

Enquanto possuirmos, jamais amaremos

Conhecemos o amor como sensação, não é? Quando dizemos que amamos, conhecemos o ciúme, o medo, a ansiedade. Quando você diz que ama alguém, tudo isso está implícito: a inveja, o desejo de possuir, de ser dono, de dominar, o medo da perda e assim por diante. Tudo isso, nós chamamos de amor. E não conhecemos o amor sem medo, inveja, possessão; simplesmente verbalizamos esse estado de amor que existe sem medo, o chamamos de impessoal, puro, divino ou sabe lá Deus o que mais. O fato, no entanto, é que somos ciumentos, dominadores, possessivos. Só conheceremos esse estado de amor quando o ciúme, a inveja, a possessividade, a dominação tiverem um fim, e enquanto possuirmos, jamais amaremos...

Em que momento você pensa na pessoa amada? Você pensa nela quando ela parte, quando está distante, quando deixou você... Então, você sente falta da pessoa a quem diz amar só quando está perturbado, sofrendo. Ou seja, enquanto você possui essa pessoa, não tem de pensar nela, porque na posse não há perturbação...

O pensamento surge quando estamos perturbados — e estamos propensos a ficar perturbados enquanto nosso pensamento for aquilo que chamamos de amor. Certamente, o amor não é uma coisa da mente; e, como as coisas da mente encheram nossos corações, não temos amor. As coisas da mente são o ciúme, a inveja, a ambição, o desejo de ser alguém, conseguir sucesso. Essas coisas da mente enchem o coração, e então dizemos estar amando. Mas como podemos amar quando há todos esses elementos confusos dentro da gente? Se há fumaça, como pode haver uma chama pura?

13 de abril

O amor não é um dever

Quando há amor, não há dever. Quando um homem ama sua esposa, compartilha tudo com ela — sua propriedade, seus problemas, suas ansiedades, suas alegrias. Ele não domina. Ele não é o homem, e ela a mulher a ser usada e posta de lado, uma espécie de máquina de procriação que carrega o seu nome. Quando há amor, a palavra dever desaparece. É o homem sem amor em seu coração que fala de direitos e deveres, e neste país os deveres e os direitos têm ocupado o lugar do amor. As regras se tornaram mais importantes que o calor da afeição. Quando há amor, o problema é simples; quando não há amor, o problema se torna complexo. Quando um homem ama sua esposa e seus filhos, ele provavelmente nunca pensa em termos de *deveres* e *direitos*. Examine seu próprio coração e sua própria mente. Eu sei que você despreza isso — pois este é um dos truques do irrefletido, rir de algo e colocá-lo de lado. A esposa não compartilha a responsabilidade do marido. A esposa não compartilha a propriedade dele, ela não tem a metade de tudo o que ele tem, porque ele considera a mulher menos do que considera a si mesmo, algo a ser mantido e usado sexualmente à sua conveniência quando seu apetite o exige. Então, o homem inventou as palavras *direitos* e *deveres*; e quando a mulher se rebela, ele atira nela essas palavras. Uma sociedade que fala de deveres e direitos é uma sociedade estática, deteriorada. Se você realmente examinar seu coração e sua mente, vai descobrir que não tem amor.

14 de abril

Uma coisa da mente

O que chamamos de amor é uma coisa da mente. Olhe para si mesmo e verá que o que estou dizendo é obviamente verdade; do contrário, nossas vidas, nosso casamento, nossos relacionamentos seriam inteiramente diferentes, teríamos uma outra sociedade.

Nós nos ligamos a outra pessoa não mediante a fusão, mas mediante um contrato que é chamado de amor, de casamento. O amor não funde, ele ajusta – não é pessoal nem impessoal, é um estado de ser. O homem que deseja se fundir com algo maior, unir-se a outro, está evitando a infelicidade, a confusão; mas a mente permanece na separação, que é desintegração. O amor não conhece fusão nem difusão, não é pessoal nem impessoal, é um estado de ser que a mente não consegue encontrar; ela pode descrevê-lo, dar-lhe um termo, um nome, mas a palavra, a descrição, não é amor. Só quando a mente estiver quieta ela conhecerá o amor, mas esse estado de quietude não é uma coisa a ser cultivada.

15 de abril

Considerar o casamento

Estamos tentando entender o problema do casamento, o qual abrange relacionamento sexual, amor, companheirismo, comunhão. Obviamente, se não houver amor, o casamento se torna uma desgraça, não é? Ele se torna mera gratificação. Amar é uma das coisas mais difíceis, concorda? O amor só pode surgir, existir, quando o *self* está ausente. Sem amor, o relacionamento é um sofrimento. Gratificante ou superficial, ele conduz ao tédio, à rotina, ao hábito (e todas as suas implicações). Então, os problemas sexuais tornam-se importantíssimos.

Ao considerar o casamento – se ele é necessário ou não –, deve-se primeiro compreender o amor. Certamente, o amor é casto; sem amor não se pode ser casto. É possível ser um celibatário, homem ou mulher, mas isso não é ser casto, não é ser puro, se não houver amor. Se você tem um ideal de castidade, ou seja, se você quer ser casto, o amor não existe, porque o ideal é meramente o desejo de se tornar algo que você acredita ser nobre, que irá ajudá-lo a encontrar a realidade – nisso não há nenhum amor. A licenciosidade não é casta, ela conduz apenas à degradação, à infelicidade. O mesmo acontece com a busca de um ideal. Ambos excluem o amor, implicam tornar-se alguma coisa, entregar-se a alguma coisa, e por isso você se torna importante – e naquilo que você é importante, o amor não o é.

16 de abril

O amor é incapaz de ajustamento

O amor não é uma coisa da mente, é? O amor não é meramente o ato sexual, é? O amor é algo que a mente não consegue de modo nenhum conceber. O amor é algo que não pode ser formulado. Mesmo assim, sem amor nós nos relacionamos; sem amor, nos casamos. Então, nesse casamento, as pessoas "se ajustam" umas às outras. Que expressão adorável! Ajustar-se um ao outro, o que é mais uma vez um processo intelectual, não é?... Esse ajustamento é certamente um processo mental. Todos os ajustamentos são. Contudo, com certeza, o amor é incapaz de ajustamento. Você sabe disso, não sabe? Que se amar outra pessoa não há "ajustamento", há apenas uma fusão completa. Só quando não há amor começamos a nos ajustar. E esse ajustamento chama-se casamento.

Portanto, o casamento fracassa porque esse ajustamento é a fonte real de conflito, da batalha entre duas pessoas. É um problema extraordinariamente complexo, como todos os outros, mas ainda maior porque os apetites e as urgências são muito fortes. Então, uma mente que busca a felicidade por meio do sexo nunca pode ser casta. Embora por meio desse ato seja possível momentaneamente renunciar a si mesmo, esquecer-se de si mesmo, a verdadeira busca da felicidade, que é da mente, torna a mente não casta. A castidade só existe quando existe amor.

17 de abril

Amar é ser casto

O problema do sexo não é simples e não pode ser resolvido em seu próprio nível. Tentar resolvê-lo de modo puramente biológico é absurdo, e abordá-lo mediante a religião ou tentar resolvê-lo como se fosse uma mera questão de ajustamento físico, de ação glandular, restringi-lo com seus tabus e condenações é também absolutamente imaturo, infantil e estúpido. A resolução requer uma inteligência de altíssima ordem. Entendermos a nós mesmos no nosso relacionamento com outra pessoa requer uma inteligência muito mais rápida e sutil do que a necessária para a compreensão da natureza. Todavia, continuamos a entender sem inteligência, queremos uma ação imediata, uma solução imediata, e o problema se torna cada vez mais importante...
O amor não é mero pensamento; os pensamentos são apenas a ação externa do cérebro. O amor é muito mais profundo, muito mais forte, e a profundidade da vida só pode ser descoberta no amor. Sem amor, a vida não tem significado – essa é a parte triste da nossa existência. Nós envelhecemos, mas ainda imaturos; nossos corpos se tornam velhos, gordos e feios, e permanecemos irrefletidos. Embora leiamos e falemos sobre ele, nunca conhecemos o perfume da vida. A mera leitura e a mera verbalização indicam uma absoluta ausência do calor do coração, que enriquece a vida. E sem essa qualidade do amor, podemos fazer o que quisermos – nos juntar a qualquer sociedade, produzir alguma lei – mas não resolveremos o problema. Amar é ser casto.
O mero intelecto não é castidade. O homem que tenta ser casto no pensamento é impuro, porque ele não tem amor. Só o homem que ama é casto, puro, incorruptível.

18 de abril

O pensamento constante é um desperdício de energia

A maioria de nós passa a vida se empenhando, lutando. O empenho, a luta, o esforço são uma dissipação dessa energia. O homem, durante toda a sua trajetória histórica, tem dito que para descobrir essa realidade ou Deus – seja qual for o nome que queiram lhe dar – ele precisa ser celibatário. Ou seja, ele faz um voto de castidade e supressão, controle, luta consigo mesmo eternamente, para manter o seu voto. Que desperdício de energia!

É também um desperdício de energia ceder ao desejo. E tem muito mais sentido quando você o suprime. O esforço que precisou despender na supressão, no controle, na negação do seu desejo distorce a sua mente, e mediante essa distorção você adquire certa dose de austeridade, que se torna implacável. Por favor, escute. Observe o desejo em si mesmo e nas pessoas que lhe cercam. Então, observe o desperdício de energia, a batalha. Não as implicações do sexo, não o ato sexual, mas os ideais, as imagens, o prazer – o pensar constante neles é um desperdício de energia. E a maioria das pessoas desperdiça a sua energia por meio da negação, ou de um voto de castidade, ou ainda pensando eternamente nisso.

19 de abril

O idealista não pode conhecer o amor

Aqueles que tentam ser celibatários para atingir Deus são impuros, pois estão buscando um resultado ou ganho, ou seja, substituem o fim, o resultado, pelo sexo – e isso significa ter medo. Os corações estão desprovidos de amor, e neles não pode haver pureza; só um coração puro pode encontrar a realidade. Um coração disciplinado, reprimido, não pode saber o que é o amor. Ele não pode conhecer o amor se estiver preso ao hábito, à sensação – religiosa ou física, psicológica ou sensata. O idealista é um imitador e, por isso, não pode conhecer o amor. Ele não pode ser generoso, entregar-se completamente sem pensar em si próprio. Só quando a mente e o coração estão isentos do medo, da rotina dos hábitos sensoriais, somente quando há generosidade e compaixão, há amor. Esse amor é puro.

20 de abril

Entender a paixão

Ter uma vida religiosa é uma autopunição? A mortificação do corpo ou da mente é um sinal de entendimento? O martírio é um caminho para a realidade? A castidade é negação? Você acha que pode ir longe mediante a renúncia? Você realmente acha que pode haver paz por meio do conflito? Os meios não importam infinitamente mais do que o fim?

O fim pode existir, mas os meios existem. O real, *o que existe*, deve ser entendido, e não abafado pelas determinações, os ideais e as racionalizações inteligentes. O sofrimento não é o caminho para a felicidade. O que chamamos de paixão tem de ser entendida, e não reprimida ou sublimada, nem é bom encontrar um substituto para ela. Independentemente do que você faça, qualquer dispositivo que invente, só fortalecerá aquele que não foi amado e entendido. Amar o que chamamos de paixão é entendê-la. Amar é estar em comunhão direta. E você não pode amar algo do qual se ressente, sobre o qual tem ideias e conclusões. Como você pode amar e entender a paixão se fez um voto contra ela? Um voto é uma forma de resistência, e aquilo a que você resiste finalmente o conquista. A verdade não deve ser conquistada. Não se pode atacá-la, ela vai escapar entre os dedos se tentar agarrá-la. A verdade chega silenciosamente, sem você perceber. O que você percebe não é verdade, é apenas uma ideia, um símbolo. A sombra não é o real.

21 de abril

Os meios e o fim são uma coisa só

Para atingir a libertação, nada é necessário. Não é possível atingi-la por meio de barganha, sacrifício, eliminação – ela não é uma coisa que possa ser comprada. Se fizer essas coisas, obtém-se uma coisa do mercado (portanto, não real). A verdade não pode ser comprada, não há meios para atingi-la. Se houvesse um meio, o fim não seria a verdade, porque os meios e o fim são uma coisa só. A castidade como meio para a libertação, para a verdade, é uma negação da própria verdade. A castidade não é uma moeda com a qual você pode comprá-la...

Por que achamos a castidade essencial?... O que entendemos por sexo? Não o ato, mas o pensamento a respeito dele, o sentimento que o envolve, nossa antecipação ou fuga diante dele – esse é o problema.

Nosso problema é uma sensação, é querer cada vez mais. Observe a si mesmo, não seu vizinho. Por que seus pensamentos estão tão ocupados com o sexo? A castidade só pode existir quando há amor, e sem amor não há castidade. Sem amor, a castidade é apenas a luxúria em uma forma diferente. Tornar-se casto é tornar-se outra coisa; é como um homem que se torna poderoso, bem-sucedido – a mudança está no mesmo nível. Isso não é castidade, mas simplesmente o resultado final de um sonho, o resultado da contínua resistência a um desejo particular... Portanto, a castidade deixa de ser um problema onde há amor. Então, a vida não é um problema, ela deve ser vivida completamente na plenitude do amor, e essa revolução vai criar um novo mundo.

22 de abril

Abandono total

Talvez você nunca tenha experienciado esse estado da mente em que há um total abandono de tudo, um completo desapego. E você não consegue abandonar tudo sem uma profunda paixão, consegue? Você não consegue abandonar tudo, intelectual ou emocionalmente. Só há um total abandono quando há uma paixão intensa. Não fique alarmado com essa palavra, porque um homem que não é apaixonado não é intenso, nunca poderá entender ou sentir a qualidade da beleza. A mente que contém algo na reserva, a mente que tem um interesse pessoal, a mente que se apega à posição, ao poder, ao prestígio, a mente que é respeitável – o que é um horror –, essa mente nunca consegue se abandonar.

23 de abril

A pura chama da paixão

Entre a maioria de nós, são poucos os que têm paixão. Podemos ser ambiciosos, ansiar por alguma coisa, querer fugir de alguma coisa – tudo isso provoca em nós certa intensidade. A menos que despertemos e percebamos nosso caminho para essa chama de paixão sem uma causa, não conseguiremos entender o sofrimento. Para entender algo precisamos ter paixão, a intensidade da atenção completa. A paixão por algo que produz contradição, conflito, essa pura chama da paixão não pode existir. Mas ela precisa existir para pôr um fim no sofrimento, dissipá-lo completamente.

24 de abril

A beleza além do sentimento

Sem paixão, como pode haver beleza? Não estou falando da beleza de quadros, prédios, mulheres pintadas etc. Estes têm suas próprias formas de beleza. Uma coisa feita pelo homem, como uma catedral, um templo, um quadro, um poema ou uma escultura pode ser ou não bela. Mas há uma beleza que está além do sentimento e do pensamento e que não pode ser percebida, entendida ou conhecida se não houver paixão. Então, não entenda mal a palavra *paixão*. Essa não é uma palavra feia. Não se trata de uma coisa que você compra no mercado ou fala romanticamente a respeito. Paixão não tem nada a ver com emoção, com sentimento. Não é uma coisa respeitável, é uma chama que destrói qualquer coisa falsa. E estamos sempre com muito medo de permitir que essa chama devore as coisas que nos são caras, as que consideramos importantes.

25 de abril

Uma paixão por tudo

Para a maioria de nós, a paixão só é empregada em uma coisa: o sexo. Sofremos apaixonadamente e tentamos resolver esse infortúnio. Quando me refiro à *paixão*, é no sentido de um estado de espírito, um estado do ser, um estado do nosso âmago mais profundo (se é que existe tal coisa), que sente muito intensamente, é extremamente sensível – da mesma forma que é sensível à imundície, à sordidez, à pobreza e às enormes riquezas, à corrupção, à beleza de uma árvore, de um pássaro, do fluxo da água e de um lago no qual o céu reflete à noite. Sentir tudo isso intensamente é necessário. Porque sem paixão a vida se torna vazia, oca, sem muito significado. Se não conseguirmos enxergar a beleza de uma árvore e amá-la, se não conseguirmos cuidar dela intensamente, não estamos vivendo.

26 de abril

O amor, eu lhe asseguro, é paixão

Não podemos ser sensíveis se não formos apaixonados. Não tenha medo da palavra *paixão*. A maioria dos livros religiosos, dos gurus, dos *swamis*[2], dos líderes em geral diz: "Não tenham paixão". Mas se você não tiver paixão, como poderá ser sensível ao feio, ao belo, às folhas sussurrantes, ao pôr do sol, a um sorriso, a um choro? Como poderá ser sensível sem um sentimento de paixão no qual há abandono?

Por favor, escute e não pergunte como adquirir paixão. Sei que você é bastante apaixonado pela conquista de um bom emprego, ou quando odeia algum sujeito miserável, ou quando tem ciúme de alguém. Estou falando de algo inteiramente diferente – uma paixão que ama. O amor é um estado em que não existe o "eu"; o amor é um estado em que não há condenação, não se diz que o sexo é certo ou errado, que isto é bom e aquilo é ruim. O amor não é nenhuma dessas coisas contraditórias. Não existe contradição no amor.

Como, então, uma pessoa pode amar, se ela não for apaixonada? Sem paixão, como alguém pode ser sensível? Ser sensível é perceber o seu vizinho sentado perto de você; enxergar a feiura da cidade com sua sordidez, sua imundície e sua pobreza; enxergar a beleza do rio, do mar, do céu. Se você não for apaixonado, como poderá ser sensível a tudo isso? Como poderá sentir um sorriso, uma lágrima? O amor, eu lhe asseguro, é paixão.

---

2 *Swami* é um título honorífico hindu atribuído tanto a homens quanto a mulheres. O termo provém do sânscrito e significa "aquele que sabe e domina a si mesmo". (N. T.)

27 de abril

A mente apaixonada é questionadora

Obviamente, deve haver a paixão. A questão é como reviver essa paixão. Vou ser claro. Refiro-me à paixão em todos os sentidos, não apenas à sexual, que é uma coisa muito pequena. A maioria de nós está satisfeita com isso, porque todas as outras paixões foram destruídas – no escritório, na fábrica, na busca de um emprego, na rotina, na aprendizagem de técnicas. Não restou paixão; não há a percepção criativa da urgência e do abandono. Por isso, o sexo torna-se importante para nós, e nele nos perdemos, na paixão trivial que logo se torna um hábito e morre. Uso a palavra paixão no sentido de completude. Um homem apaixonado que sente intensamente não fica satisfeito com um cargo qualquer – seja de primeiro-ministro ou de cozinheiro. Uma mente apaixonada é questionadora, perspicaz, observadora, inquisitiva, exigente, e não tenta apenas encontrar para o seu descontentamento algum objeto em que ela possa se satisfazer e dormir. Uma mente apaixonada é tateante, buscadora, abre caminhos e não aceita nenhuma tradição. Não é uma mente decidida nem uma mente que chegou, mas uma mente jovem que está sempre chegando.

28 de abril

Mente pequena

Uma mente apaixonada é tateante, buscadora, abre caminhos e não aceita nenhuma tradição. Não é uma mente decidida nem uma mente que chegou, mas uma mente jovem que está sempre chegando.

Mas como passa a existir uma mente como essa? Ela deve acontecer. Obviamente, uma mente pequena não consegue chegar a ser uma mente apaixonada. Ao tentar se tornar apaixonada, uma mente pequena apenas reduzirá tudo à sua própria pequenez. A mente apaixonada deve acontecer, mas consegue apenas quando a mente enxerga seu próprio tamanho e não tenta fazer nada a respeito.

Estou sendo claro? Provavelmente, não. Mas, como dito anteriormente, qualquer mente restrita, por mais ansiosa que seja, continuará pequena, e isso, certamente, é óbvio. Uma mente pequena, embora consiga alcançar a lua, adquirir uma técnica, argumentar e se impor com inteligência, ainda assim é uma mente pequena. Então, quando uma mente pequena diz: "Eu preciso ser apaixonada para poder fazer com que algo valha a pena", obviamente sua paixão será muito pequena, não é mesmo? É como ficar furioso diante de alguma pequena injustiça ou pensar que o mundo muda porque acontece alguma reforma modesta em uma aldeia sem importância, por uma mente pequena e sem importância. Se a mente pequena enxergar tudo isso, então a própria percepção da sua dimensão, toda a sua atividade, sofrerá uma mudança.

29 de abril

Paixão perdida

A palavra não é a coisa. A palavra *paixão* não é a paixão. Sentir isso e ser tomado por isso sem qualquer volição, diretriz ou propósito; escutar o desejo, os próprios desejos, muitos deles, fracos ou fortes – quando faz isso, você enxerga o enorme dano que causa ao reprimir o desejo, ao distorcê-lo, ao preenchê-lo, ao fazer algo a respeito, ao querer ter uma opinião sobre isso.

A maioria das pessoas perdeu essa paixão. Provavelmente, já a tiveram uma vez na sua juventude: enriqueceram, foram famosos e viveram uma vida burguesa ou respeitável – talvez um vago murmúrio disso. E a sociedade – constituída pelas próprias pessoas – reprime isso. Então os indivíduos têm de se ajustar àqueles que estão mortos, que são respeitáveis, que não têm sequer uma centelha de paixão; tornam-se uma parte deles, e assim perdem a paixão.

30 de abril

Paixão sem causa

No estado de paixão sem causa há a intensidade isenta de qualquer ligação. Quando a paixão tem uma causa, há ligação, e esta é o início do sofrimento. A maioria de nós é ligada, apegada a uma pessoa, um país, uma crença, uma ideia, e quando o objeto da nossa ligação é levado, ou de algum modo perde sua importância, nos vemos vazios, insuficientes. Tentamos preencher esse vazio nos ligando a outra coisa, que mais uma vez se torna o objeto da nossa paixão.

Examine seu próprio coração e mente. Eu sou apenas um espelho no qual você olha para si mesmo. Se você não quiser olhar, não tem problema. Mas se quiser, então olhe para você mesmo claramente, friamente, com intensidade – não na esperança de dissolver suas infelicidades, suas ansiedades, sua sensação de culpa, mas para entender essa paixão extraordinária que sempre conduz ao sofrimento.

Quando a paixão tem uma causa, ela se torna desejo. Quando há uma paixão por algo – uma pessoa, uma ideia, algum tipo de satisfação –, então dessa paixão surgem contradição, conflito, esforço. Você se esforça para adquirir ou manter um estado determinado ou para recapturar aquele que esteve ali e não está mais. Mas a paixão da qual eu falo não dá origem a contradição e conflito. Ela não está de modo nenhum relacionada com uma causa, por isso não é um efeito.

Maio

Inteligência

Feelings

Palavras

Condicionamento

1 de maio

Uma mente rica de inocência

Na verdade, o Deus real – não o Deus que o homem inventou – não quer uma mente destruída, insignificante, vazia, estreita, limitada. É preciso uma mente saudável para apreciá-lo – rica, não de conhecimento, mas de inocência; uma mente sobre a qual nunca houve um arranhão de experiência, uma mente que esteja livre do tempo. Os deuses que o homem inventou para seu próprio conforto aceitam a tortura; eles aceitam uma mente que está ficando embotada. Mas a coisa real não a quer: ela quer um ser humano total, completo, cujo coração seja pleno, rico, claro, capaz de intenso *feeling*, de enxergar a beleza de uma árvore, o sorriso de uma criança e a agonia de uma mulher que jamais desfrutou de uma refeição completa.

Deve-se ter esse *feeling* extraordinário, essa sensibilidade a tudo – ao animal, ao gato que caminha pelo muro, à sordidez, à imundície, à sujeira dos seres humanos que vivem na pobreza, no desespero. Seja sensível – sinta intensamente, não em qualquer direção particular, que não é uma emoção que vem e vai, mas seja sensível com seus nervos, seus olhos, seu corpo, seus ouvidos, sua voz. Seja completamente sensível, sem a inteligência. A inteligência vem com a sensibilidade e a observação.

2 de maio

Que papel a emoção tem na vida?

Como surgem as emoções? É muito simples. Elas surgem por meio de estímulos, dos nervos. Se espetar, um alfinete em mim, eu pulo; se me adulam, eu fico encantado; se me insultam, eu não gosto. Por meio dos nossos sentidos surgem as emoções. E a maioria de nós funciona por meio das nossas emoções de prazer – isso é óbvio. Se você gosta de ser reconhecido como um hindu, então você pertence a um grupo, uma comunidade, uma tradição, ainda que velha. Você gosta disso, de ler o Gita[3], os Upanishads[4] e das antigas tradições da alta montanha. O muçulmano, por sua vez, gosta das tradições dele, e assim por diante. Nossas emoções surgem por meio de estímulos, do ambiente etc. Isso é bastante óbvio.

Que papel a emoção tem na vida? Emoção é vida? Você entende isso? O prazer é amor? O desejo é amor? Se emoção é amor, há algo que muda o tempo todo. Certo? Você não sabe disso tudo?

...Então, é preciso entender que as emoções, o sentimento, o entusiasmo, a sensação de ser bom e tudo o mais não têm nada a ver com a afeição e a solidariedade reais. Todo sentimento, as emoções têm a ver com o pensamento, por isso conduzem ao prazer e ao sofrimento. O amor não tem sofrimento, não tem mágoa, porque ele não é o resultado do prazer ou do desejo.

---

3 O Gita é um texto religioso hindu que relata o diálogo de Krishna com seu discípulo Arjuna. A obra é uma das principais escrituras sagradas da cultura da Índia. (N. T.)

4 Os Upanishads são parte das escrituras hindus que discutem principalmente meditação e filosofia e são considerados básicos por todos os hinduístas. (N. T.)

3 de maio

Libertar a inteligência

A primeira coisa a fazer, se me permite sugerir, é descobrir por que você está pensando e sentindo de certa maneira. Não tente alterar isso, não tente analisar seus pensamentos e suas emoções, mas torne-se consciente do porquê há pensamento em determinada rotina e a partir de que emoção você age. Embora você possa descobrir o motivo, descobrir algo mediante a análise não será real. Será real somente quando você estiver intensamente consciente do funcionamento do seu pensamento e da sua emoção; então verá sua extraordinária sutileza, sua suave delicadeza.

Enquanto existir um "devo" e um "não devo" em meio a essa compulsão, você nunca descobrirá a rápida perambulação do pensamento e da emoção. Tenho certeza de que você foi educado na escola do "deve" e do "não deve", e por isso destruiu o pensamento e o *feeling*. Você foi amarrado e enfraquecido por sistemas, métodos, professores. Então, abandone todos esses "deves" e "não deves". Isso não significa que há licenciosidade, mas consciência de uma mente que está sempre dizendo "eu devo" e "eu não devo". Como uma flor desabrocha no início da manhã, do mesmo modo a inteligência acontece, funciona, criando compreensão.

4 de maio

Intelecto *versus* inteligência

O treinamento do intelecto não resulta em inteligência. A inteligência surge quando a pessoa age em perfeita harmonia, intelectual ou emocionalmente. Há uma grande distinção entre intelecto e inteligência. O intelecto é apenas o pensamento funcionando, independentemente da emoção. Quando o intelecto é treinado em qualquer direção particular, a pessoa pode passar a ter um grande intelecto, mas não inteligência, porque na inteligência há a inerente capacidade de sentir e também raciocinar – na inteligência, as duas capacidades estão igualmente presentes, intensa e harmoniosamente.

...Se você leva suas emoções para o negócio, você diz que o negócio não pode ser bem administrado ou ser honesto. Então você divide sua mente em compartimentos: em um você mantém seu interesse religioso, em outro, suas emoções, e num terceiro, seu interesse no negócio, que não tem nada a ver com sua vida intelectual e emocional. Sua mente profissional trata a vida meramente como um meio de obter dinheiro para viver. Então, essa existência caótica, essa divisão da sua vida continua. Se você realmente usou sua inteligência nos negócios, ou seja, se suas emoções e seus pensamentos estavam atuando harmoniosamente, seu negócio pode falir. Provavelmente fracassará. E você possivelmente o deixou falir quando realmente percebeu o absurdo, a crueldade e a exploração envolvidos nessa maneira de viver.

Até você realmente abordar toda a vida com inteligência, em vez de apenas com seu intelecto, nenhum sistema no mundo salvará o homem do trabalho incessante em troca de pão.

5 de maio

O sentimento e a emoção geram crueldade

É perceptível que nem a emoção nem o sentimento estão relacionados com o amor. A sentimentalidade e a emoção são apenas reações do gostar ou do desgostar. Eu gosto de você e estou terrivelmente empolgado com você; eu gosto deste lugar, ele é adorável e tudo o mais, o que implica que não gosto do outro e assim por diante. Por isso, o sentimento e a emoção geram crueldade. Você já observou isso?

A identificação com um pano – a bandeira de um país – é um fator emocional e sentimental, e em defesa dele há quem deseja matar outra pessoa. É esse o amor por seu país, por seu vizinho? Portanto, onde entram o sentimento e a emoção não existe amor. São eles que geram a crueldade do gostar e do desgostar.

Além disso, onde há inveja não há amor, é óbvio. Eu tenho inveja de você porque você ocupa uma posição melhor, tem um emprego melhor, uma casa melhor, você parece mais gentil, mais inteligente, mais desperto, por isso eu tenho inveja de você. Na verdade, não dizemos que temos inveja, mas concorremos uns com os outros, o que é uma forma de ciúme, de inveja. Então, a inveja e o ciúme não são amor, e eu me livro deles. Contudo, não posso falar sobre como se livrar deles, mas continuar sendo invejoso. Na verdade, tenho de me livrar deles como a chuva lava a poeira de muitos dias em uma folha. Eu simplesmente os removo.

6 de maio

Devemos morrer para todas as nossas emoções

O que entendemos por emoção? É uma sensação, uma reação, uma resposta dos sentidos? O ódio, a devoção, o sentimento de amor ou a solidariedade por outra pessoa – todos são emoções. Alguns, como o amor e a solidariedade, chamamos de positivos; já outros, como o ódio, chamamos de negativos e queremos nos livrar deles. O amor é o oposto do ódio? É uma emoção, uma sensação, um *feeling* que é prolongado através da memória?

...Então, o que entendemos por amor? Certamente, o amor não é memória. É muito difícil entender isso, porque para a maioria de nós o amor é, sim, memória. Quando você diz que ama o seu cônjuge, o que quer dizer com isso? Você ama aquilo que lhe dá prazer? Você ama aquilo com que se identificou e que reconhece como pertencente a você? Por favor, isso são fatos. Não estou inventando nada, por isso não fique horrorizado.

...É a imagem, o símbolo do cônjuge que amamos (ou achamos que amamos), não o próprio indivíduo. Eu absolutamente não conheço o meu cônjuge; e nunca poderei conhecer essa pessoa enquanto "conhecer" significar "reconhecimento". Porque o reconhecimento é baseado na memória – a memória do prazer e do sofrimento, a memória das coisas pelas quais tenho vivido, agonizado, as coisas que possuo e às quais sou ligado. Como posso amar quando existe medo, mágoa, solidão, a sombra do desespero? Como um homem ambicioso pode amar? E somos todos muito ambiciosos, embora de forma honrosa.

Portanto, para descobrir realmente o que é o amor, precisamos morrer para o passado, para todas as emoções – o bom e o ruim. Morrer sem esforço, como morreríamos para uma coisa venenosa, porque a entendemos.

7 de maio

Devemos ter grandes *feelings*

No mundo moderno, onde há tantos problemas, estamos propensos a perder o grande *feeling*. Por *feeling* não me refiro a sentimento, à emotividade, à mera excitação, mas à qualidade da percepção, à qualidade do ouvir, do escutar, à qualidade da emoção – um pássaro cantando numa árvore, o movimento de uma folha ao sol. Sentir as coisas intensamente, profundamente, penetrantemente é muito difícil para a maioria de nós, porque temos muitos problemas. Qualquer coisa que pareça nos tocar se transforma num problema. E, aparentemente, não há fim para os problemas do homem. Somos totalmente incapazes de resolvê-los porque quanto mais os problemas existem, menor se torna o *feeling*.

Por *feeling* compreendo a apreciação da curva de um ramo, a imundície, a sujeira na estrada, ser sensível ao sofrimento de outrem, ficar em um estado de êxtase ao ver o pôr do sol. Esses não são sentimentos, não são meras emoções. Emoção e sentimento, ou sentimentalidade, transformam-se em crueldade, podem ser usados pela sociedade. E, quando há sentimento, sensação, a pessoa se torna um escravo da sociedade. Mas devemos ter um grande *feeling*: o *feeling* em relação à beleza, a uma palavra, ao silêncio entre duas palavras, à escuta clara de um som – tudo isso gera *feeling*. Devemos ter um forte *feeling* porque só ele torna a mente extremamente sensitiva.

8 de maio

Observação sem pensamento

Não há *feeling* sem pensamento, e por trás do pensamento está o prazer. Portanto, eles andam juntos, não se separam: o prazer, a palavra, o pensamento, o *feeling*. A observação sem o pensamento, sem o *feeling*, sem a palavra é energia. A energia é dissipada pela palavra, pela associação, pelo pensamento, pelo prazer e pelo tempo. Por isso, não sobra energia para observar.

9 de maio

A totalidade do *feeling*

O que é *feeling*? O *feeling* é como o pensamento. É uma sensação. Eu vejo uma flor e reajo a essa flor: eu gosto ou não gosto dela. O gostar ou não gostar é ditado por meu pensamento, e o pensamento é a reação do fundo da memória. Então, eu digo: "Eu gosto daquela flor" ou "Eu não gosto daquela flor"; "Eu gosto deste *feeling*" ou "Eu não gosto deste *feeling*"... Mas o amor está relacionado ao *feeling*? *Feeling* é sensação, obviamente – a sensação de gostar e não gostar, do bom e do ruim, do bom gosto e de todo o resto. Esse *feeling* está relacionado com o amor?

Você já observou sua rua, a maneira como você vive na sua casa, como se senta, como fala? Já observou todos os santos que você adora? Para eles, paixão é sexo, e por isso eles a negam, negam a beleza (negam no sentido de deixá-las de lado). Com essa sensação você põe de lado o amor e diz: "A sensação vai me tornar um prisioneiro, eu serei um escravo do sexo e do desejo; por isso, devo me livrar dela". Esse é o motivo de você ter transformado o sexo em um imenso problema...

Quando você entender o *feeling* de maneira completa, quando realmente entender a totalidade do *feeling*, então saberá o que é o amor. Quando você conseguir enxergar a beleza de uma árvore, de um sorriso, quando conseguir ver o sol se pôr atrás dos muros da sua cidade – ver totalmente –, então saberá o que é o amor.

10 de maio

Se você não der nome a esse *feeling*

Quando você observa um *feeling*, ele chega a um fim. Mas mesmo que o *feeling* termine, se houver um observador, um espectador, um sensor, um pensador que permaneça à parte do *feeling*, então ainda haverá uma contradição. Por isso, é muito importante entender como observamos um *feeling*.

Considere, por exemplo, um *feeling* muito comum: a inveja. Todos sabemos o que é ter inveja. Mas como você observa a sua inveja? Quando observa esse *feeling*, você é o observador da inveja como algo à parte de você. Você tenta mudá-la, modificá-la, tenta justificar por que é invejoso, e assim por diante. Portanto, há um ser, um censor, uma entidade à parte da inveja que a observa. No momento, a inveja pode desaparecer, mas ela volta, e volta de novo, porque você na verdade não enxerga essa inveja como parte de você.

...O que estou dizendo é que no momento em que dá um nome, um rótulo a esse *feeling*, você o coloca na estrutura do velho, e o velho é o observador, a entidade separada que é composta de palavras, de ideias, de opiniões sobre o que está certo e o que está errado... Mas se você não der nome a esse *feeling* – o que exige uma enorme consciência, uma grande quantidade de entendimento imediato –, então vai descobrir que não há observador, não há pensador, não há um centro a partir do qual você está julgando, e que você não é diferente do *feeling*. Não há o "você" que o sente.

11 de maio

As emoções não levam a lugar nenhum

Guiado por suas emoções ou por seu intelecto, você é conduzido ao desespero porque isso não leva a lugar nenhum. Mas você entende que o amor não é prazer, o amor não é desejo.

Você sabe o que é prazer? Quando observa algo ou quando tem um *feeling*, pensar sobre esse *feeling*, insistir nele lhe dá prazer, e esse prazer você quer e o repete diversas vezes. Um homem ambicioso, seja muito ou pouco, sente prazer. Quando um homem busca poder, *status*, prestígio em nome do país, em nome de uma ideia, isso lhe dá prazer. Ele não tem nenhum amor, e por isso cria a maldade no mundo. Ele produz a guerra dentro e fora de si.

Portanto, temos de entender as emoções, o sentimento, o entusiasmo, o *feeling* de ser bom. Temos de entender que tudo isso não tem nada a ver com a verdadeira afeição, com a compaixão. Todo sentimento e todas as emoções têm a ver com o pensamento, por isso conduzem ao prazer e ao sofrimento. O amor não tem sofrimento, mágoa, porque não é o resultado do prazer ou do desejo.

12 de maio

A memória nega o amor

É possível amar sem pensamento? O que você entende por pensamento? O pensamento é uma resposta às lembranças de sofrimento ou prazer. Não há pensamento sem o resíduo deixado pela experiência incompleta. O amor é diferente da emoção e do *feeling*. O amor não pode ser colocado no campo do pensamento; enquanto o *feeling* e a emoção podem. O amor é uma chama sem fumaça, sempre fresco, criativo, alegre. Esse amor é perigoso para a sociedade, para o relacionamento. Então, o pensamento entra nele, o modifica, guia, legaliza e o coloca fora de perigo; desse modo, é possível viver com ele. Você não sabe que, ao amar alguém, ama toda a humanidade? Você não sabe como é perigoso amar o homem? Não há barreira, não há nacionalidade; não há anseio por poder e posição, e as coisas assumem seus valores. Um homem assim é um perigo para a sociedade.

Para o indivíduo de amor, o processo da memória deve ter um fim. A memória só aparece quando a experiência não é completamente entendida. A memória é apenas o resíduo da experiência, é o resultado de um desafio que não é totalmente compreendido. A vida é um processo de desafio e reação. O desafio é sempre novo, mas a reação é sempre velha. Essa reação, que é condicionamento, resultado do passado, deve ser entendida, e não disciplinada ou condenada. Deve viver cada dia de maneira nova, integralmente. Esse viver completo só é possível quando há amor, quando seu coração está repleto, mas não de palavras nem com as coisas criadas pela mente. Só onde há amor a memória cessa; e, então, cada movimento é um renascimento.

13 de maio

Não dê nome a um *feeling*

O que acontece quando você não nomeia o *feeling*? Você observa uma emoção, uma sensação mais diretamente, e por isso tem um relacionamento totalmente diferente com ele, assim como tem com uma flor quando não lhe dá um nome. Você é obrigado a observar o *feeling* de maneira nova. Quando não dá nome a um grupo de pessoas, você é obrigado a observar cada face individualmente, e não tratá-las como uma coisa só. Então, torna-se muito mais alerta, muito mais observador, mais perceptivo. Você passa a ter um senso mais profundo de piedade, de amor – mas se tratá-las como uma coisa só, uma massa, isso acaba.

Sem rotular, encaramos todo *feeling* como ele surge. Quando rotulamos, o *feeling* é diferente do rótulo? Ou o rótulo desperta o *feeling*?

Se não dou nome a um *feeling* – ou seja, se o pensamento não funcionar apenas por causa das palavras ou se eu não pensar em termos de palavras, imagens ou símbolos, o que a maioria de nós faz –, o que acontece? Com certeza, a mente então não é apenas o observador. Quando a mente não está pensando em termos de palavras, símbolos ou imagens, não há um pensador separado do pensamento, que é a palavra. Então a mente está quieta, certo? (Não foi calada, ela está quieta.) Quando a mente está realmente quieta, os *feelings* podem ser tratados imediatamente. Só quando damos nomes aos *feelings*, e assim os fortalecemos, eles têm continuidade. Os *feelings* são armazenados no centro, a partir do qual rotulamos ainda mais, seja para fortalecê-los ou para comunicá-los.

14 de maio

Permaneça com um *feeling* e veja o que acontece

Você nunca permanece com qualquer *feeling*, puro e simples, mas sempre o cerca com uma parafernália de palavras. A palavra distorce o *feeling*; o pensamento, girando em torno dele, o atira na sombra, o potencializa com enormes medos e anseios. Você nunca permanece com um *feeling* nem com quaisquer outras coisas – com ódio ou com aquele estranho *feeling* de beleza. Quando o *feeling* de ódio surge, você diz o quanto ele é ruim; você o compele, luta para superá-lo, os pensamentos se agitam a respeito dele.

Tente permanecer com o *feeling* de ódio, com o *feeling* da inveja, do ciúme, com o veneno da ambição. Afinal, isso é o que você tem na vida diária, embora possa querer viver com amor ou com a palavra amor. Quando você tem o *feeling* do ódio, de querer ferir alguém com um gesto ou com uma palavra mordaz, veja se consegue permanecer com esse *feeling*. Consegue? Você já tentou? Tente permanecer com um *feeling* e veja o que acontece. Você vai achar terrivelmente difícil. Sua mente não vai deixar o *feeling* sozinho. Ele chega correndo com suas recordações, suas associações, seus "o que fazer" e "o que não fazer", sua conversa interminável. Pegue uma concha. Você consegue observá-la, maravilhar-se com sua beleza delicada, sem dizer como ela é bonita ou que animal a fez? Consegue observar sem o movimento da mente? Consegue viver com a sensação atrás da palavra, sem a sensação de que a palavra se intensifica? Se conseguir, então vai descobrir uma coisa extraordinária, um movimento além da medida do tempo, uma primavera que não conhece o verão.

15 de maio

Entender as palavras

Não sei se você já cogitou entrar ou de fato entrou em todo esse processo de verbalização, de dar um nome. Se já o fez, ele é realmente uma coisa muito impressionante, muito estimulante e interessante. Quando damos um nome a alguma coisa que experienciamos, a palavra se torna extraordinariamente importante, e a palavra é tempo. Tempo é espaço, e a palavra é o centro dele. Todo pensamento é verbalização, você pensa em palavras. Será possível a mente se livrar da palavra? Não vale dizer: "Como vou me livrar?". Isso não tem significado. Mas coloque essa questão para si mesmo e veja como você é escravizado por palavras como Índia, Gita, comunismo, cristão, russo, americano, inglês, a casta abaixo de você e a casta acima de você. A palavra amor, a palavra Deus, a palavra meditação – que extraordinária importância temos dado a essas palavras e como estamos escravizados por elas.

16 de maio

A memória tolda a percepção

Você está especulando ou está realmente experienciando enquanto vamos prosseguindo? Você não sabe o que é uma mente religiosa, sabe? Aparentemente, você não sabe o que ela significa. Pode ter apenas um relance ou um vislumbre dela, quando vê o céu claro e encantadoramente azul, quando a nuvem avança. Mas no momento em que percebeu o céu azul, você conquistou uma memória dele. Então você quer mais daquele, e por isso fica perdido nele. Quanto mais você quer a palavra para armazená-lo como uma experiência, mais fica perdido nela.

17 de maio

As palavras criam limitações

Existe um pensamento sem a palavra? Quando a mente não está entulhada de palavras, então o pensamento não é como o conhecemos, mas uma atividade sem a palavra, sem o símbolo. E, por esse motivo, não tem fronteiras – a palavra é a fronteira.

A palavra cria limitação. Uma mente que não funciona com palavras não tem limitação, não tem fronteiras, não está confinada... Considere a palavra amor e veja o que ela desperta em você, observe a si mesmo. No momento em que menciono essa palavra, você começa a sorrir e fica alerta, você sente. A palavra amor desperta todo tipo de ideias, todo tipo de divisões, como carnal, espiritual, profana e infinita. Ainda assim, descubra o que é o amor. Certamente, para descobrir o que é o amor a mente precisa estar liberta dessa palavra e do seu significado.

18 de maio

Indo além das palavras

Para entender um ao outro, acho necessário não sermos capturados pelas palavras. Porque uma palavra como Deus, por exemplo, pode ter um significado particular para você, enquanto para mim ela pode representar uma formulação totalmente diferente ou nenhuma formulação. Portanto, é quase impossível a comunicação, a menos que ambos tenhamos a intenção de entender e ir além das palavras. A palavra liberdade em geral implica estar liberto de algo, não é? Ordinariamente, significa estar livre da ambição, da inveja, do nacionalismo, da raiva, disto ou daquilo. Contudo, a liberdade pode ter outro significado totalmente diferente, que é uma sensação de estar livre – e é muito importante entender esse significado.

...Afinal, a mente, entre outras coisas, é composta de palavras. Ora, a mente pode ser isenta da palavra inveja? Experimente e verá que palavras como Deus, verdade, ódio e inveja têm um efeito profundo sobre a mente. Será que ela pode ser, neurológica e psicologicamente, isenta dessas palavras?

Ela não é isenta delas, é incapaz de enfrentar o fato da inveja. Quando a mente pode olhar diretamente para o fato que ela chama de "inveja", ele atua muito mais rapidamente do que o esforço da mente para fazer algo a respeito dele. Enquanto a mente estiver pensando em se livrar da inveja mediante o ideal da inexistência da própria inveja, ela ficará distraída, não estará enfrentando o fato – além disso, a própria palavra *inveja* é uma distração do fato. O processo de reconhecimento ocorre mediante a palavra. No momento em que reconheço o *feeling* por meio da palavra, dou continuidade a esse *feeling*.

19 de maio

Visão extraordinária

A questão é: a mente pode chegar à visão extraordinária, não de maneira periférica, a partir de fora ou a partir dos limites, mas sem nenhuma busca. Contudo, chegar a essa visão sem uma busca é a única maneira de encontrá-la. Porque chegar até ela sem conhecimento não requer esforço, busca, experiência. Há total negação de todas as práticas normais para chegar a esse centro, a esse florescimento. Então, a mente está extremamente aguçada, desperta, e não mais dependente de qualquer experiência para se manter alerta.

Quando uma pessoa questiona a si mesma, pode perguntar verbalmente. Para a maioria das pessoas é natural que a pergunta seja verbal. Mas o indivíduo tem de entender que a palavra não é a coisa – como a palavra *árvore* não é a árvore, não é o fato. O fato existe quando alguém toca a árvore, não por meio da palavra, mas em contato direto com a planta. Aí ela se torna uma realidade, significando que a palavra perdeu o seu poder de impressionar as pessoas. Por exemplo, a palavra *Deus* é tão carregada e tem impressionado tanto os indivíduos, que eles irão aceitá-la ou negá-la como um esquilo em uma jaula! Portanto, a palavra e o símbolo devem ser postos de lado.

20 de maio

A percepção da verdade é imediata

O estado verbal tem sido cuidadosamente construído no correr dos séculos, na relação entre o indivíduo e a sociedade. A palavra, o estado verbal, é tanto um estado social quanto individual. Para me comunicar como estamos nos comunicando, eu necessito da memória, necessito de palavras, devo conhecer a língua, assim como você precisa conhecer a sua. Isso tem sido adquirido século após século. A palavra não está sendo desenvolvida apenas nos relacionamentos sociais, mas também na reação do relacionamento entre o individual e o indivíduo. A palavra é necessária. A questão é: se tomou tanto tempo para criar o estado simbólico, verbal, será que ele pode ser removido imediatamente?... Com o passar do tempo, será que vamos nos livrar do aprisionamento da mente, que foi construído durante séculos? Ou devemos romper com ele agora?

Ora, você pode dizer: "Isso deve requerer tempo, não posso fazê-lo imediatamente". Isso significa que você precisa ter muitos dias, significa uma continuidade do que passou, embora seja modificado no processo, até atingir um estágio em que não haverá mais para onde ir. Você consegue fazer isso? Por ter medo, somos preguiçosos, indolentes, dizemos: "Por que se importar com tudo isso? É difícil demais", ou "Não sei o que fazer". Então você vai adiando, adiando. Mas tem de enxergar a verdade da comunicação e a modificação da palavra. A percepção da verdade de uma coisa é imediata, não ocorre com o passar do tempo. Será que a mente pode irromper instantaneamente, no próprio questionamento? Será que a mente consegue enxergar a barreira da palavra, entender a importância da palavra em um instante e ficar nesse estado quando não estiver mais capturada no tempo? Você deve ter experienciado isso, mas é uma coisa muito rara para a maioria de nós.

21 de maio

Verdade sutil

Você tem o lampejo de entendimento, esse *insight* extraordinariamente rápido, quando a mente está muito tranquila, quando o pensamento está ausente, quando a mente não está sobrecarregada com seu próprio ruído. Portanto, o entendimento de qualquer coisa – uma pintura moderna, um filho, sua esposa, seu vizinho – ou o entendimento da verdade, que está em todas as coisas, só pode ocorrer quando a mente está muito tranquila. Mas essa tranquilidade não pode ser cultivada, porque se você cultivar uma mente tranquila, ela não será uma mente tranquila, será uma mente morta.

...Quanto mais você está interessado em algo, maior sua intenção de entender, mais simples, clara e livre está sua mente. Então, a verbalização cessa. Afinal, pensamento é palavra, e é ela que interfere. É a tela de palavras – a memória – que intervém entre o desafio e a reação. É a palavra que está respondendo ao desafio, o qual chamamos de intelecção. Desse modo, a mente que conversa, verbaliza não consegue entender a verdade – a verdade no relacionamento, não uma verdade abstrata. Não existe verdade abstrata. Mas a verdade é muito sutil. E é a sutileza que é difícil de acompanhar.

A verdade não é abstrata, chega tão depressa, tão misteriosamente, que não pode ser contida pela mente. Como um ladrão na noite, ela chega sombriamente, no momento em que não estamos preparados para recebê-la. Receber a verdade é apenas um convite da ambição. Então, uma mente capturada pela rede das palavras não consegue entender a verdade.

22 de maio

Todo pensamento é parcial

Entendemos que estamos condicionados. Se você diz, como algumas pessoas, que o condicionamento é inevitável, então não há problema: você é um escravo, fim de papo. Mas se você começa a perguntar a si mesmo se é possível pôr fim a essa limitação, esse condicionamento, então há um problema: você terá de investigar todo o processo do pensamento, não é? Se diz simplesmente: "Eu devo estar consciente do meu condicionamento, preciso pensar sobre ele, analisá-lo para entendê-lo e destruí-lo", então você está exercendo força. Seu pensamento e sua análise são ainda o resultado da sua bagagem, e por isso, através do seu pensamento, você obviamente não consegue destruir o condicionamento do qual ele faz parte.

Em primeiro lugar, observe o problema. Não pergunte qual é a resposta, a solução. O fato é que estamos condicionados, e todo esse pensamento para entender esse condicionamento sempre será parcial. Por isso nunca ocorre uma compreensão total. Mas somente na compreensão total de todo o processo do pensamento há liberdade. A dificuldade é que estamos sempre funcionando dentro do campo da mente, que é o instrumento do pensamento, razoável ou não – e, como já vimos, o pensamento é sempre parcial.

23 de maio

A liberdade do *self*

Para libertar a mente de todo condicionamento, você deve enxergar a totalidade dele sem pensamento. Isto não é uma charada: experimente e verá. Você já viu alguma coisa sem o pensamento? Já ouviu ou observou sem introduzir no objeto todo o processo de reação? Você dirá que é impossível ver sem o pensamento, dirá que nenhuma mente pode ser incondicionada. No entanto, ao dizer isso, você já se bloqueou pelo pensamento (e isso você não percebe).

A mente pode estar consciente do seu condicionamento? Eu acredito que pode. Por favor, experimente. Você pode estar consciente de que é um hindu, um socialista, um comunista etc., sem dizer que isso é certo ou errado? Pelo fato de ser uma tarefa tão difícil, dizemos que ela é impossível. Somente quando você estiver consciente da totalidade do seu ser, sem nenhuma reação, o condicionamento acontecerá totalmente, profundamente. Trata-se, enfim, da liberdade do *self*.

24 de maio

A consciência pode consumir os problemas

Obviamente, todo pensamento é condicionado, não existe essa coisa de pensamento livre. O pensamento nunca pode ser livre: ele é o resultado do nosso condicionamento, da nossa cultura, do nosso clima, da nossa bagagem social, econômica e política. Os livros que você lê e as várias práticas que realiza são todos estabelecidos nas suas origens, e qualquer pensamento será o resultado dessas origens. Então, se conseguirmos estar conscientes – penetrar presentemente no que algo significa, o que quer dizer –, talvez sejamos capazes de descondicionar a mente sem o processo da vontade, sem a determinação para fazê-lo. Porque, no momento em que você estabelece uma determinação, surge uma entidade que deseja, que diz: "Eu devo descondicionar minha mente". Essa entidade é resultado do nosso desejo de atingir determinado objetivo, e por isso já existe um conflito. É possível, então, estar consciente do nosso condicionamento? Apenas estar consciente, sem que haja nenhum conflito. Essa consciência, se for permitida, talvez possa consumir os problemas.

25 de maio

Não há condicionamento nobre ou melhor

A urgência da mente em se libertar do seu condicionamento configura outro padrão de resistência e condicionamento? Consciente do padrão ou do molde em que cresceu, você quer se livrar dele. Mas esse desejo de ser livre não significa condicionar novamente a mente de uma maneira diferente? O velho padrão insiste que você se adapte à autoridade, e agora surge um novo que sustenta que você não deve se conformar. Então você tem dois padrões, um em conflito com o outro. Enquanto houver essa contradição interna, outro condicionamento ocorrerá.

...Existe a urgência que contribui para a conformidade, e a urgência de ser livre. Por mais diferentes que possam parecer essas duas urgências, elas não são fundamentalmente similares? E se são fundamentalmente similares, então sua busca de liberdade é vã, pois você só irá se mover de um padrão para outro, infinitamente. Não há nenhum condicionamento nobre ou melhor – é esse desejo que tem de ser entendido.

26 de maio

A liberdade do condicionamento

O desejo de se libertar do condicionamento só aumenta o próprio condicionamento. Mas se em vez de tentar suprimir o desejo a pessoa entender todo o processo que o encerra, desse próprio entendimento surge a liberdade do condicionamento. A liberdade do condicionamento não é um resultado direto. Você entende? Se eu determino deliberadamente me libertar do meu condicionamento, esse desejo cria seu próprio condicionamento. Eu posso destruir uma forma de condicionamento, mas sou capturado por outro. Entretanto, se houver um entendimento do desejo, que inclui o desejo de ser livre, então esse próprio entendimento destrói todo condicionamento. A liberdade do condicionamento é um subproduto, ela não é importante. O importante é entender o que cria o condicionamento.

27 de maio

A simples consciência

Certamente, qualquer forma de acumulação – de conhecimento ou de experiência –, qualquer forma de ideal, qualquer projeção da mente, qualquer prática determinada de moldar a mente – o que ela deve ser e o que não deve ser –, tudo isso está obviamente enfraquecendo o processo da investigação e da descoberta.

Por isso, acredito que a nossa investigação não pode nos conduzir à solução imediata dos nossos problemas, mas descobrir se a mente – tanto a mente consciente quanto a mente do inconsciente profundo, no qual está armazenada toda a tradição, as lembranças, a herança do conhecimento racial – pode ser posta de lado totalmente. Talvez isso só possa ser feito se a mente for capaz de estar consciente sem qualquer sentido de exigência, sem nenhuma pressão – apenas estar consciente. Isso é uma das coisas mais difíceis: estar tão consciente, porque somos capturados no problema súbito e em sua solução imediata, e por isso nossas vidas são muito superficiais.

Embora uma pessoa possa ir a todos os analistas, ler todos os livros, adquirir muito conhecimento, frequentar igrejas, rezar, meditar, praticar várias disciplinas, apesar disso tudo nossas vidas são obviamente muito superficiais, porque não sabemos como penetrar profundamente nelas. O entendimento, o caminho da penetração – ir muito, muito fundo – ocorre por meio da consciência: apenas estarmos conscientes dos nossos pensamentos e sentimentos, sem condenação, sem comparação, apenas para observar. Se experimentar isso, você verá como é algo extraordinariamente difícil, porque todo o nosso treinamento foi para direcionar o entendimento para a condenação, a aprovação e a comparação.

28 de maio

Nenhuma parte da mente é incondicionada

Sua mente é totalmente condicionada: não há nenhuma parte que seja incondicionada. Isso é um fato, goste você ou não. Você pode dizer que há uma parte sua – o vigilante, a superalma, o atma[5] – que não é condicionada. No entanto, por pensar sobre o assunto, isso está no campo do pensamento; ou seja, está condicionado. Você pode inventar milhares de teorias a respeito, mas o fato é que a sua mente é totalmente condicionada, tanto o consciente quanto o inconsciente, e qualquer esforço que ela faça para se libertar é também condicionado. Então, o que a mente vai fazer? Ou melhor, qual é o estado da mente quando ela sabe que é condicionada e entende que qualquer esforço que ela faça para se descondicionar é também condicionado?

Ora, quando você diz: "Eu sei que sou condicionado", realmente sabe disso – ou essa é apenas uma declaração verbal? Você sabe disso com a mesma potência com que vê uma naja? Quando você vê uma cobra e sabe que se trata de uma naja, há uma ação imediata e não premeditada. Quando você diz saber que está condicionado, isso tem a mesma significância vital que a sua percepção de uma naja? Ou é apenas um reconhecimento superficial do fato, e não o entendimento dele? Quando eu entendo o fato de que estou condicionado, há uma ação imediata. Não tenho de fazer um esforço para me descondicionar. O estar condicionado e o entendimento desse fato trazem um esclarecimento imediato. A dificuldade está em não entendê-lo, no sentido de todas as implicações do entendimento, em ver que todo pensamento, por mais sutil, mais perspicaz, mais sofisticado ou filosófico, é condicionado.

---

5 Atman ou Atma é uma palavra em Sânscrito que significa alma ou sopro vital. Na teosofia representa a Mônada, o 7° princípio na constituição setenária do Homem, o mais elevado princípio do ser humano.

29 de maio

A carga do inconsciente

O enorme peso do passado nos pressiona em determinada direção, internamente, inconscientemente.

Como uma pessoa pode acabar com tudo isso? Como o inconsciente vai ser purgado imediatamente do passado? Os analistas acham que o inconsciente pode ser parcial ou até mesmo completamente purgado por meio da análise – da investigação, da exploração, da confissão, da interpretação dos sonhos etc. –, de modo que, no mínimo, você se torne um ser humano "normal, capaz de ajustar seu *self* ao ambiente presente. Contudo, na análise há sempre o analista e o analisado, um observador que interpreta a coisa observada, e isso é uma dualidade, uma fonte de conflito.

O que eu percebo é que a mera análise do inconsciente não conduzirá a lugar nenhum. Poderá nos ajudar a ser um pouco menos neuróticos, um pouco mais afáveis com nossas esposas, nossos vizinhos ou alguma coisa superficial como isso. No entanto, não é sobre isso que estamos falando. O processo analítico – que envolve tempo, interpretação, o movimento do pensamento quando o observador analisa a coisa observada – não pode se livrar do inconsciente. Por isso, eu rejeito totalmente o processo analítico. No momento em que percebo o fato de que a análise não pode, sob nenhuma circunstância, acabar com a carga do inconsciente, ponho um fim na análise. Não analiso mais. Então, o que aconteceu? Como não há mais um analisador separado do objeto analisado, ele se torna essa coisa. Não é mais uma entidade separada. Então, percebe-se que o inconsciente tem muito pouca importância.

30 de maio

O intervalo entre os pensamentos

Agora, é definitivamente possível para a mente se livrar de todo o condicionamento – não que você deva aceitar a minha autoridade. Se você aceitar isso com base na autoridade, jamais descobrirá; essa será outra substituição, e isso não terá importância.

O entendimento de todo o processo do condicionamento não vem até você mediante a análise ou a introspecção, porque no momento em que você tem o analista, ele é parte do seu conhecimento básico, e por isso sua análise tem significância.

Como é possível a mente ser livre? Para ser livre, a mente deve não somente ver e entender seu balanço pendular entre o passado e o futuro, mas estar consciente do intervalo entre os pensamentos.

Se você observar muito atentamente, verá que, embora a resposta e o movimento do pensamento pareçam ser muito rápidos, há lacunas, intervalos entre os pensamentos. Entre dois pensamentos há um período de silêncio que não está relacionado com o processo de pensamento. Se você observar, verá que esse período de silêncio, esse intervalo, não é de tempo; e a descoberta desse intervalo, a plena experiência dele, liberta "você", mas há uma liberação do condicionamento... Só quando a mente não dá continuidade ao pensamento, quando ela está tranquila, com uma quietude que não é induzida, ou seja, sem qualquer causação – só então pode haver a liberação da sua formação básica.

31 de maio

Observe como os hábitos são formados

Sem a liberação do passado não há liberdade nenhuma, porque a mente nunca é nova, fresca, inocente. Só a mente fresca e inocente é livre. A liberdade não tem nada a ver com a idade, com a experiência. A própria essência da liberdade está no entendimento consciente ou inconsciente de todo o mecanismo do hábito. Não é uma questão de pôr fim ao hábito, mas de enxergar totalmente sua estrutura. Você tem de observar como os hábitos são formados e como, negando ou resistindo a um deles, outro hábito é criado. O que importa é estar totalmente consciente do hábito. Como você verá por si mesmo, não há mais a formação do hábito. Resistir ao hábito, lutar contra ele, negá-lo, só dá continuidade ao hábito. Quando você luta contra determinado hábito, dá vida a ele, e a própria luta torna-se outro hábito. Mas se você estiver simplesmente consciente de toda a estrutura do hábito sem resistência, então descobrirá que há a libertação do hábito, e nessa libertação outra coisa acontece.

Só a mente embotada e preguiçosa cria e se apega ao hábito. Uma mente que está constantemente atenta – ao que se diz, ao movimento das mãos, de seus pensamentos, seus sentimentos – vai descobrir que a formação de novos hábitos chegou ao fim. Isso é muito importante de ser entendido, porque enquanto a mente estiver pondo fim a um hábito, e nesse próprio processo criando outro, ela obviamente não pode ser livre. E só a mente livre pode perceber algo que está além de si.

Junho

Energia

Atenção

Consciência
sem escolha

Violência

1 de junho

A energia cria sua própria disciplina

Buscar a realidade requer uma imensa energia. Se o homem não faz isso, ele dissipa sua energia e cria danos, o que leva a sociedade a controlá-lo. Será possível liberar energia buscando Deus ou a verdade e, no processo de descoberta da verdade, ser um cidadão que entende as questões fundamentais da vida e a quem a sociedade não pode destruir?

O homem é energia. Se ele não busca a verdade, essa energia se torna destrutiva. Por isso, a sociedade controla e molda o indivíduo, sufocando essa energia... No momento em que realmente queremos fazer algo, temos a energia para fazê-lo... Essa energia se torna o meio de controle, e então dispensamos uma disciplina externa. Na busca pela realidade, a energia cria sua própria disciplina. O homem que busca a realidade espontaneamente se torna o tipo certo de cidadão, aquele que não está de acordo com o padrão de nenhuma sociedade ou governo.

2 de junho

A dualidade cria conflito

Qualquer tipo de conflito — físico, psicológico, intelectual — é um desperdício de energia. É extraordinariamente difícil entender e se libertar disso porque a maioria de nós é criada para lutar, se esforçar. Quando estamos na escola, é a primeira coisa que nos ensinam: esforçar-se. Essa luta, esse esforço, é carregado durante toda a vida — ou seja, para ser bom você deve lutar, combater o mal, resistir, controlar. Então, do ponto de vista educacional, sociológico e religioso, o homem é ensinado a lutar. Dizem que, para encontrar Deus, ele precisa de trabalho, disciplina, praticar, distorcer e torturar sua alma, sua mente, seu corpo, negar, suprimir. Dizem que não deve observar, que deve lutar, lutar e lutar no chamado nível espiritual — o qual, de modo nenhum, é o nível espiritual. Portanto, socialmente, cada um tem de cuidar de si mesmo, da sua família.

...Em todos os aspectos, estamos desperdiçando energia. E esse desperdício é um conflito em sua essência: o conflito entre "eu devo" e "eu não devo", "eu preciso" e "eu não preciso". Uma vez criada a dualidade, o conflito é inevitável. Desse modo, deve-se entender todo o processo da dualidade. Não se trata de não existir homem e mulher, verde e vermelho, luz e escuridão, alto e baixo — todos esses são fatos. No entanto, há um desperdício de energia no esforço que envolve a divisão entre o fato e a ideia.

3 de junho

O padrão de uma ideia

Se você diz: "Como vou economizar energia?", você cria um padrão de uma ideia – o modo de economizar energia –, então passa a conduzir sua vida de acordo com esse padrão. Desse modo, ressurge uma contradição. Quando você perceber por si mesmo onde suas energias estão sendo desperdiçadas, verá que a principal força causadora do desperdício é o conflito – você tem um problema e nunca o resolve, vive com uma lembrança mortal de algo que desapareceu, vive na tradição. Entenda que a natureza da dissipação da energia e o entendimento da dissipação da energia não estão em conformidade com Shânkara[6], Buda ou algum santo, mas na real observação do conflito diário na vida. Portanto, o principal desperdício de energia é o conflito – o que não significa que você deva relaxar e ficar preguiçoso. Enquanto a ideia for mais importante do que o fato, o conflito sempre existirá.

---

6 Shânkara (788-820) foi o principal formulador da doutrina Vedanta não dualista. Segundo a tradição, foi uma das almas mais puras que encarnaram neste planeta, chegando a ser considerado uma encarnação do deus hindu Shiva. (N. T.)

4 de junho

Onde há contradição, há conflito

A maioria de nós está em conflito, vive uma vida de contradição, não apenas externamente, mas internamente. Contradição implica esforço.... Onde há esforço, há desgaste, há desperdício de energia. Onde há contradição, há conflito. Onde há conflito, há esforço para superá-lo – o que é outra forma de resistência. E onde há resistência, há também energia envolvida – quando você resiste a algo, a própria resistência cria energia.

Toda ação é baseada no atrito entre "eu devo" e "eu não devo". Essa forma de resistência, de conflito, gera energia, mas, se você observá-la bem de perto, percebe quão destrutiva ela é, e não criativa... A maioria das pessoas está em contradição. Se elas têm um dom, um talento para escrever, pintar etc., a tensão dessa contradição lhes dá a energia para se expressar, criar, escrever, existir. Quanto maior a tensão, maior o conflito, maior o produto, e é isso que chamamos de criação. Mas não é absolutamente criação: é o resultado do conflito. Enfrentar o fato de estar em conflito, estar em contradição, vai originar aquela qualidade de energia que não é o resultado da resistência.

5 de junho

Energia criativa

Afinal, existe uma energia que não está dentro do campo do pensamento, que não é o resultado da energia autocontraditória, compulsiva, da autossatisfação como frustração? Você entende essa questão? Espero estar sendo claro. Porque, a menos que encontremos a qualidade dessa energia que não é meramente o produto do pensamento que cria a energia pouco a pouco, mas também é mecânica, a ação é destrutiva, independentemente se realizamos reforma social, escrevemos livros excelentes, somos muito espertos nos negócios ou criamos divisões nacionalísticas e participamos de outras atividades políticas.

A questão é se existe essa energia além da teoria, porque, quando somos confrontados com os fatos, introduzir teorias é infantil, imaturo. É como o caso do homem que tem câncer e está para ser operado. Não é bom discutir que tipos de instrumentos devem ser usados e coisas relacionadas a isso. Deve-se enfrentar o fato de que ele vai ser operado. Então, de modo similar, uma mente tem de penetrar ou estar em um estado no qual ela não seja uma escrava do pensamento. Afinal, todo pensamento no tempo é invenção; todas as máquinas, os jatos, os refrigeradores, os foguetes, a exploração do átomo, do espaço, todos são resultado do conhecimento, do pensamento. Tudo isso não é criação: invenção não é criação, capacidade não é criação. O pensamento não pode nunca ser criativo porque ele está sempre condicionado, nunca pode ser livre. Só a energia que não é o produto do pensamento pode ser criativa.

6 de junho

A forma mais elevada de energia

Uma ideia sobre energia é inteiramente diferente do fato dessa energia. Temos fórmulas ou conceitos de como gerar uma qualidade de energia que é da mais alta qualidade. Mas a fórmula é inteiramente diferente da qualidade renovadora da própria energia.

...A forma mais elevada de energia, o apogeu, é o estado da mente quando ela não tem nenhuma ideia, nenhum pensamento, nenhum senso de direção ou motivo – é a energia pura. E essa qualidade da energia não pode ser buscada depois. Você não pode dizer: "Bem, diga-me como consegui-la, o *modus operandi*, o caminho". Não há caminho até ela. Para descobrir a natureza dessa energia devemos começar por entender a energia que é desperdiçada diariamente – a energia do falar, do ouvir um passarinho, uma voz, do olhar para o rio, para o vasto céu e os aldeões, sujos, desleixados, doentes, famintos, e para a árvore, que retira de uma noite toda a luz do dia. A observação de tudo é energia. Nós a obtemos do alimento, dos raios do sol. Essa energia física e diária que uma pessoa tem obviamente pode ser aumentada, engrandecida pelo tipo certo de alimento, e assim por diante. Isso é necessário, óbvio. Mas essa mesma energia, que se torna a energia da psique – ou seja, do pensamento –, no momento em que tem qualquer contradição em si, torna-se um desperdício.

7 de junho

A arte de escutar é a arte da liberação

Alguém lhe conta algo, e você escuta. O ato de escutar é o ato da liberação. Quando você vê o fato, a percepção dele é a liberação desse fato. A escuta, a visão de algo como um fato tem um efeito extraordinário sem o esforço do pensamento.

...Vamos considerar uma coisa: a ambição. Já sabemos suficientemente o que ela faz, quais são seus efeitos. Uma mente ambiciosa nunca saberá o que é solidariedade, compaixão, amor. Uma mente ambiciosa é uma mente cruel – espiritual, externa ou internamente. Você já escutou isso. Você escuta isso. E quando acontece, você o traduz e diz: "Como posso viver neste mundo construído sobre a ambição?". Então, você não escutou. Você respondeu, reagiu a uma afirmação, a um fato. Não está considerando-o, está meramente traduzindo-o, dando uma opinião ou reagindo a ele. O que você não está fazendo é considerar o fato. Se você escutar – sem nenhuma avaliação, reação, julgamento –, certamente o fato criará aquela energia que destrói, limpa, varre a ambição geradora do conflito.

8 de junho

Atenção sem resistência

Você sabe o que é o espaço. Há espaço no local onde você está agora. A distância entre o local onde estou e o seu albergue, entre uma ponte e a sua casa, entre uma margem do rio e a outra – tudo isso é espaço. Há espaço na nossa mente também? Ou ela está tão superlotada que não há nenhum? Se a mente tem espaço, então nele há silêncio. Desse silêncio surge todo o resto, e então você consegue escutar, prestar atenção sem resistência. Por isso, é muito importante que haja espaço na mente. Se a mente não estiver superlotada, não estiver incessantemente ocupada, ela consegue escutar um cão latindo, o som de um trem cruzando a ponte distante, além de conseguir estar totalmente consciente do que está sendo dito por uma pessoa que fala com ela. A mente é uma coisa viva.

9 de junho

Atenção isenta de esforço

Existe atenção sem nada estar absorvendo a mente? Existe atenção sem a concentração num objeto? Existe atenção sem alguma forma de motivo, influência, compulsão? Pode a mente dar plena atenção sem nenhum senso de exclusão? Certamente pode, e esse é o único estado de atenção; os outros são mera indulgência ou truques da mente. Se você puder dar plena atenção sem ser absorvido por algo, e sem qualquer senso de exclusão, vai descobrir o que é meditar. Porque nessa atenção não há esforço, divisão, luta, busca por um resultado. A meditação é um processo que liberta a mente dos sistemas, e de dar atenção sem estar sendo absorvido ou fazendo um esforço para se concentrar.

10 de junho

Uma atenção que não é exclusiva

Acredito haver uma diferença entre a atenção dada a um objeto e a atenção sem objeto. Podemos nos concentrar em uma ideia, uma crença, um objeto particular – isso é um processo exclusivo. Mas há também uma atenção, uma consciência que não é exclusiva. Similarmente, há um descontentamento que não tem motivo, não é resultado de alguma frustração, não pode ser canalizado, não pode aceitar nenhum preenchimento. Talvez eu não esteja usando a palavra certa para isso, mas acho que esse extraordinário descontentamento é o essencial. Sem isso, toda outra forma de descontentamento se torna meramente uma forma de satisfação.

11 de junho

A atenção é ilimitada, não tem fronteiras

No cultivo da mente, não se deve enfatizar a concentração, mas a atenção. A concentração é um processo de obrigar a mente a se estreitar até certo ponto, enquanto a atenção não tem fronteiras. Nesse processo, a mente está sempre limitada por uma fronteira ou um limite, mas quando a nossa preocupação é entender a totalidade da mente, a mera concentração se torna um impedimento. A atenção é ilimitada, não possui as fronteiras do conhecimento. O conhecimento surge por meio da concentração, e qualquer extensão do conhecimento ainda está dentro das suas próprias fronteiras. No estado de atenção, a mente pode e usa o conhecimento, que necessariamente é resultado da concentração, mas a parte nunca é o todo, e juntar as muitas partes também não cria a percepção do todo. O conhecimento, que é o processo aditivo da concentração, não provoca o entendimento do incomensurável. O total nunca está dentro do agrupamento de uma mente concentrada.

Portanto, a atenção é de fundamental importância, mas ela não surge por meio do esforço da concentração. A atenção é um estado em que a mente está sempre aprendendo sem um centro em torno do qual o conhecimento se reúne como experiência acumulada. Uma mente concentrada em si usa o conhecimento como meio de sua própria expansão, e essa atividade se torna autocontraditória e antissocial.

12 de junho

Atenção completa

O que é atenção? Existe atenção quando estou forçando minha mente a se ocupar? Quando digo para mim mesmo: "Eu preciso prestar atenção, controlar minha mente e pôr de lado todos os outros pensamentos" – você chamaria isso de atenção? Certamente não é. O que acontece quando a mente se obriga a prestar atenção? Ela cria uma resistência para evitar que outros pensamentos se infiltrem; está preocupada com a resistência, com o afastamento. Por isso, é incapaz de atenção. Isso é verdade, não é?

Para entender algo totalmente você precisa estar completamente atento. No entanto, logo descobre como isso é extraordinariamente difícil, porque a mente é usada para ser distraída. Então, você diz: "Por Deus, é bom prestar atenção, mas como vou fazer isso?". Você está novamente com o desejo de obter algo, então nunca estará completamente atento... Quando você vê uma árvore ou um pássaro, por exemplo, estar completamente atento não é dizer "Essa árvore é um carvalho" ou "Esse é um papagaio", e sair andando. Ao dar um nome você já deixou de prestar atenção... Enquanto estiver totalmente consciente, totalmente atento ao olhar para algo, você vai descobrir que ocorre uma transformação absoluta, e essa atenção completa é a legítima. Não há outra, e você não consegue atentar-se totalmente mediante a prática. Com a prática você consegue concentração, ou seja, você constrói muros de resistência – e dentro deles está a concentração. Mas isso não é atenção, é exclusão.

13 de junho

A eliminação do medo é o início da atenção

Como o estado de atenção é produzido? Ele não pode ser cultivado a partir da persuasão, da comparação, da recompensa ou da punição, todas formas de coerção. A eliminação do medo é o início da atenção. O medo deve existir enquanto houver uma urgência para ser ou se tornar, como a busca pelo sucesso, com todas as suas frustrações e contradições tortuosas. É possível ensinar a concentrar-se, mas não a atentar-se, assim como provavelmente não é possível ensinar a liberar-se do medo – entender essas causas permite a eliminação do medo. Portanto, a atenção surge espontaneamente quando, em torno do estudante, por exemplo, há uma atmosfera de bem-estar, quando ele tem a sensação de estar seguro, à vontade. É a consciência da ação desinteressada que surge com o amor. O amor não compara, e por isso a inveja e a tortura do "tornar-se" cessam.

14 de junho

Não há lugar ao qual chegar

A humildade pode ser praticada? Certamente, a consciência de ser humilde não é ser humilde efetivamente. Você quer saber que chegou a esse ponto, e isso indica que está ouvindo para chegar a determinado estado, a um lugar em que nunca será perturbado, onde encontrará uma felicidade duradoura, um êxtase permanente, certo? Mas não há chegada, há apenas o movimento da aprendizagem – essa é a beleza da vida. Se você chegou, não há mais nada. E você chegou, ou quer chegar, não apenas em sua profissão, mas em tudo o que faz. Por isso fica insatisfeito, frustrado, infeliz. Não há lugar de chegada, há apenas o movimento da aprendizagem, que só se torna doloroso quando existe acumulação. Uma mente que escuta com completa atenção nunca vai buscar um resultado, porque ela está constantemente se revelando – como um rio, está sempre em movimento. Essa mente é totalmente inconsciente da sua própria atividade, no sentido de que não há a perpetuação de um *self*, de um "eu", que está em busca de um fim.

15 de junho

Conhecimento não é consciência

Consciência é o estado da mente em que ela observa algo sem qualquer condenação ou aceitação, meramente enxerga a coisa como ela é. Quando você deixa de olhar para uma flor de um jeito botânico, você vê a totalidade da flor. No entanto, se sua mente está completamente tomada pelo conhecimento botânico do que é a flor, você não está olhando totalmente para ela. Embora possa ter conhecimento sobre a flor, se esse conhecimento tira toda a base, todo o campo da sua mente, então você não está olhando totalmente para a flor.

Observar um fato é estar consciente. Nessa consciência não há escolha, condenação, gosto ou aversão. Contudo, a maioria de nós é incapaz de fazer isso, porque tradicional e ocupacionalmente, não somos capazes de encarar o fato sem levar em conta nossos antecedentes. Temos de estar conscientes dos antecedentes. Temos de estar conscientes do nosso condicionamento, e esse condicionamento se mostra quando observamos um fato. Quando estamos preocupados com a observação do fato e não com os antecedentes, estes são colocados de lado. Quando o principal interesse é apenas entender o fato, e quando vemos que os antecedentes nos impedem de fazê-lo, o interesse vital no fato apaga os antecedentes.

16 de junho

A introspecção é incompleta

Na consciência há apenas o presente – ou seja, somente nesse estado (o de consciência) é possível enxergar o processo da influência, que controla o presente e modifica o futuro. A consciência é um processo integral, não um processo de divisão. Por exemplo, se me pergunto: "Eu acredito em Deus?", no próprio processo de perguntar eu posso observar, se estiver consciente, o que me faz formular essa pergunta. Se estiver consciente, posso perceber o que aconteceu e quais são as forças em ação que me compelem a fazer essa pergunta. Então, estou consciente de várias formas de medo – as dos meus ancestrais, que criaram determinada ideia de Deus e a qual eu herdei, e combinando a sua ideia com minhas reações presentes eu modifiquei ou mudei o conceito de Deus. Ao estar consciente, esse processo inteiro do passado é percebido, integrado aos efeitos no presente e no futuro.

Se uma pessoa está consciente, ela enxerga como, a partir do medo, surge o seu conceito de Deus. Talvez tenha havido uma pessoa que teve uma experiência original da realidade ou de Deus e a comunicou para outra que, em sua cobiça, se apoderou dela e deu ímpeto ao processo de imitação. A consciência é o processo de completude, e a introspecção é incompleta. O resultado da introspecção é mórbido, doloroso, enquanto o da consciência é de entusiasmo e alegria.

17 de junho

Ver o todo

Como você olha uma árvore? Você vê o todo da árvore? Se você não a vê como um todo, não vê a árvore de modo nenhum. Você pode passar por ela e dizer: "Ali está uma árvore, que bela!"; ou "É uma mangueira"; ou, ainda, "Não sei que árvore é essa, pode ser um tamarineiro". Mas quando se põe de pé e, de fato, olha, você nunca vê a totalidade dela. E se não vir a totalidade da árvore, não vê a árvore.

O mesmo ocorre com a *consciência*. Se você não vê as operações da sua mente totalmente nesse sentido – como vê a árvore – você não está consciente. A árvore é feita de raízes, tronco, ramos – os grandes e os pequenos, e os muito delicados que sobem –, folha – a folha morta, a folha seca que cai –, fruto, flor. Você vê essas partes como um todo. Da mesma maneira, nesse estado de *visão* das operações da sua mente, nesse estado de consciência, está sua percepção de condenação, aprovação, negação, luta, fracasso, desespero, esperança, frustração – a consciência cobre tudo isso, não apenas uma parte. Estar consciente é, portanto, muito simples. É como enxergar uma pintura por inteiro, não apenas um canto e dizer: "Quem pintou esse quadro?".

18 de junho

A consciência não pode ser disciplinada

A consciência pode se tornar resultado da prática, transformada em hábito, então se torna tediosa e dolorosa. A consciência não pode ser disciplinada. O que é praticado já não é mais consciência. Porque na prática ela implicou a criação do hábito, o exercício do esforço e da vontade. Esforço é distorção. Nele não há apenas a consciência do externo – o voo dos pássaros, as sombras, o mar inquieto, as árvores e o vento, o mendigo e os carros luxuosos que passam –, mas também a consciência do processo psicológico, a tensão e o conflito interno. Você não condena um pássaro voando: você o observa, vê a beleza dele. Mas quando considera a sua própria luta interior, você a condena ou a justifica. Você é incapaz de observar esse conflito interno sem escolha ou justificação.

Estar consciente de seu pensamento e sentimento sem identificação e negação não é tedioso e doloroso. Mas, na busca de um resultado, um fim a ser atingido, o conflito é aumentado, dando início ao tédio da luta.

19 de junho

Deixe um pensamento florescer

Consciência é o estado da mente em que ela capta tudo – os corvos voando no céu, as flores nas árvores, as pessoas sentadas na frente de casa e as cores que vestem. Estar extensivamente consciente necessita atenção, observação, captação da forma da folha, da forma do tronco, da forma da cabeça de outra pessoa, do que ela está fazendo. Estar extensivamente consciente e então, agir – isso é estar consciente da totalidade do próprio ser. Ter uma capacidade fragmentada, buscá-la e obter experiência por meio dela cria a qualidade da mente medíocre, limitada, estreita. Mas, uma consciência da totalidade do seu próprio ser, entendida por meio da consciência de todo pensamento e de todo sentimento, sem limitá-los, deixando-os florescer, isso é inteiramente diferente da ação ou da concentração, que é meramente uma capacidade, portanto, limitada.

Deixar um pensamento ou um sentimento florescer requer atenção, não concentração. Por florescimento de pensamento, refiro-me a libertar para ver o que acontece, ver o que está ocorrendo no pensamento, no sentimento. Qualquer coisa que floresce precisa de liberdade, de luz, não pode ser restringida. Não se pode pôr nenhum valor nela nem dizer: "Isto está certo, aquilo está errado; isto deve ser e aquilo não deve ser". Desse modo, você limita o florescimento do pensamento. E ele só pode florescer nessa consciência. Por isso, se você penetrar muito profundamente nele, vai descobrir que o florescimento do pensamento é o fim do pensamento.

20 de junho

Consciência passiva

Na consciência, não há o tornar-se, não há fim a ser alcançado. Existe a observação silenciosa sem escolha nem condenação, da qual surge o entendimento. Nesse processo em que pensamento e sentimento se desdobram, possível apenas quando não há aquisição ou aceitação, surge uma consciência extensional – todas as camadas ocultas e sua significância são reveladas. Essa consciência revela um vazio criativo que não pode ser imaginado ou formulado. A consciência extensional e o vazio criativo são um processo total, e não estágios diferentes. Quando você observa silenciosamente um problema, sem condenação, justificação, surge a consciência passiva. Nela, o problema é entendido e dissolvido. Na consciência há uma sensibilidade aumentada, em que existe a forma mais elevada de pensamento negativo. Quando a mente está formulando, produzindo, não pode haver criação. Só quando a mente está silenciosa e vazia, quando ela não está criando um problema, somente nessa passividade alerta há criação. A criação ocorre apenas na negação, que não é o oposto do positivo. Ser nada não é a antítese de ser alguma coisa. Um problema só surge quando há uma busca por resultado. Quando a busca por resultado cessa, simplesmente não existe problema.

21 de junho

O que é completamente entendido não se repetirá

Na autoconsciência não há necessidade de confissão, pois a autoconsciência cria o espelho em que todas as coisas são refletidas sem distorção. Todo pensamento-sentimento é lançado, por assim dizer, na tela da consciência para ser observado, estudado e entendido, mas esse fluxo de entendimento é bloqueado quando há condenação ou aceitação, julgamento ou identificação. Quanto mais a tela é observada e entendida – não como um dever ou prática forçada, mas porque a dor e a mágoa criaram o interesse insaciável que causa sua própria disciplina –, maior a intensidade da consciência, e esta, por sua vez, ocasiona um entendimento engrandecido.

...Você pode acompanhar uma coisa se ela se move devagar; uma máquina rápida deve ser criada para reduzir sua velocidade para se estudar seus movimentos. O mesmo ocorre com os pensamentos-sentimentos: eles só podem ser estudados e entendidos se a mente for capaz de se mover lentamente. Contudo, uma vez desperta essa capacidade, a mente pode se mover em alta velocidade, o que a torna extremamente calma. Quando estão girando em alta velocidade, as várias pás de um ventilador parecem ser uma placa sólida de metal. Nossa dificuldade é fazer a mente girar devagar para que cada pensamento-sentimento possa ser acompanhado e entendido. O que é profunda e totalmente entendido não se repetirá.

22 de junho

Violência

O que acontece quando você presta completa atenção ao que chamamos de violência? Sendo a violência não apenas o que separa os seres humanos por meio da crença do condicionamento etc., mas também o que surge quando estamos em busca de segurança pessoal ou da segurança da individualidade mediante um padrão da sociedade. Você consegue encarar essa violência com atenção completa? E, quando olha para ela dessa maneira, o que acontece? Quando você dá atenção completa a qualquer coisa – seu aprendizado em história ou matemática, o cuidado para com seu filho –, o que acontece? Não sei se você já se aprofundou nisso – provavelmente, a maioria de nós nunca prestou atenção completa a nada –, mas o que acontece quando você age dessa maneira? O que é atenção? Certamente, quando você presta atenção completa há cuidado, e você não pode cuidar se não sentir afeição, amor. E, quando você dá atenção e o amor é presente, há violência? Formalmente, eu condenei a violência, eu escapei dela, eu a justifiquei, eu disse que ela é natural. Todas essas coisas são falta de atenção. No entanto, quando dou atenção àquilo que chamo de violência – e nessa atenção há cuidado, afeição, amor –, resta espaço para a violência?

23 de junho

É possível dar fim à violência?

Quando você fala sobre violência, o que entende por ela? Trata-se de uma pergunta bem interessante: é possível um ser humano, vivendo neste mundo, cessar totalmente de ser violento? A sociedade e as comunidades religiosas têm tentado não matar animais. Algumas até dizem: "Se você não quer matar animais, o que dizer sobre os vegetais?". Você pode levar isso a tal extensão que cessaria de existir. Onde você traça o limite? Existe uma linha arbitrária de acordo com o seu ideal, sua fantasia, sua norma, seu temperamento, seu condicionamento, sobre a qual você diz: "Vou até lá, mas não além"? Há uma diferença entre a raiva individual e o ódio organizado de uma sociedade que cria e constrói um exército para destruir outra? Onde, em que nível e que fragmento de violência você está discutindo? Ou você quer discutir se o homem pode ser isento de total violência, não apenas de um fragmento que se chama de violência?

Sabemos que a violência não tem expressão em palavras, em frases, na prática. De que maneira começo a abordar essa violência, considerando-se que o ser humano ainda possui um lado animal muito forte? Começo pela parte periférica (a sociedade) ou pelo centro (eu)? Você me diz para não ser violento, porque a violência é feia. Você me explica todas as razões, e eu percebo que a violência é uma coisa terrível nos seres humanos, externa e internamente. É possível dar fim a ela?

24 de junho

A principal causa do conflito

Não adianta pensar que simplesmente desejando a paz ela surgirá, visto que, na vida diária de relacionamentos muitos são agressivos, aquisitivos, buscam segurança psicológica aqui ou no futuro. Temos de entender a principal causa do conflito e do sofrimento, e não simplesmente olhar para fora e buscar a paz. A maioria de nós é indolente. Somos preguiçosos demais para conter e entender a nós mesmos. Por sermos dessa maneira, o que é realmente uma forma de arrogância, achamos que os outros vão resolver esse problema para nós e nos dar paz, ou que devemos destruir as aparentemente poucas pessoas que causam guerras. Quando o indivíduo está em conflito consigo mesmo, ele inevitavelmente criará conflito fora dele, e só ele pode criar paz dentro de si, assim como no mundo, pois ele é o mundo.

25 de junho

Entenda que você é violento

O animal é violento. Os seres humanos têm origem no animal e também são violentos. Faz parte da sua natureza ser violento, zangado, ciumento, invejoso, dominar, buscar poder, *status*, prestígio. O homem é violento – isso é demonstrado pelas milhares de guerras que ocorreram –, mas desenvolveu uma ideologia que ele chama de não violência... Quando a violência real ocorre, como uma guerra entre países vizinhos, todos estão envolvidos. Eles amam a guerra. Quando você é realmente violento, mas tem um ideal de não violência, há um conflito. O homem está sempre tentando deixar de ser violento – o que, em si, já é uma parte do conflito. Ele se disciplina para não ser dessa maneira. Se um indivíduo é violento e tem o ideal da violência, ele é essencialmente violento. Entender que somos violentos é a primeira coisa a fazer, não tentar deixar de ser violento. Deve-se enxergar a violência como ela é, não tentar traduzi-la nem discipliná-la, superá-la, suprimi-la, mas enxergá-la como se a estivesse vendo pela primeira vez, ou seja, olhar para ela sem nenhum pensamento. Já foi discutido sobre olhar uma árvore com inocência – olhar para ela sem a imagem. Da mesma maneira, deve-se olhar para a violência sem a imagem que envolve a palavra. Olhar para ela sem nenhum movimento do pensamento é enxergá-la como se a estivesse vendo pela primeira vez, e por isso enxergá-la com inocência.

26 de junho

Libertação da violência

Então, você pode ver o fato da violência – o fato não somente fora de você, mas dentro também – e não há nenhum intervalo de tempo entre a escuta e a ação? Isso significa que você está livre da violência pelo próprio ato da escuta. Está totalmente livre da violência porque não admitiu o tempo, uma ideologia por meio da qual você pode se livrar da violência. Isso requer uma meditação muito profunda, não apenas um acordo ou desacordo verbal. Nunca escutamos nada. Nossas mentes, nossas células cerebrais estão tão condicionadas a uma ideologia sobre a violência que nunca olhamos para o fato da violência. Olhamos para o fato da violência por meio de uma ideologia, e, desse modo, cria-se um intervalo de tempo. Quando você admite o tempo, não há fim para a violência; você continua exibindo a violência, mas pregando a não violência.

27 de junho

A principal causa da violência

A violência ocorre, principalmente, porque cada um de nós está interna e psicologicamente em busca de segurança. Em cada um de nós, o anseio por segurança psicológica – essa sensação interna de estar seguro – projeta a demanda externa por segurança. Internamente, cada um de nós quer estar protegido. Por isso existem todas essas leis matrimoniais, para que possamos possuir uma mulher, um homem, e estar seguro no nosso relacionamento. Se esse relacionamento é atacado, nos tornamos violentos, o que é a demanda psicológica, a demanda interna, para garantir a segurança do nosso relacionamento. Mas não existe certeza e segurança em nenhum relacionamento. Internamente, gostaríamos de nos sentir seguros, mas não existe segurança permanente.

Portanto, tudo isso são causas da violência prevalente, enlouquecedora no mundo todo. Alguém que observa, ainda que apenas um pouco, o que está acontecendo no mundo, e especialmente neste país infeliz, pode também, sem muito estudo intelectual, tentar encontrar em si essas coisas. Tais aspectos, projetados externamente, são as causas dessa extraordinária brutalidade, crueldade, indiferença, violência.

28 de junho

O fato é que somos violentos

Todos nós sabemos da importância do fim da violência. Mas como eu vou me livrar da violência, não superficialmente, mas de maneira total, completa e interna? Se o ideal da não violência é não libertar a mente da violência, então a análise da causa da violência ajudará a dissolvê-la?

Afinal, esse é um dos nossos maiores problemas, não é? O mundo todo está aprisionado na violência, nas guerras. A própria estrutura da nossa sociedade aquisitiva é essencialmente violenta. E, para ficarmos livres da violência, como alguém vai dar início ao processo sem se tornar autocentrado?

Você entende o problema? Se a minha preocupação é libertar a mente da violência e eu pratico a disciplina para controlá-la e transformá-la em não violência, certamente isso vai produzir pensamento e atividade autocentrados, porque minha mente está o tempo todo focada em se livrar de uma coisa e adquirir outra. No entanto, percebo a importância da mente ser totalmente libertada da violência. O que devo fazer, então? Com certeza, não se trata de como uma pessoa não vai ser violenta. O fato é que nós somos violentos. E perguntar "Como eu não serei violento?" simplesmente cria o ideal, que me parece totalmente inútil. Mas se alguém for capaz de olhar para a violência e entendê-la, então talvez haja uma possibilidade de resolvê-la totalmente.

29 de junho

Para destruir o ódio

Vemos o mundo do ódio extraindo sua colheita no presente. Este mundo de ódio foi criado por nossos pais e seus antepassados – e por nós também. Portanto, a ignorância se estende indefinidamente para o passado. Ela não surgiu espontaneamente. É resultado da ignorância humana, um processo histórico, não é? Como indivíduos, cooperamos com nossos ancestrais, os quais, juntos com seus antepassados, estabeleceram esse processo de ódio, medo e ambição. Agora, partilhamos deste mundo de ódio enquanto, individualmente, nos afundamos nele.

O mundo, portanto, é uma extensão de você mesmo. Se você, enquanto indivíduo, deseja destruir o ódio, então precisa parar de odiar. Para destruir o ódio você precisa se dissociar dele em todas as suas formas grosseiras e sutis, pois enquanto você estiver preso nele será parte desse mundo de ignorância e medo. Além de uma extensão, o mundo é você mesmo duplicado e multiplicado. O mundo não existe separado do indivíduo. Ele pode existir como uma ideia, um estado, uma organização social, mas para realizar essa ideia, fazer essa organização social ou religiosa funcionar, precisa haver o indivíduo. Sua ignorância, sua ambição e seu medo mantêm a estrutura da ignorância, da ambição e do ódio. Se o indivíduo mudar, ele pode afetar o mundo, repleto de ódio de ambição?... O mundo será uma extensão de você mesmo enquanto você for imprudente e estiver aprisionado na ignorância, no ódio, na ambição. Contudo, quando você for sério, ponderado e consciente, não haverá apenas a dissociação dessas causas repulsivas que geram dor e sofrimento, mas surgirá, nesse entendimento, uma totalidade, uma integralidade.

30 de junho

Você se torna aquilo que combate

Com certeza, você se torna aquilo que combate... Se estou zangado e você me encontra com raiva, qual é o resultado? Mais raiva. Você se tornou o que eu sou. Se sou mau e você me combate com meios ruins, então você também se torna mau, por mais justo que você possa se sentir. Se sou brutal e você usa métodos brutais para me superar, então se torna brutal como eu. Temos feito isso há milhares de anos. Será que há uma abordagem diferente dessa de reunir ódio com ódio? Se eu uso métodos violentos para reprimir a raiva em mim mesmo, estou usando meios errados para um fim correto, o que faz esse fim deixar de existir. Nisso não há entendimento, não há raiva transcendente. A raiva deve ser estudada com tolerância e compreendida, não deve ser superada com o auxílio de meios violentos. A raiva pode ser o resultado de muitas causas, e sem compreendê-las não há escapatória da raiva.

Criamos o inimigo, o bandido, e nos tornamos o inimigo que de maneira nenhuma porá um fim à inimizade. Temos de entender a causa da inimizade e parar de alimentá-la com nosso pensamento, sentimento e ação. Essa é uma tarefa árdua que demanda autoconsciência constante e maleabilidade inteligente. Por isso somos uma sociedade, por isso existe o Estado. O inimigo e o amigo são resultados do nosso pensamento e da nossa ação. Somos responsáveis pela criação da inimizade, por isso é mais importante estarmos cientes do nosso próprio pensamento e da nossa própria ação do que ficarmos preocupados com o inimigo e com o amigo, pois o pensamento certo põe fim à divisão. O amor transcende o amigo e o inimigo.

Julho

Felicidade

Sofrimento

Dor

Tristeza

1 de julho

Felicidade *versus* gratificação

O que a maioria de nós está buscando? O que cada um de nós quer? Especialmente neste mundo inquieto, em que todos estão tentando encontrar algum tipo de paz, de felicidade, um refúgio, com certeza é importante encontrar o que estamos tentando buscar, tentando descobrir, não é mesmo? Provavelmente, a maioria de nós está em busca de algum tipo de felicidade, de paz. Em um mundo repleto de tumultos, guerras, disputas, conflitos, queremos um refúgio onde haja paz. Acredito que isso seja o que a maioria de nós deseja. Então partimos em nossa busca, vamos de um líder a outro, de uma organização religiosa a outra, de um professor a outro.

Mas o que buscamos é a felicidade ou algum tipo de gratificação da qual esperamos obter felicidade? Há uma diferença entre felicidade e gratificação. Podemos buscar a felicidade? Talvez possamos encontrar gratificação, mas certamente não felicidade. A felicidade é derivativa, é o produto de alguma coisa. Então, antes de dedicarmos nossas mentes e nossos corações a algo que demande muita seriedade, atenção, pensamento, cuidado, devemos descobrir o que estamos buscando: felicidade ou gratificação?

2 de julho

Devemos ir fundo para conhecer o prazer

São poucos os que desfrutam de alguma coisa. Sentimos pouquíssima alegria ao ver um pôr do sol, uma lua cheia, uma pessoa bonita, uma árvore encantadora, um pássaro voando ou uma dança. Na verdade, não desfrutamos de nada. Olhamos para uma coisa, ficamos superficialmente entretidos por ela e temos a sensação do que chamamos de alegria. Mas o prazer é algo muito mais profundo, que deve ser entendido e profundamente desfrutado.

Quando ficamos mais velhos, embora queiramos sentir prazer nas coisas, as melhores já estão fora do nosso alcance. Queremos desfrutar de outros tipos de sensações – paixões, desejo sexual, poder, *status*. Todas essas são coisas normais da vida. Embora superficiais, não devem ser condenadas, justificadas, mas entendidas e colocadas em seu devido lugar. Se as condenarmos como sem importância, sensacionalistas, tolas ou não espirituais, destruiremos todo o processo da vida.

Para conhecer a alegria devemos ir muito mais fundo: a alegria não é a mera sensação. Ela requer um refinamento extraordinário da mente, mas não o refinamento do *self*, que colhe cada vez mais para si. Esse *self*, esse homem, nunca poderá entender o estado de alegria em que o apreciador não está presente. É preciso entender essa coisa extraordinária. Do contrário, a vida se torna muito pequena, insignificante, superficial – torna-se apenas nascer, aprender algumas coisas, sofrer, gerar filhos, ter responsabilidades, ganhar dinheiro, ter um pouco de diversão intelectual e morrer.

3 de julho

A felicidade não pode ser buscada

O que você entende por felicidade? Alguns vão dizer que a felicidade consiste em conseguir o que se deseja. Você deseja um carro, conquista essa meta e fica feliz. "Eu quero um sári ou roupas." "Quero ir à Europa e, se conseguir, ficarei feliz." "Quero ser o maior político e, se conseguir, ficarei feliz. Se não conseguir, ficarei infeliz." Portanto, o que chamam de felicidade é conquistar o objeto de desejo, ter realização ou sucesso, tornar-se nobre. Enquanto quiser algo e conseguir obtê-lo, você se sente perfeitamente feliz, não fica frustrado. Mas, se não consegue o que quer, a infelicidade começa.

Todos nós estamos preocupados com isso, não apenas os ricos e os pobres. Todos, ricos e pobres, querem obter algo para si, para sua família, para a sociedade; e se forem impedidos ficarão infelizes. Não estamos dizendo que o pobre não deve ter o que deseja. Não é esse o problema. Estamos tentando descobrir o que é a felicidade, e se a felicidade é algo do qual temos consciência. No momento em que você está consciente de estar feliz, que você possui muita coisa, isso é felicidade? No momento em que está consciente de que está feliz, isso não é felicidade, é? Então, você não pode buscar a felicidade. Se está consciente de que é humilde, você não está sendo humilde. Portanto, a felicidade não é uma coisa que possa ser buscada, ela chega. E, se for buscá-la, ela escapará de você.

4 de julho

Felicidade não é sensação

A mente nunca consegue encontrar a felicidade. A felicidade não é uma coisa a ser buscada e encontrada, como a sensação. A sensação pode ser encontrada repetidas vezes, pois ela nunca fica perdida. A felicidade lembrada é apenas uma sensação, uma reação pró ou contra o presente. O que está acabado não é felicidade: a experiência da felicidade que está acabada é sensação. Felicidade não é sensação...

O que você conhece é o passado, não o presente. E o passado é sensação, reação, memória. Você se lembra de que foi feliz, mas o passado consegue dizer o que é a felicidade? Ele consegue lembrar, mas não consegue ser. Reconhecimento não é felicidade, saber o que é ser feliz não é felicidade. O reconhecimento é a resposta da memória. Afinal, a mente, o complexo de lembranças, experiências, pode ser feliz? O próprio reconhecimento impede a experiência.

Quando há consciência de que é ser feliz, há felicidade? Quando há felicidade, você tem consciência dela? A consciência só chega com o conflito – o conflito da lembrança de mais. A felicidade não é a lembrança de mais. Onde há conflito, não há felicidade. O conflito está onde a mente está. O pensamento, em todos os níveis, é a resposta da memória; e um pensamento, invariavelmente, gera conflito. Pensamento é sensação, e sensação não é felicidade. As sensações estão sempre em busca de gratificações. O fim é sensação, mas a felicidade não é um fim, ela não pode ser buscada.

5 de julho

A felicidade pode ser encontrada através de alguma coisa?

Buscamos a felicidade por meio de coisas, de relacionamento, de pensamentos, de ideias. Então, essas coisas, o relacionamento e as ideias, tornam-se indispensáveis, mas não a felicidade. Quando buscamos a felicidade a partir de alguma coisa, então isso passa a ter um valor maior do que a própria felicidade. Quando colocado dessa maneira, o problema parece simples – e é simples. Buscamos a felicidade na propriedade, na família, no nome, o que os tornam indispensáveis, porque a felicidade passa a ser buscada a partir de um meio, o qual destrói o fim. A felicidade pode ser encontrada a partir de qualquer meio, de qualquer coisa feita pela mão ou pela mente? As coisas, o relacionamento e as ideias são tão transparentemente inconstantes que sempre ficamos infelizes com eles... As coisas não são permanentes: elas são usadas e perdidas. O relacionamento é um atrito constante fadado à morte. Ideias e crenças não têm estabilidade, permanência. Buscamos a felicidade neles, mas não percebemos sua impermanência. Então, a tristeza se torna a nossa companhia constante, e nosso problema é superá-la.

Para descobrir o verdadeiro significado da felicidade precisamos explorar o rio do autoconhecimento. O autoconhecimento não é um fim em si. Há uma fonte para um rio? Cada gota d'água cria o rio do início ao fim. Imaginar que vamos encontrar a felicidade na fonte é um equívoco. Ela será encontrada onde estivermos no rio do autoconhecimento.

6 de julho

A felicidade que não é da mente

Podemos nos mover de um refinamento para outro, de uma sutileza para outra, de um prazer para outro. Mas no centro disso tudo está o "eu" – o "eu" que obtém prazer, busca, espera, anseia por felicidade, luta, se torna cada vez mais refinado, mas nunca gosta de chegar a um fim. Só quando o "eu", em todas as formas sutis, chega a um fim há um estado de bem-aventurança que não pode ser buscado depois, um êxtase, uma alegria real sem sofrimento, sem corrupção.

Quando a mente vai além do pensamento do "eu", do experimentador, do observador, do pensador, surge uma possibilidade de felicidade que é incorruptível. Essa felicidade não pode ser permanente, no sentido em que usamos essa palavra. Nossa mente, porém, está em busca da felicidade permanente, algo que dure, que continue. Mas esse desejo de continuidade é corrupção...

Se conseguirmos entender o processo da vida sem condenação, sem dizer que ele está certo ou errado, então existirá uma felicidade criativa que não é "sua" ou "minha". Essa felicidade criativa é como a luz do sol. Se você quiser guardar a luz do sol para si mesmo, não será mais a luz clara, quente e revigorante. Do mesmo modo, se você quer a felicidade porque está sofrendo ou porque perdeu alguém ou porque não é bem-sucedido, então isso é apenas uma reação. No entanto, quando a mente consegue ir além, existe uma felicidade que não é da mente.

7 de julho

Compreensão do sofrimento

Por que nos indagamos o que é a felicidade? Essa é a abordagem correta? É a sondagem correta? Não estamos felizes. Se estivéssemos, nosso mundo seria inteiramente diferente; nossa civilização, nossa cultura seriam inteiras e radicalmente diferentes. Somos seres humanos infelizes, insignificantes, miseráveis, batalhadores, inúteis, que se cercam de coisas sem valor, imprestáveis, satisfeitos com ambições triviais, dinheiro e *status*. Somos seres humanos infelizes, embora possamos ter conhecimento, dinheiro, belas moradias, muitos filhos, carros, experiência. Somos seres humanos infelizes e sofredores, e porque estamos sofrendo desejamos a felicidade. Desse modo, somos desviados por aqueles que prometem a felicidade – social, econômica ou espiritual.

Qual é o benefício da minha pergunta, se há felicidade quando estou sofrendo? Posso entender o sofrimento? Esse é o meu problema, não como ser feliz. Eu sou feliz quando não estou sofrendo, mas no momento em que estou consciente disso, não há felicidade... Então, eu devo entender o que é o sofrimento. Posso entender o que é o sofrimento quando uma parte da minha mente está fugindo em busca da felicidade, de uma saída dessa miséria? Para entender o sofrimento, não devemos estar completamente integrados a ele, rejeitá-lo, justificá-lo, condená-lo, compará-lo ou estar completamente integrados a ele e entendê-lo?

A verdade do que é a felicidade surgirá se eu souber escutar. Devemos saber escutar o sofrimento e, se conseguirmos, poderemos escutar a felicidade, porque é isso o que somos.

8 de julho

Sofrimento é sofrimento, não o seu ou o meu

O seu sofrimento é diferente do meu ou do sofrimento de um homem na Ásia, na América ou na Rússia? As circunstâncias, os incidentes podem variar, mas em essência o sofrimento de outro homem é o mesmo que o meu e o seu, não é? Sofrimento é sofrimento, é claro, não o seu ou o meu. O prazer não é o "seu prazer" ou o "meu prazer" – é prazer. Quando você está com fome, não é apenas a sua fome, é a de toda a Ásia também. Quando direcionado pela ambição, você é cruel, e essa é a mesma crueldade que direciona o político, o homem que está no poder, esteja ele na Ásia, na América ou na Rússia.

O problema é exatamente este: não percebemos que somos todos uma humanidade, capturados em diferentes esferas da vida, em diferentes áreas. Quando você ama alguém, isso não é o seu amor. Se for, ele se tornará tirânico, possessivo, ciumento, ansioso, brutal. Da mesma forma, sofrimento é sofrimento, não é seu nem meu. Não estou apenas o tornando impessoal, algo abstrato. Quando uma pessoa sofre, ela sofre. Quando um homem não tem comida, roupas, abrigo, ele está sofrendo, e isso pode ocorrer na Ásia ou no Ocidente. As pessoas que atualmente são mortas ou feridas – os vietnamitas e os norte-americanos – estão sofrendo. Entender esse sofrimento – que não é seu nem meu, que não é impessoal nem abstrato, mas real e que todos nós sentimos – requer muita penetração, muito *insight*. E o fim dele naturalmente trará a paz, interior e exteriormente.

9 de julho

Entendendo o sofrimento

Por que somos insensíveis ao sofrimento do outro? Por que somos indiferentes ao trabalhador braçal que carrega algo pesado, à mulher que carrega um bebê? Por que somos tão insensíveis? Para entender isso, precisamos entender por que o sofrimento nos torna entorpecidos. Certamente, é o sofrimento que nos torna insensíveis. Porque é por não entender o sofrimento que nos tornamos indiferentes a ele. Se eu entendesse o sofrimento, então me tornaria sensível a ele, estaria alerta para tudo, não apenas para mim mesmo, mas para as pessoas à minha volta – meu cônjuge, meus filhos, um animal, um mendigo. Mas não queremos entender o sofrimento, e essa fuga nos torna entorpecidos, e, consequentemente, insensíveis. A questão é que esse sofrimento, quando não entendido, entorpece a mente e o coração. Não entendemos o sofrimento porque queremos fugir dele, por meio do guru, de um salvador, de mantras, da reencarnação, das ideias, da bebida e de qualquer outro tipo de vício – tudo para fugir *do que existe*...

O entendimento do sofrimento não está na descoberta da sua causa. Qualquer homem pode conhecer a causa do sofrimento – pode ser sua própria negligência, sua estupidez, sua limitação, sua brutalidade etc. Mas, se eu olhar para o sofrimento sem querer uma resposta, o que acontece? Como não estou fugindo, começo a entender o sofrimento. Minha mente está vivamente alerta, aguçada, o que significa que eu me torno sensível. Desse modo, me torno consciente do sofrimento das outras pessoas.

10 de julho

Adquirindo crenças para evitar o sofrimento

A dor física é uma resposta nervosa. A dor psicológica, por sua vez, surge quando nos apegamos a coisas que nos dão satisfação, pois tememos que alguém ou alguma coisa possa tirá-las de nós. As acumulações psicológicas impedem a dor psicológica enquanto elas não forem perturbadas. Ou seja, sou um punhado de acumulações, experiências que impedem qualquer forma séria de perturbação – e não quero ser perturbado. Por isso, temo qualquer um que possa perturbá-las. Assim, meu medo é o medo do conhecido – o medo das acumulações, físicas ou psicológicas, é uma forma de impedir o sofrimento. Mas o sofrimento está no próprio processo de acumular para impedir a dor psicológica. O conhecimento também ajuda a evitar o sofrimento. Assim como o conhecimento médico ajuda a evitar a dor física, as crenças ajudam a evitar a dor psicológica. Daí surge o medo de perder as crenças, embora não exista o perfeito conhecimento ou prova concreta da realidade delas. Posso rejeitar algumas crenças tradicionais que me têm sido impingidas porque minha própria experiência me dá força, confiança, entendimento. Mas essas crenças e o conhecimento do que adquiri são basicamente a mesma coisa: um meio de evitar a dor.

11 de julho

Entendimento integrado

O que entendemos por "luto"? O luto é algo separado de nós? É algo que está fora de nós, interna ou externamente, que observamos e experienciamos? Somos meramente um observador experienciando? Ou é algo diferente? Certamente, esse é um ponto importante, não é? Quando dizemos: "Eu sofro", o que queremos dizer realmente? Sou diferente do sofrimento? Na verdade, essa é a questão, não é?

O sofrimento existe – não sou amado, meu filho morreu etc. Há uma parte de mim que exige saber o porquê, quer uma explicação, as razões, as causas. Outra parte está em agonia por vários motivos. E há também uma parte que quer se livrar do sofrimento, ir além dele. Somos todas essas coisas, não somos? Então, se uma parte de mim está rejeitando, resistindo ao sofrimento, outra está buscando uma explicação, capturada em teorias, e outra está escapando do fato – então, como posso entender o sofrimento totalmente? Só quando formos capazes de um entendimento integrado haverá a possibilidade de nos livrarmos do sofrimento. Contudo, se estivermos dilacerados em diferentes direções, não enxergaremos a verdade disso...

Por favor, preste atenção: você perceberá que quando há um fato, uma verdade, só haverá um entendimento dele quando você conseguir experienciar a coisa toda sem divisão, e não enquanto houver a separação do "eu" observando o sofrimento. Essa é a verdade.

12 de julho

Você é o sofrimento

Quando não há um observador sofrendo, o sofrimento é diferente de você? Você é o sofrimento, não é? Você não está separado da dor, você é a dor. O que acontece? Não há rótulo, não se trata de dar um nome à dor e assim colocá-la de lado – simplesmente, você é essa dor, esse sentimento, essa sensação de agonia. Ao ser assim, o que acontece? Quando você não lhe dá um nome, quando não há medo em relação ao sofrimento, o núcleo está relacionado a ele? Se estiver, então está com medo do sofrimento, deve agir e fazer algo a respeito. Mas se o núcleo é isso, então o que você faz? Não há nada a ser feito, há? Se você é isso e não aceita, não rotule o sofrimento, não o coloque de lado – se você é essa coisa, o que acontece? Você diz que está sofrendo? Certamente, uma transformação fundamental está acontecendo: não há mais "eu sofro" porque não há núcleo sofrendo, e o núcleo sofre porque nunca examinamos o que é o núcleo. Vivemos apenas de palavra em palavra, de reação em reação.

13 de julho

O sofrimento é essencial?

Há inúmeras variedades, complicações e graus de sofrimento. Todos nós sabemos disso. Carregamos essa carga pela vida toda, praticamente desde o nascimento até o túmulo.

Se dizemos que isso é inevitável, então não há resposta. Se você aceita essa condição, então parou de investigar. Se foge da questão, fechou a porta para ela. Você pode fugir para dentro de si, para a bebida, a diversão, para várias formas de poder, *status* e para a conversa interna sem qualquer valor. Desse modo, você foge e se torna muito importante, os objetos aos quais se apega assumem uma importância colossal. Ou seja, você fechou a porta também ao sofrimento, e é isso o que a maioria de nós faz... Mas podemos parar de fugir de tudo e voltar a sofrer?... Isso significa não buscar uma solução para o sofrimento. Há o sofrimento físico – uma dor de dente, de estômago, uma cirurgia, acidentes –, várias formas de sofrimentos físicos que têm sua própria resposta. Há também o medo da dor futura, que causaria sofrimento. O sofrimento está intimamente relacionado ao medo. Sem a compreensão desses dois importantes fatores na vida, nunca compreenderemos o que é ser misericordioso, o que é amar. Então, uma mente interessada na compreensão do que é compaixão, amor e tudo o que o abrange certamente deve entender o que é medo e o que é sofrimento.

14 de julho

Sofrimento consciente e sofrimento inconsciente

Sofrimento é luto, incerteza, a sensação de absoluta solidão. Há o sofrimento da morte, de não ser capaz de se realizar, de não ser reconhecido, de amar e não ser correspondido. Há inúmeras formas de sofrimento e, sem entendê-lo, não haverá fim para o conflito, para a infelicidade, para o esforço diário da corrupção e da deterioração.

Há o sofrimento consciente, e há também o inconsciente, o sofrimento que parece não ter base, não ter causa imediata. A maioria de nós conhece o sofrimento consciente – e sabemos lidar com ele. Ou fugimos dele mediante a crença religiosa ou o racionalizamos; ou tomamos algum tipo de droga, intelectual ou física; ou distraímos nossa atenção com palavras, diversões, entretenimento superficial. Fazemos tudo isso, e ainda assim não conseguimos nos livrar do sofrimento consciente.

O sofrimento inconsciente, nós herdamos ao longo dos séculos. O homem sempre buscou superar essa coisa extraordinária chamada sofrimento, luto, infelicidade. Mas mesmo quando está superficialmente feliz e tem tudo o que quer, no fundo do inconsciente ainda existem as raízes do sofrimento. Portanto, quando falamos sobre o fim do sofrimento, nos referimos ao fim de todo ele, consciente e inconsciente.

Para pôr fim ao sofrimento devemos ter uma mente muito clara, muito simples. A simplicidade não é uma mera ideia. Ser simples exige muita inteligência e sensibilidade.

15 de julho

Sentimentos feridos

Como devemos agir para não perturbar os outros? É isso que você quer saber? Estou com medo, então não devo demonstrar. Se você vive completamente, suas ações podem causar problemas. Mas o que é mais importante: descobrir o que é verdade ou não perturbar os outros? Isso parece tão simples que dificilmente precisa ser respondido. Por que você quer respeitar os sentimentos e os pontos de vista das outras pessoas? Você tem medo de ter seus próprios sentimentos feridos, de ter seu ponto de vista modificado? Se as pessoas têm opiniões que diferem das suas, você pode achar que elas são verdadeiras apenas questionando-as, entrando em contato ativo com elas. E se acha que essas opiniões e sentimentos não são verdadeiros, sua descoberta pode causar perturbação àqueles que os valorizam. Então, o que fazer? Acatá-los para não magoar seus amigos?

16 de julho

A autoimagem conduz ao sofrimento

Por que dividir os problemas em maiores e menores? Não é tudo um problema só? Por que torná-los problemas pequenos ou grandes, essenciais ou desnecessários? Se pudéssemos entender um problema, entrar dentro dele muito profundamente, por pequeno ou grande que fosse, então descobriríamos todos os problemas. Essa não é uma resposta retórica. Considere qualquer problema: raiva, ciúme, inveja, ódio – conhecemos muito bem todos eles. Se você penetrar muito profundamente na raiva, deixar de colocá-la de lado, o que irá perceber? Por que uma pessoa está com raiva? Porque ela está ferida, alguém lhe disse algo desagradável (assim como quando alguém o elogia, você fica satisfeito). Por que está magoada? Porque está com a autoestima ferida? Aliás, por que existe a autoestima?

A autoestima existe porque as pessoas têm uma ideia, uma imagem de si mesmas: o que elas devem ser, o que são ou o que não deveriam ser. Por que criamos uma ideia sobre nós mesmos? Porque, na verdade, nunca avaliamos o que somos. Achamos que devemos ser isto ou aquilo – o ideal, o herói, o exemplo. O que desperta a raiva é que o nosso ideal, a ideia que temos de nós mesmos, está sendo atacada. Nossa ideia sobre nós mesmos é a nossa fuga daquilo que realmente somos. Contudo, quando observamos o fato real, ninguém pode nos magoar. Então, se uma pessoa é mentirosa e revelam a ela essa característica, isso não justifica que ela se sinta ferida – isso é um fato. No entanto, quando ela finge não ser mentirosa e dizem isso a ela, então ela fica furiosa, violenta. Vivemos em um mundo ideacional, um mundo de mitos, nunca no mundo da realidade. Para observar *o que existe*, vê-lo e realmente se familiarizar com ele, não deve haver julgamento, nem avaliação, opinião e medo.

17 de julho

Prazer pervertido

Existe uma coisa chamada sadismo. Você sabe o que significa essa palavra? Um autor chamado Marquês de Sade escreveu um livro sobre um homem que gostava de machucar as pessoas e vê-las sofrer. Daí vem o termo *sadismo*, que significa obter prazer com o sofrimento dos outros. Para algumas pessoas há uma satisfação peculiar em ver os outros sofrerem. Observe a si mesmo e veja se você tem esse sentimento. Ele pode não ser óbvio. Mas, se estiver presente, você descobrirá que ele se expressa quando você tem o impulso de rir ao ver alguém caindo, por exemplo. Você quer que aqueles que estão no alto sejam puxados para baixo; você critica, comenta impensadamente sobre a reação dos outros, que estão com uma expressão de insensibilidade, uma forma de quererem magoar as pessoas. É possível ofender uma pessoa deliberadamente, por vingança, ou fazê-lo inconscientemente com uma palavra, um gesto, um olhar. Em qualquer um dos casos, o desejo é magoar o outro, e são poucas as pessoas que radicalmente se eximem dessa forma pervertida de prazer.

18 de julho

A verdadeira educação

A mente cria mediante a experiência, a tradição, a memória. A mente consegue se livrar dessa armazenagem, ainda que a experimente? Você entende a diferença? O que é requerido não é o cultivo da memória, mas a liberdade do processo acumulativo da mente.

Você me magoa – isso é uma experiência. Eu armazeno essa mágoa, e isso se torna minha tradição. A partir dessa tradição eu vejo e reajo a você. Esse é o processo cotidiano das nossas mentes. É possível que, embora você me magoe, o processo acumulativo não ocorra? Os dois processos são inteiramente diferentes.

Se você me diz palavras ásperas, isso me magoa. Mas se eu não der importância a essa mágoa, ela não se torna o pano de fundo a partir do qual eu ajo. Então, é possível que eu o encontre novamente. Essa é a verdadeira educação, no verdadeiro sentido da palavra. Porque, embora eu veja os efeitos condicionantes da experiência, minha mente não está condicionada.

19 de julho

O fim da raiva

Eu tenho certeza que todos nós tentamos dominar a raiva, mas de alguma maneira isso não parece dissolvê-la. Há uma abordagem diferente para dissipar a raiva?... A raiva pode provir de causas físicas ou psicológicas. Talvez uma pessoa fique furiosa porque está frustrada, suas reações defensivas estão sendo derrubadas ou sua própria segurança, que foi cuidadosamente construída, está sendo ameaçada. Todos nós estamos familiarizados com a raiva. Como podemos entender e dar um fim a ela? Se você acha que suas crenças, conceitos e opiniões são da maior importância, então fica propenso a reagir violentamente quando eles são questionados. Em vez de se apegar às crenças e às opiniões, se você começar a questionar se elas são essenciais à sua compreensão da vida, o entendimento de suas causas permitirá a cessação da raiva. Assim, você começa a dissolver suas próprias resistências, que causam conflito e sofrimento. Isso, mais uma vez, requer sinceridade. Estamos acostumados a nos controlar por razões sociológicas ou religiosas, ou por conveniência, mas para extirpar a raiva é necessária uma profunda consciência...

Você diz que fica furioso quando toma conhecimento de uma injustiça. Isso acontece porque você ama a humanidade, porque é uma pessoa compassiva? A compaixão e a raiva moram juntas? Pode haver justiça quando há raiva, ódio? Você talvez fique furioso só de pensar em uma injustiça, na crueldade em geral, mas sua raiva não as altera, ela só pode causar prejuízo. Para produzir ordem, você tem de ser criterioso, compassivo. A ação nascida do ódio só pode criar mais ódio. Não pode existir justiça onde há raiva. A justiça e a raiva não coexistem.

20 de julho

O perdão não é a verdadeira compaixão

O que é ser compassivo? Tente descobrir se uma mente magoada, ou que pode ser magoada, pode, algum dia, perdoar. Uma mente propensa a ser magoada pode perdoar? E tal mente pode, se estiver cultivando a virtude, se estiver consciente da generosidade, ser compassiva? A compaixão, como o amor, é algo que não pertence à mente. A mente não tem consciência de si quando é compassiva, amorosa. No entanto, no momento em que você perdoa conscientemente, a mente fortalece seu próprio centro em sua própria mágoa. Então, a mente que conscientemente perdoa nunca pode perdoar: ela não conhece o perdão, ela perdoa para não ser mais magoada.

Então, é muito importante descobrir por que a mente realmente se lembra das coisas. Porque a mente está eternamente em busca de engrandecimento, tornar-se grande, ser algo. Quando a mente não quer ser qualquer coisa, deseja ser nada, absolutamente nada, então existe compaixão. Nesse estado não há perdão nem mágoa. Mas, para entender isso, é preciso entender o desenvolvimento consciente do "eu"...

Enquanto houver o cultivo consciente de qualquer influência ou virtude particulares, não pode existir amor nem compaixão, porque ambos não são o resultado de esforço consciente.

21 de julho

Onde há possibilidade de sofrimento, não há amor

O questionador quer saber como ele pode agir livremente e sem autorrepressão, quando sabe que sua ação pode magoar aqueles que ama. Você sabe: amar é ser livre – as duas partes são livres. Quando surge a possibilidade de dor, de sofrimento no amor, não existe amor, existe meramente uma forma sutil de possessão. Se você realmente ama alguém, não há a possibilidade de lhe causar sofrimento quando você faz algo que acredita estar certo. Só quando você quer que a pessoa faça o que você deseja, ou vice-versa, existe dor. Ou seja, você gosta de ser possuído, sente-se protegido, seguro, confortável. E, embora saiba que o conforto é apenas transitório, você se abriga nele, nessa transitoriedade. Então, cada luta por conforto, encorajamento, realmente apenas denuncia a ausência de riqueza interior. Por isso, uma ação separada, sem considerar o outro indivíduo, naturalmente cria perturbação, dor e sofrimento. Pois um indivíduo tem de reprimir o que ele realmente sente para se ajustar ao outro. Em outras palavras, essa repressão constante, produzida pelo que muitos chamam de amor, destrói os dois indivíduos. Nesse amor não há liberdade, ele é apenas uma sutil escravidão.

22 de julho

A natureza da armadilha

A tristeza é resultado de um choque, é o abalo temporário de uma mente que estava calma, que havia aceitado a rotina da vida. Algo acontece – uma morte, a perda de um emprego, o questionamento de uma crença acalentada – e a mente fica perturbada. Mas o que torna uma mente perturbada?

A mente encontra uma maneira de ficar novamente tranquilizada: refugia-se em outra crença, em um emprego mais seguro, em um novo relacionamento. No entanto, novamente a onda da vida a atinge e abala sua segurança. Mas a mente logo encontra outra defesa, e assim ela prossegue. Esse não é o caminho da inteligência, é?

Nenhuma forma de compulsão externa ou interna vai ajudar, concorda? Toda compulsão, ainda que sutil, é resultado da ignorância, nasce do desejo de recompensa ou do medo da punição. Entender toda a natureza da armadilha é estar livre dela – nenhuma pessoa, nenhum sistema, nenhuma crença pode libertá-lo. A verdade é o único fator libertador. Mas você tem de ver por si mesmo, e não ser persuadido. Você tem de partir em uma viagem por um mar desconhecido.

23 de julho

O fim da tristeza

Se você caminhar pela estrada, verá o esplendor da natureza, a beleza extraordinária dos campos verdes a céu aberto, e ouvirá o riso das crianças. Mas, apesar de tudo isso, há uma sensação de tristeza. Há a angústia de uma mulher dando à luz, a tristeza da morte, de quando você espera algo e não acontece, de quando uma nação se desgasta, se deteriora, e há a tristeza da corrupção, não somente no coletivo, mas também no individual. Há tristeza em nossas próprias casas, se olharmos intensamente – a tristeza de não sermos capazes de nos realizarmos, da nossa própria insignificância ou incapacidade, e várias tristezas inconscientes.

Mas na vida há também o riso. É uma coisa adorável – rir sem razão, sentir a alegria no coração sem motivo, amar sem buscar nada em troca. Mas esse riso raramente acontece conosco. Estamos sobrecarregados de tristeza. Nossa vida é um processo de infelicidade e conflitos, uma desintegração contínua, e quase nunca sabemos o que é amar com todo o nosso ser.

Queremos encontrar uma solução, um meio, um método pelo qual resolver essa carga da vida, e, assim, nunca realmente encarar a tristeza. Tentamos escapar por meio de mitos, imagens, especulação. Esperamos encontrar alguma maneira de evitar esse peso, de estar à frente da onda de tristeza.

...A tristeza tem um fim, mas ele não vem mediante qualquer sistema ou método. Não há tristeza quando há a percepção *do que existe*.

24 de julho

Enfrentar a tristeza

Como você enfrenta a tristeza? Receio que a maioria de nós a enfrente muito superficialmente. Nossa educação, nosso treinamento, nosso conhecimento, as influências sociológicas a que somos expostos, tudo isso nos torna superficiais. A mente superficial é aquela que foge para a igreja, para alguma conclusão, algum conceito, alguma crença ou ideia. Todos esses são refúgios para a mente superficial em sofrimento. Quando não consegue encontrar um refúgio, esse indivíduo constrói um muro em torno de si e se torna cínico, duro, indiferente, ou foge em meio a alguma reação cômoda, neurótica. Todas essas defesas contra o sofrimento impedem uma indagação adicional.

Por favor, observe sua própria mente, observe como explica a sua tristeza, perde-se no trabalho, em ideias, ou se apega a uma crença em Deus ou em uma vida futura. Se não houver explicação, se nenhuma crença for satisfatória, você recorre à bebida, ao sexo ou tornando-se cínico, duro, amargo, rígido... Isso tem sido transmitido dos pais para os filhos há gerações, e a mente superficial nunca tira a bandagem dessa ferida – ela realmente não sabe, não está familiarizada com a tristeza. Ela tem apenas uma ideia sobre a tristeza: um quadro, um símbolo, mas nunca a enfrenta de verdade – enfrenta apenas a palavra *tristeza*.

25 de julho

Fugir da tristeza

Sentimos a tristeza de formas diferentes – no relacionamento, na morte de alguém, na falta de sucesso na vida, quando tentamos nos tornar algo, mas fracassamos. Além disso, há o problema da tristeza que afeta o aspecto físico: doenças, cegueira, incapacidade, paralisia etc. Essa coisa extraordinária chamada tristeza está por toda parte (com a morte esperando à espreita). Não sabemos como enfrentar a tristeza, então ou a adoramos, a racionalizamos ou tentamos fugir dela. Se você for a qualquer igreja cristã, vai descobrir que a tristeza é adorada: transformam-na em algo extraordinário, sagrado, e dizem que apenas por meio dela, do Cristo crucificado, é possível encontrar Deus. No Oriente eles têm suas próprias formas de evasão, outras maneiras de evitar a tristeza, e me parece uma coisa extraordinária que tão poucos, no Oriente ou no Ocidente, estejam realmente livres da tristeza.

Seria maravilhoso se no processo de escuta – sem sentimentalismo – conseguíssemos realmente entender a tristeza e nos tornar totalmente livre dela. Porque, dessa maneira, não haveria autoengano, ilusões, ansiedades, medo, e o cérebro poderia funcionar de forma clara, intensa, lógica. E então, talvez, conseguiríamos saber o que é o amor.

26 de julho

Siga o movimento do sofrimento

O que é sofrimento?... O que isso significa? Independentemente da causa do sofrimento, o que está realmente acontecendo? Você enxerga a diferença? Estou simplesmente consciente do sofrimento, não como algo separado de mim, não como um observador – ele é parte de mim, ou seja, estou sofrendo por inteiro. Sou capaz de acompanhar seu movimento, ver aonde ele vai. Certamente, se eu fizer isso ele vai se abrir, não é? Então eu vejo que estendi a ênfase no "eu" – não na pessoa a quem amo. Ela apenas atuou para me proteger da minha infelicidade, da minha solidão, do meu infortúnio. Como *eu* não sou algo especial, esperei que *ela* fosse isso. Isso se foi: eu fui deixado, estou perdido, estou só. Sem o outro, não sou nada. Então eu choro. Não por que *ela* se foi, mas porque *eu* fui deixado. Estou só.

...Há inúmeras pessoas para me ajudar a fugir – milhares de pessoas ditas religiosas, com suas crenças e dogmas, esperanças e fantasias ("Isso é carma, essa é a vontade de Deus") –, todas me mostrando uma saída. Mas, se eu conseguir ficar com a minha mente e não separá-la de mim, não tentar circunscrevê-la ou negá-la, então o que acontece? Qual é o estado da minha mente quando ela está seguindo o movimento do sofrimento?

27 de julho

Compreensão espontânea

Nunca dizemos: "Deixe-me ver que coisa é essa que chamamos de sofrimento". Não conseguimos ver por imposição, por disciplina. Precisamos olhar com interesse, com compreensão espontânea. Desse modo, veremos que aquilo que chamamos de sofrimento, de dor, que evitamos, tudo se foi, assim como a disciplina. Enquanto não existe o relacionamento com esse sentimento fora de nós, o problema não existe. No momento em que estabelecemos um relacionamento com ele fora de nós, o problema existe. Enquanto tratarmos o sofrimento como algo externo – a perda de um irmão, a falta de dinheiro etc. –, teremos um relacionamento fictício com ele. Mas, se somos o sofrimento, se enxergamos o fato, a coisa toda é transformada, toda ela passa a ter um significado diferente. Surge uma atenção total, integrada, e aquilo que é completamente encarado é entendido e dissolvido. O medo, então, desaparece. Consequentemente, a palavra *tristeza* não existe mais.

28 de julho

O centro do sofrimento

Quando você vê uma coisa muito encantadora – uma montanha impressionante, um belo pôr do sol, um sorriso arrebatador, uma face extasiada –, isso o impressiona, e você fica silente. Isso já lhe aconteceu? Então, você envolve o mundo em seus braços. Mas isso é algo de fora que chega à sua mente – refiro-me à mente que não fica impressionada, mas que quer ver, observar. Você consegue observar sem toda essa onda de condicionamento? Para uma pessoa sofrendo, eu explico com palavras: a tristeza é inevitável, a tristeza é resultado da realização. Quando todas as explicações cessarem completamente, você conseguirá enxergar – o que significa que você estava olhando a partir do centro. Quando você olha a partir do centro, suas faculdades de observação são limitadas. Se eu me apego a um cargo e quero estar ali, há uma tensão, há dor. Quando olho para o sofrimento a partir do centro, ele persiste. É a incapacidade de observar que cria a dor. A partir de um centro, não é possível observar se eu penso, de que maneira funciono – como quando, por exemplo, eu digo: "Não devo sentir dor, preciso descobrir por que sofro, escapar disso". Quando eu observo a partir de um centro – e esse centro pode ser uma conclusão, uma ideia, esperança, desespero etc. –, essa observação é muito restrita, pequena, e isso gera tristeza.

29 de julho

Uma imensidão além de qualquer medida

O que acontece quando você perde alguém, quando essa pessoa morre? A reação imediata é de paralisia, e, quando você sai desse estado de choque, há o que chamamos de tristeza. No entanto, o que significa a palavra tristeza? O companheirismo, as palavras felizes, as caminhadas, as muitas coisas agradáveis que você fez e esperava fazerem juntos – tudo isso é levado rapidamente, num segundo, e você é deixado vazio, nu, sozinho. Quando você não aceita ser repentinamente deixado, entregue a si mesmo, totalmente solitário, vazio, sem nenhum apoio, a mente se rebela. O que importa afinal é viver com esse vazio, apenas viver com ele, sem nenhuma reação, sem racionalizá-lo, sem fugir dele; ir à procura de médiuns, da teoria da reencarnação e de toda essa bobagem estúpida – é viver com o vazio com todo o seu ser. Se você fizer isso passo a passo, vai descobrir que a tristeza tem um fim – um fim real, não apenas um fim verbal, não o fim superficial que surge por meio da fuga, da identificação com um conceito ou do compromisso com uma ideia. Você descobrirá que não há nada a proteger, porque a mente está completamente vazia e não mais reagindo no sentido de tentar preencher esse vazio. E, quando toda a tristeza chegar ao fim, você terá iniciado outra jornada – uma sem fim nem começo. Há uma imensidão que está além de toda medida, mas é impossível entrar nesse mundo sem o encerramento total da tristeza.

30 de julho

Viver com a tristeza

Todos nós sentimos tristeza. Você não sente tristeza de uma forma ou de outra? Você quer ter conhecimento a respeito dela? Se quiser, poderá analisá-la e explicar por que você sofre. Você pode ler livros sobre o assunto ou ir à igreja, e logo vai saber algo sobre a tristeza. Mas não estou falando disso, refiro-me ao fim da tristeza. O conhecimento não encerra a tristeza. O fim da tristeza começa com o enfrentamento dos fatos psicológicos dentro de cada um e com total consciência de todas as implicações desses fatos de momento a momento. Isso significa nunca fugir do fato de que você está triste, nunca racionalizar esse estado, nunca oferecer uma opinião sobre ele, mas conviver integralmente com esse fato.

Viver com a beleza das montanhas e não se acostumar é muito difícil... Contemplar as montanhas, ouvir o riacho e ver as sombras se arrastarem pelo vale, dia após dia – como não perceber a facilidade com que se acostuma a viver com isso tudo? Dizemos: "Sim, é muito lindo", mas o ignoramos. Viver com uma coisa bela ou com uma coisa feia e não se tornar habituado a ela requer uma enorme energia – uma consciência que não permite que a mente fique entorpecida. Da mesma maneira, a tristeza entorpece a mente se simplesmente nos acostumarmos a ela – e a maioria de nós está acostumada. Mas você não precisa ficar acostumado com a tristeza. Você pode viver com ela, entendê-la, entrar nela, mas não para tomar conhecimento dela.

Você sabe que a tristeza está ali: é um fato, e não há mais nada a saber. Você tem de viver.

31 de julho

Estar em comunhão com a tristeza

A maioria de nós não está em comunhão com nada. Não estamos diretamente em comunhão com nossos amigos, nossos cônjuges, nossos filhos.

Então, para entender a tristeza, certamente precisamos amá-la, não é? Ou seja, precisamos estar em comunhão direta com ela. Para entendermos algo completamente – nosso vizinho, nosso cônjuge ou qualquer relacionamento –, precisamos estar perto dele. Precisamos chegar até ele sem nenhuma objeção, preconceito, condenação ou repulsão – precisamos olhar para ele, certo? Se eu quiser entendê-lo, não devo ter preconceitos em relação a você. Devo ser capaz de olhar para você, não através de barreiras, da trama dos meus preconceitos e condicionamentos. Preciso estar em comunhão com você, o que significa que preciso amá-lo. Da mesma maneira, para entender a tristeza, eu preciso amá-la. Preciso estar em comunhão com ela. Mas não conseguimos fazê-lo porque fugimos dela por meio de explicações, teorias, esperanças, adiamentos, que são todos processos de verbalização. Por isso, as palavras nos impedem de estar em comunhão com a tristeza. Palavras de explicações, racionalizações, que são palavras ainda, que são o processo mental, nos impedem de estar diretamente em comunhão com a tristeza. Só quando estivermos em comunhão com a tristeza conseguiremos entendê-la.

Agosto

Verdade

Realidade

O observador e o observado

O que existe

1 de agosto

Coração cheio, mente vazia

Não há caminho para a verdade, ela deve chegar até você. Mas isso só acontece quando sua mente e seu coração são simples, claros e há amor em seu coração em vez de coisas da mente. Quando há amor em seu coração, você não fala sobre a organização para a fraternidade, sobre crença, sobre a divisão ou os poderes que criam a divisão, você não precisa buscar reconciliação. Você é simplesmente um ser humano sem um rótulo, sem um país. Isso significa que você deve se despojar de todas as coisas e permitir que a verdade surja – e ela só pode surgir quando a mente está vazia, quando cessa de criar. Então, a verdade virá sem que você a convide. Ela surgirá tão depressa quanto o vento, sem você perceber. Chega obscuramente, não quando você a observa, deseja. Está ali, tão repentinamente como a luz do sol, tão pura como a noite. Para recebê-la, no entanto, seu coração deve estar cheio e a mente vazia. Agora, você tem a mente cheia e o coração vazio.

2 de agosto

A verdade é um estado de espírito

Não há um caminho para a verdade, e não há duas verdades. A verdade não pertence ao passado ou ao presente, ela é atemporal. O homem que cita a verdade de Buda, Shânkara ou Cristo, ou simplesmente repete o que eu digo, não encontrará a verdade, porque a repetição não é a verdade. A repetição é uma mentira. A verdade é um estado de espírito que surge quando a mente – que procura dividir, ser exclusiva, consegue apenas pensar em termos de resultados – chegou ao fim. Só então existirá a verdade. A mente que se esforça, é disciplinada para alcançar um fim, não pode conhecer a verdade, porque o fim é sua própria projeção, e a busca dessa projeção, embora nobre, é uma forma de autoadoração. Quem adora a si mesmo não pode conhecer a verdade. Ela só será conhecida quando entendermos todo o processo da mente, ou seja, quando não houver conflito.

3 de agosto

A verdade não tem lugar fixo

A verdade é um fato, e o fato só pode ser entendido quando forem removidas as várias coisas que foram colocadas entre a mente e o fato. O fato é o seu relacionamento com a propriedade, com seu cônjuge, com os demais indivíduos, com a natureza, com as ideias. Enquanto você não entender o fato do relacionamento, sua busca por Deus só aumentará a confusão, porque é uma substituição, uma fuga, e por isso não tem significado. Enquanto você dominar o seu cônjuge ou for dominado por ele, enquanto possuir e for possuído, não poderá conhecer o amor. Enquanto você suprimir ou substituir, enquanto for ambicioso, não poderá conhecer a verdade.

Só conhecerá a verdade aquele que não busca por ela, que não se esforça para fazê-lo, que não tem como objetivo chegar a um resultado específico... A verdade não é contínua, não tem lugar fixo: ela só pode ser vista de momento a momento. A verdade é sempre nova, e por isso é atemporal. O que era verdade ontem não é verdade hoje; o que é verdade hoje não será amanhã. A verdade não tem continuidade. É a mente que deseja a experiência que ela chama de "verdade contínua" – essa mente não conhecerá a verdade. Pois a verdade é sempre nova. É ver o mesmo sorriso, a mesma pessoa, as mesmas palmeiras, mas enxergá-los de maneira nova. É enfrentar a vida de maneira nova.

4 de agosto

Não há guia para a verdade

Deus será encontrado se o buscarmos? Podemos buscar o incognoscível? Para encontrar algo, precisamos saber o que estamos buscando. Se desejarmos encontrar, o que encontraremos será uma autoprojeção, o que almejamos, e a criação do desejo não é a verdade. Buscar a verdade é negá-la. A verdade não tem moradia fixa, não tem caminho nem guia para alcançá-la, e a palavra não é a verdade. A verdade será encontrada em determinado lugar, com uma atmosfera especial, entre determinadas pessoas? Ela está aqui, e não ali? É este e não aquele que guia até a verdade? Há algum guia até ela? Quando a verdade é buscada, o que se encontra só pode vir da ignorância, pois a busca em si nasceu da ignorância. Você não pode procurar a realidade, deve deixar de existir para a realidade existir.

5 de agosto

A verdade é encontrada de momento a momento

A verdade não pode ser acumulada. O que é acumulado está sempre sendo destruído, definha. A verdade nunca pode definhar porque só pode ser encontrada de momento a momento no pensamento, no relacionamento, na palavra, no gesto, em um sorriso, nas lágrimas. Se conseguirmos encontrar a verdade e vivê-la – a própria vida é a descoberta dela –, então não nos tornaremos propagandistas, nos tornaremos seres humanos criativos – não seres humanos perfeitos, mas criativos, o que é algo totalmente diferente.

6 de agosto

O verdadeiro revolucionário

A verdade não é para aqueles que são respeitáveis, para aqueles que desejam autoaprimoramento, autorrealização. A verdade não é para aqueles que estão em busca de segurança, permanência, porque a permanência é simplesmente o oposto de impermanência. Capturados na rede do tempo, esses indivíduos buscam aquilo que é permanente, mas ela não é real, porque é produto do pensamento deles. Por isso, aquele que talvez possa descobrir a realidade deve parar de buscá-la – o que não significa que ele deva se contentar com *o que existe*. Ao contrário, um indivíduo que tem a intenção de descobrir a verdade deve ser internamente um completo revolucionário. Ele não pode pertencer a nenhuma classe, nação, grupo ou ideologia, qualquer religião organizada, pois a verdade não está no templo ou na igreja, a verdade não vai ser encontrada nas coisas feitas pelas mãos ou pela mente do homem. A verdade só aparece quando as coisas da mente e das mãos são postas de lado, e esse abandono não é uma questão de tempo. A verdade chega para aquele que está liberto do tempo, que não está usando o tempo como um meio de autoaprimoramento. Tempo significa a memória de ontem, a memória da sua família, da sua raça, de seu caráter particular, da acumulação de experiência que cria o "eu" e o "meu".

7 de agosto

Enxergar a verdade no falso

Você pode superficialmente concordar quando ouve que o nacionalismo, com todo o seu emocionalismo e direito adquirido, conduz à exploração e ao embate de homens contra homens. Libertar sua mente efetivamente da insignificância do nacionalismo é outra questão. Para ser livre, não apenas do nacionalismo, mas também de todas as conclusões provenientes de religiões organizadas e sistemas políticos, é essencial que a mente seja jovem, fresca, inocente, que esteja em um estado de revolução. Só uma mente assim pode criar um novo mundo – não os políticos, que estão mortos, nem os sacerdotes, aprisionados em seus próprios sistemas religiosos.

Então, feliz ou infelizmente, você tem ouvido algo que é verdade. Se você apenas ouve e não fica ativamente perturbado, a ponto de sua mente começar a se libertar de todas as coisas que a estão tornando estreita e deformada, então a verdade que você tem escutado vai se tornar um veneno. A verdade se torna um veneno se for ouvida e não atuar na mente, como uma ferida supurada. Portanto, descobrir por si mesmo o que é verdadeiro e o que é falso, e enxergar a verdade na falsidade, é deixar que a verdade opere e produza sua própria ação.

8 de agosto

Entender o real

Entender o real não é complexo, embora possa ser árduo. Não começamos com o real, com o fato, com o que estamos pensando, fazendo, desejando; começamos com suposições, ideais, que não são realidades – por isso somos desencaminhados. Para começar com fatos e não com suposições, precisamos de uma atenção especial, pois toda forma de pensamento que não se origina do real é uma distração. Por isso é tão importante entender o que realmente está acontecendo tanto dentro quanto em torno de si.

Se você é cristão, suas visões seguem certo padrão; se é hindu, budista ou muçulmano, elas seguem um padrão diferente. Você enxerga Cristo ou Krishna de acordo com seu condicionamento – sua educação e a cultura em que você foi criado determinam suas visões. O que é a realidade: a visão ou a mente que foi moldada? A visão é a projeção da tradição de cada indivíduo, cuja função é formar o pano de fundo da mente. Esse condicionamento, não a visão que ele projeta, é a realidade, o fato. Entender o fato é simples, mas é dificultado pelo que gostamos e não gostamos, por nossa condenação do fato, pelas opiniões ou julgamentos que temos sobre ele. Ser livre dessas várias formas de avaliação é entender o real, *o que existe*.

9 de agosto

A interpretação dos fatos impede a visão

A mente que opina sobre um fato é estreita, limitada e destrutiva... Você pode interpretar o fato de uma maneira, e eu de outra. A interpretação do fato é uma maldição que nos impede de ver o real e fazer algo a respeito dele. Quando discutimos nossas opiniões, nada é feito a respeito do fato. Talvez você possa adicionar algo ao fato, enxergar nele mais nuances, implicações, sua importância, enquanto eu posso ver menos importância nele. De qualquer maneira, o fato não pode ser interpretado, não se pode oferecer uma opinião sobre ele. O fato é assim, e é muito difícil para uma mente aceitá-lo. Estamos sempre interpretando, atribuindo significados diferentes a ele, segundo nossos preconceitos, condicionamentos, esperanças, temores etc. Se pudéssemos ver o fato sem oferecer uma opinião, interpretá-lo, atribuir-lhe uma importância, então ele se tornaria muito mais vivo – o fato está ali sozinho, nada mais importa. Dessa maneira, o fato tem sua própria energia que o encaminha na direção certa.

10 de agosto

Existe apenas um fato: a impermanência

Estamos tentando descobrir se existe ou não um estado permanente – não o que gostaríamos, mas o fato, a verdade da questão. Tudo a nosso respeito, tanto interior quanto exteriormente (nossos relacionamentos, pensamentos, sentimentos), é impermanente, está em um constante estado de fluxo. Consciente disso, a mente anseia a permanência, um eterno estado de paz, amor, bondade, uma segurança que nem o tempo nem os acontecimentos possam destruir. Por isso ela cria a alma, o Atma e as visões de um paraíso permanente. Mas essa permanência nasce da impermanência, está na semente dessa condição. Enfim, só existe um fato: a impermanência.

11 de agosto

Em busca do incognoscível

Você quer que eu lhe diga o que é a realidade. Será possível pôr em palavras o indescritível? Você consegue medir algo imensurável? Consegue agarrar o vento com sua mão? Se consegue, aquilo é o vento? Se você mede o que é incomensurável, aquilo é real? Se você formula alguma coisa, ela é real? Certamente, não, pois no momento em que se descreve algo indescritível, ele deixa de ser real. No momento em que se transforma o incognoscível em conhecido, ele deixa de ser daquela maneira. No entanto, é nessa busca que permanecemos. O tempo todo queremos *saber*, porque somente dessa maneira acreditamos ser capazes de continuar, imaginar, captar a felicidade e a permanência fundamentais. Queremos saber por que não estamos felizes, por que nos esforçamos miseravelmente, por que estamos desgastados, degradados. Mas, em vez de entendermos o simples fato – o fato de que *estamos* degradados, entorpecidos, esgotados, perturbados –, queremos nos afastar do que é conhecido e ir atrás do desconhecido, que também se tornará conhecido e, portanto, nunca permitirá que encontremos o real.

12 de agosto

O sofrimento é apenas uma palavra ou é uma realidade?

O sofrimento é apenas uma palavra ou é uma realidade? Se ele é uma realidade e não apenas uma palavra, então a palavra não tem significado, pois existe apenas a sensação de intensa dor. Mas em relação com o quê? Relação com uma imagem, uma experiência, algo que você possui ou não possui. Se você possui algo, é prazer; se não, é dor. Por isso a dor e a tristeza estão relacionadas *com* alguma coisa. Essa "alguma coisa" é apenas verbalização ou é realidade? O medo, por exemplo, não pode existir sozinho, somente se estiver relacionado *com* alguma coisa: um indivíduo, um incidente, um sentimento. Mas estamos plenamente conscientes do nosso sofrimento. Esse sofrimento está separado da gente, por isso somos apenas observadores que o percebem ou esse sofrimento somos *nós*?

13 de agosto

Você e nada são uma coisa só

Você é nada. Você pode ter um nome e um título, uma propriedade e conta bancária, pode ter poder e ser famoso. Mas, apesar de todas essas salvaguardas, você é nada. Você pode estar totalmente inconsciente desse vazio, dessa nulidade, ou pode simplesmente não querer estar consciente dele – de qualquer maneira, ele está ali, independentemente do que você faça para evitá-lo. Você pode tentar escapar dele de maneiras sorrateiras, por meio de violência pessoal ou coletiva, adoração individual ou coletiva, o conhecimento ou a diversão, mas, esteja você dormindo ou acordado, ele está sempre ali. Você só pode se relacionar com esse nada e com seu medo quando está conscientemente sem justificativa para fugir. Você não está relacionado a ele como uma entidade separada, individual; você não é o observador dele; sem você, o pensador e o observador não existem. Você e o nada são uma coisa só, um fenômeno conjunto, não dois processos separados. Se você, o pensador, estiver com medo do nada e abordá-lo como algo contrário e oposto a você, então qualquer ação que possa realizar em relação a ele conduzirá inevitavelmente à ilusão e, assim, a mais conflito e infelicidade. Quando você descobre e vivencia esse nada, o medo – que só existe quando o pensador está separado dos seus pensamentos e, desse modo, tenta estabelecer um relacionamento com eles – desaparece completamente.

14 de agosto

Como acabamos com o medo?

Estamos discutindo algo que precisa de atenção, não de concordância ou discordância. Estamos olhando para a vida de modo mais rigoroso, objetivo, claro, não de acordo com sentimentos, fantasia, o que gostamos ou não. Foi o que gostamos e o que não gostamos que criou essa infelicidade. Tudo o que estamos dizendo é o seguinte: "Como acabamos com o medo?". Esse é um dos nossos grandes problemas, porque se um ser humano não consegue acabar com ele, viverá eternamente na escuridão – não eternamente, no sentido cristão, mas no sentido comum: uma vida é suficiente. Para mim, deve haver uma saída, mas não a partir da esperança em algum futuro. Será que eu posso acabar com o medo totalmente, não apenas com uma parte dele? Provavelmente, você nunca fez essa pergunta a si mesmo, talvez porque não saiba como se livrar dele. Mas se fizer essa pergunta de maneira mais séria, sem a intenção de descobrir como dar um fim a ele, mas de descobrir a natureza e a estrutura do medo, no momento em que as descobrir o próprio medo acaba. Você não tem de fazer nada a respeito dele.

Quando estamos conscientes dele e entramos em contato direto com ele, o observador passa a ser o observado. Não há diferença entre o observador e a coisa observada. Quando o medo é observado sem o observador, há ação, mas não a ação do observador atuando sobre o medo.

15 de agosto

A dualidade do pensador e do pensamento

Quando você observa algo (uma árvore, seu cônjuge, seus filhos, seu vizinho, as estrelas da noite, a luz na água, o pássaro no céu etc.), há sempre o observador (o censor, o pensador, o experimentador, o buscador) e o objeto observado: o observador e o observado, o pensador e o pensamento. Portanto, há sempre uma divisão. Essa divisão é o tempo, é a própria essência do conflito. E quando há conflito, há contradição. "O observador e o observado" é uma contradição, pois existe uma separação. Quando há conflito, há sempre a urgência de ir além dele, dominá-lo, superá-lo, fugir dele, fazer algo a respeito. Toda essa atividade envolve o tempo... Enquanto houver essa divisão, o tempo passará, e o tempo é tristeza.

Aquele que quer entender o fim da tristeza deve entender isso. Deve descobrir, ir além dessa dualidade entre o pensador e o pensamento, o experimentador e a experiência. Ou seja, quando há uma divisão entre o observador e o observado, há o tempo, e por isso não há o fim da tristeza. Então, o que se deve fazer? Você entende a pergunta? Eu vejo, dentro de mim, que o observador está sempre observando, julgando, censurando, aceitando, rejeitando, disciplinando, controlando, moldando. Esse observador, esse pensador, é obviamente o resultado do pensamento. O pensamento vem primeiro, não o observador, nem o pensador. Se não houvesse nenhum pensamento, não haveria observador, tampouco o pensador, haveria apenas a atenção completa.

16 de agosto

O pensamento cria o pensador

O pensamento é a sensação verbalizada, é a resposta da memória, da palavra, da experiência, da imagem. O pensamento é transitório, mutável, impermanente, e busca permanência. Desse modo, o pensamento cria o pensador, que então se torna permanente: ele assume o papel do censor, do guia, do controlador, do modelador do pensamento. Essa ilusória entidade de permanência é produto do pensamento, do transitório. Essa entidade é o pensamento, sem este ela não existe. O pensador é feito de qualidades, as quais não podem ser separadas dele próprio. O controlador é o controlado, simplesmente participa de um jogo enganoso consigo mesmo. Até o falso é visto como falso; a verdade, não.

17 de agosto

Um muro de pensamentos inexpugnáveis

Como pode haver uma fusão do pensador com seus pensamentos? Não por meio da ação da vontade, da disciplina, de qualquer forma de esforço, controle ou concentração. O uso de um meio implica um agente, não é? Enquanto houver um ator, haverá uma divisão. A fusão só ocorre quando a mente está totalmente tranquila, sem tentar estar tranquila. Essa tranquilidade existe não quando o pensador chega a um fim, mas apenas quando achou que ele próprio chegou a um fim. Deve haver liberdade por parte da resposta ao condicionamento, que é o pensamento. Cada problema só é resolvido quando a ideia, a conclusão, não está resolvida. As conclusões, as ideias e o pensamento são as agitações da mente. Como pode haver entendimento quando a mente está agitada? A sinceridade deve ser temperada com o jogo imediato da espontaneidade. Você vai descobrir, se atentou para tudo o que foi dito, que a verdade surgirá em momentos em que você não a está esperando. Esteja aberto, sensível, totalmente consciente daquilo *que existe* de momento a momento. Não crie em torno de você um muro de pensamentos inexpugnáveis. O êxtase da verdade chega quando a mente não está ocupada com suas próprias atividades e lutas.

18 de agosto

Quando o observador é o observado

O espaço é necessário. Sem espaço não há liberdade. Refiro-me ao aspecto psicológico. Só quando uma pessoa está em contato, quando não há espaço entre o observador e o observado, ela está em total relacionamento – com uma árvore, por exemplo. A pessoa não está identificada com a árvore, a flor, uma mulher, um homem etc., mas quando há essa ausência completa de espaço em relação ao observador e o observado, então há um vasto espaço. Nesse espaço não há conflito, há liberdade.

A liberdade não é uma reação. Você não pode dizer: "Bem, estou livre". No momento em que diz que está livre, você não está livre, porque está consciente de si na condição de liberdade, e por isso está na mesma situação que um observador observando uma árvore. Ele criou um espaço, e nesse espaço ele cria conflito. Entender isso não requer acordo ou desacordo intelectual nem que se diga: "Eu não entendo"; requer entrar diretamente em contato com *o que existe*. Isso significa ver que todas as suas ações, cada momento de ação, são do observador e do observado, e dentro desse espaço há prazer, dor e sofrimento, o desejo de se realizar, de ser famoso. Dentro desse espaço não há contato com nada. O contato, o relacionamento, tem um significado totalmente diferente quando o observador não está mais separado do observado. Há esse espaço extraordinário e há liberdade.

19 de agosto

Há um observador observando a solidão?

Minha mente observa a solidão e a evita, foge dela. Mas, se eu não fugir dela, há uma divisão, uma separação, um observador observando a solidão? Ou há apenas um estado de solidão, minha própria mente se sentindo vazia, solitária? Não que exista um observador que saiba que há solidão. Acho que é importante entender, rapidamente, não verbalizando demais. Dizemos: "Sou invejoso e quero me livrar da inveja", então há um observador e o observado – o observador quer se livrar daquilo que ele observa. Mas o observador não é a mesma coisa que o observado? A própria mente criou a inveja, e por isso ela não pode fazer nada com relação a isso. A mente observa a solidão, o pensador está consciente de que está solitário. Mas permanecendo com isso, estando totalmente em contato, ou seja, não fugindo dele, não transferindo etc., existe uma diferença entre o observador e o observado? Ou apenas um estado, ou seja, a própria mente solitária, vazia? A mente não chega a observar a si mesma vazia, mas ela está vazia. Então, a mente pode estar consciente de que ela própria está vazia, e qualquer esforço que faça, qualquer movimento para se distanciar desse vazio é simplesmente uma fuga, uma dependência. A mente pode remover toda a dependência e ser o que ela é, completamente vazia, solitária? E se estiver nesse estado, não há a liberdade de toda dependência, de toda ligação?

20 de agosto

O que é acumulado não é verdade

Enquanto houver o experimentador lembrando a experiência, não existirá verdade. A verdade não é algo a ser lembrado, armazenado, registrado e depois revelado. O que é acumulado não é verdade. O desejo de experimentar cria o experimentador, que então acumula e se lembra daquilo. O desejo contribui para a separação do pensador e seu pensamento. O desejo de se tornar, experimentar, ser mais ou ser menos, contribui para a divisão entre o experimentador e a experiência. A consciência dos caminhos do desejo é o autoconhecimento. O autoconhecimento é o início da meditação.

21 de agosto

Ação imediata

Se você está em contato com qualquer coisa (seu cônjuge, seus filhos, o céu, as nuvens etc.), no momento em que o pensamento interfere, você perde o contato. O pensamento nasce da memória. A memória é a imagem, e de lá você olha. Por isso, há uma separação entre o observador e o observado.

Deve-se entender isso muito profundamente. É essa separação que faz o observador querer mais experiência, mais sensações, o que o deixa eternamente em busca de algo. Enquanto houver um observador, aquele que busca experiência, o censor, a entidade que avalia, julga e condena, não haverá contato imediato com *o que existe*. Quando você sente dor, há uma percepção direta: não há o observador que vivencia a dor, há apenas a dor. Como não há observador, há ação imediata. Sem a ideia, resta a ação. A dor é você, ela existe. Enquanto isso não for completamente entendido, realizado, explorado e profundamente sentido, enquanto não for totalmente captado (não intelectualmente nem verbalmente) que o observador é o observado, toda a vida se torna um conflito, uma contradição entre desejos opostos: o "que deve existir" e "o que existe". Mas você só pode entender se estiver consciente, se estiver olhando para isso como um observador olha para uma flor, para uma árvore ou para qualquer coisa.

22 de agosto

A realidade está no que existe

Em vez de perguntar quem realizou ou o que é Deus, por que não dar toda atenção e consciência *ao que existe*? Desse modo, você encontrará o desconhecido ou ele virá até você. Se você entender o que é o conhecido, vai vivenciar esse silêncio extraordinário que não é induzido, imposto, esse vazio criativo em que só a realidade pode entrar. A realidade não pode chegar para aquilo que está *se tornando*, se esforçando, só pode chegar para aquilo que está *existindo*, que entende *o que existe*. Então você verá que a realidade não está distante nem o conhecido, eles estão *no que existe*. Como a resposta a um problema está no problema, a realidade está *no que existe*. Se conseguirmos entender isso, então conheceremos a verdade.

23 de agosto

Enfrentar o fato

Estou triste. Psicologicamente, estou terrivelmente perturbado e tenho uma ideia sobre isso: o que devo fazer, o que não devo fazer, como isso deve ser mudado. Essa ideia, essa fórmula, esse conceito me impede de olhar para o fato *do que existe*. A ideação e a fórmula são fugas *do que existe*. Há uma ação imediata quando há um grande perigo. Então, você não tem ideia. Você não formula uma ideia, mas age de acordo com ela.

A mente se tornou preguiçosa mediante uma fórmula que lhe deu um meio de escapar da ação relacionada *ao que existe*. Será possível enfrentar o fato de que somos violentos, por exemplo? Somos seres violentos, e escolhemos a violência como um modo de vida – a guerra e tudo o que ela abrange. Embora falemos eternamente, em especial no Oriente, sobre a não violência, não somos pessoas não violentas, mas o contrário. A ideia da não violência é uma ideia que pode ser usada politicamente. Esse é um significado diferente, mas é uma ideia, não um fato. Como o ser humano é incapaz de enfrentar o fato da violência, ele inventou a ideia da não violência, que o impede de lidar com o fato.

Afinal, o fato é que eu sou violento, estou zangado. Qual é a necessidade de uma ideia? Não é a ideia de estar zangado; é o fato de estar zangado que é importante, como o fato de estar com fome. Não há ideia sobre estar com fome. A ideia surge no que você deve comer, e então, de acordo com os ditames do prazer, você come. Existe ação relacionada *ao que existe* somente quando não há a ideia do que deve ser feito sobre o que nos confronta, que é *o que existe*.

24 de agosto

A liberdade do que existe

Ser virtuoso é possível por meio do entendimento *do que existe*, enquanto tornar-se virtuoso é um adiamento, o encobrimento *do que existe* com aquilo que você gostaria que existisse. Por isso, tornando-se virtuoso você está evitando a ação direta sobre *o que existe*. Esse processo de evitar *o que existe* por meio do cultivo do ideal é considerado virtuoso, mas se você olhar de perto e diretamente para ele, verá que não é nada disso. Trata-se apenas de adiar o enfrentamento *do que existe*. A virtude não é se tornar o que não existe; a virtude é o entendimento *do que existe* e, portanto, a liberdade *do que existe*. A virtude é essencial em uma sociedade que está rapidamente se desintegrando.

25 de agosto

Observar o pensamento

Eu devo amar o objeto que estou estudando. Se você quer entender uma criança, precisa amá-la, não condená-la. Você deve brincar com ela, observar seus movimentos, suas idiossincrasias, sua maneira de se comportar. Mas se você apenas condená-la, resistir a ela ou culpá-la, não haverá a compreensão da criança. Do mesmo modo, para entender *o que existe*, devemos observar o que pensamos, sentimos e fazer isso a todo momento. Isso é o real.

26 de agosto

A fuga gera conflito

Por que somos ambiciosos? Por que queremos ter sucesso, ser alguém? Por que lutamos para ser superiores? Por que todo esse esforço para nos afirmarmos, diretamente ou por meio de uma ideologia ou Estado? Essa autoafirmação não é a principal causa do nosso conflito e da nossa confusão? Sem ambição, nós pereceríamos? Não podemos sobreviver fisicamente sem sermos ambiciosos?

Por que somos espertos e ambiciosos? A ambição não é um desejo de evitar *o que existe*? Essa esperteza não é realmente estúpida, que é o que somos? Por que temos tanto medo d*o que existe*? Qual é o benefício de fugir, se, independentemente do que somos, seremos sempre assim? Podemos ter sucesso na fuga, mas o que somos continua ali, gerando conflito e infelicidade. Por que temos tanto medo da nossa solidão, do nosso vazio? Qualquer atividade fora d*o que existe* está propensa a gerar tristeza e antagonismo. O conflito é a negação ou a fuga do *que existe*, não há outro conflito além desse. Nosso conflito se torna cada vez mais complexo e insolúvel porque não enfrentamos *o que existe*. Não há complexidade n*o que existe*, apenas nas muitas fugas que buscamos.

27 de agosto

O descontentamento não tem resposta

O que nos deixa descontentes? Certamente *o que existe*. *O que existe* pode ser a ordem social, o relacionamento, o que somos, nossa essência – ou seja, a feiura, os pensamentos errantes, as ambições, as frustrações, os inúmeros medos. Afastando-nos disso, achamos que vamos encontrar uma resposta para o nosso descontentamento. Então, estamos sempre procurando uma maneira, um meio de mudar *o que existe* – ou seja, aquilo pelo qual a mente está interessada. Se estamos descontentes e queremos encontrar uma saída, ou seja, os meios para o contentamento, nossa mente se ocupa com a maneira e a prtica para chegarmos ao contentamento. Então, não estamos mais preocupados com o descontentamento, com as brasas que ardem, que chamamos de descontentamento. Não descobrimos o que está por trás desse descontentamento. Estamos preo-cupados apenas em nos afastar dessa ansiedade que queima.

Isso é extremamente difícil porque a nossa mente nunca está satisfeita, nunca está contente no exame *do que existe*. Ela quer sempre transformar *o que existe* em alguma outra coisa – esse é o processo de condenação, justificação ou comparação. Se você observar sua própria mente, verá que quando ela se encontra frente a frente com *o que existe*, ela o condena, depois o compara com "o que deveria ser" ou o justifica etc., e assim afasta *o que existe*, pondo de lado a coisa que está causando o distúrbio, a dor, a ansiedade.

28 de agosto

O esforço é a distração do que é

Devemos entender o problema do esforço. Se conseguirmos entender a importância do esforço, então poderemos transformá-lo em ação em nossa vida diária. O esforço não significa uma luta para transformar *o que existe* naquilo que não existe ou no que deveria ser ou no que deveria se tornar? Estamos constantemente fugindo *do que existe* para transformá-lo ou modificá-lo. Aquele realmente contente é aquele que entende *o que existe*, que dá a importância correta *ao que existe*. O verdadeiro contentamento não está em poucas ou muitas possessões, mas no entendimento de toda a importância *do que existe*. Somente na consciência passiva o significado *do que existe* é entendido. Não me refiro à luta física com a terra, com a construção de um problema técnico, mas ao esforço psicológico. As lutas e os problemas psicológicos sempre ofuscam os fisiológicos. Você pode construir uma estrutura social criteriosa, mas enquanto a escuridão e o conflito psicológico não forem entendidos, eles invariavelmente vão derrubar a estrutura criteriosamente construída.

O esforço é a distração *do que existe*. Na aceitação *do que existe* o esforço cessa. Não haverá aceitação enquanto houver o desejo de transformar ou modificar *o que existe*. O esforço, uma indicação de destruição, deve existir enquanto houver um desejo de mudar *o que existe*.

29 de agosto

Um contentamento que não é da mente

O descontentamento não é essencial, não deve ser sufocado, mas encorajado, investigado, sondado, de forma que, com o entendimento *do que existe*, surja o contentamento? Esse contentamento não é o produzido por um sistema de pensamento; mas é ele que vem com o entendimento do *que existe*. Esse contentamento não é produto da mente – da mente perturbada, agitada, incompleta, em busca de paz, de uma maneira de se afastar *do que existe*. Desse modo, a mente, por meio da justificação, da comparação e do julgamento, tenta alterar *o que existe*, e espera chegar a um estado em que ela não será perturbada, estará em paz, haverá tranquilidade. Quando a mente está perturbada pelas condições sociais, pela pobreza, pela fome, pela degradação, pela terrível miséria, ela quer alterá-los – ela fica envolvida na maneira de fazer isso, no sistema de alteração. Mas se a mente for capaz de olhar para *o que existe* sem comparação, julgamento ou desejo de transformá-lo em outra coisa, então será possível ver surgir uma espécie de contentamento que não é da mente.

O contentamento que é produto da mente é uma fuga. Ele é estéril. Está morto. Mas há o contentamento que não é da mente, que surge quando há o entendimento *do que existe*, em que há uma profunda revolução que afeta a sociedade e o relacionamento individual.

30 de agosto

Manter o descontentamento vivo

O descontentamento não é essencial na nossa vida, para qualquer questão, investigação ou sondagem, para descobrir o que é real, o que é verdadeiro, o que é essencial na vida? Eu posso ter esse descontentamento brilhante na faculdade, então consigo um bom emprego e ele se desvanece. Estou satisfeito, luto para manter minha família. Tenho de ganhar a vida. E assim meu descontentamento é acalmado, destruído, torno-me uma entidade medíocre satisfeita com as coisas da vida: não estou descontente. Mas a chama tem de ser mantida do início ao fim, para que haja uma verdadeira investigação, uma verdadeira sondagem do problema do que é o descontentamento. Porque a mente busca muito facilmente uma droga para tornar a si própria contente com virtudes, qualidades, ideias, ações; estabelece uma rotina e fica refém dela. Estamos muito familiarizados com isso, porém nosso problema não é acalmar o descontentamento, mas mantê-lo latente e vivo. Todos os livros religiosos, os gurus, os sistemas políticos pacificam, aquietam e influenciam a mente a se acalmar, a pôr de lado o descontentamento e ter prazer em alguma forma de contentamento... Não é essencial estar descontente para descobrir o que é verdadeiro?

31 de agosto

Entender o que é

Estamos em conflito uns com os outros, e o nosso mundo está sendo destruído. Crise atrás de crise, guerra atrás de guerra, fome, miséria. Há aqueles incrivelmente ricos revestidos na sua respeitabilidade, e há os pobres. Para resolver esses problemas, não é necessário um sistema de pensamento, uma nova revolução econômica, mas entender *o que existe* – o descontentamento, a constante sondagem *do que existe*. Isso produzirá uma revolução mais poderosa que a revolução de ideias. É essa revolução que é tão necessária para produzir uma cultura diferente, uma religião diferente, um relacionamento diferente entre os homens.

Setembro

Intelecto

Pensamento

Conhecimento

Mente

1 de setembro

Achamos que somos intelectuais

A maioria de nós desenvolveu capacidades intelectuais (que não são, na verdade, realmente capacidades intelectuais), leu muitos livros repletos do que outras pessoas disseram, suas teorias e ideias diversas. Achamos que somos muito intelectuais quando citamos inúmeros livros de inúmeros autores e temos a capacidade de correlacioná-los com algo e explicá-los. Mas nenhum ou pouquíssimos de nós tem uma concepção intelectual original. Tendo cultivado o intelecto – o suposto intelecto –, toda outra capacidade e todo outro sentimento foram perdidos, e o problema passa a ser de que maneira produzir um equilíbrio em nossas vidas para termos não apenas uma capacidade intelectual muito elevada, mas sermos capazes de raciocinar objetivamente, de vermos as coisas exatamente como são; não oferecermos infinitas opiniões sobre teorias e códigos, mas pensarmos sozinhos, enxergarmos por nossos próprios olhos muito de perto o falso e o verdadeiro. Essa é uma de nossas dificuldades: a incapacidade de enxergar, não apenas as coisas exteriores, mas também a vida interior que temos (se é que realmente a possuímos).

2 de setembro

Todo pensamento é distração

Uma mente competitiva, baseada no conflito de se tornar, que pensa em termos de comparação, não é capaz de descobrir o real. O pensamento-sentimento que é intensamente consciente está no processo de constante autodescoberta – cuja revelação, sendo verdadeira, é libertadora e criativa. Essa autodescoberta produz a liberdade do consumismo e da vida complexa do intelecto. A vida complexa do intelecto encontra gratificação nos vícios: curiosidade destrutiva, especulação, conhecimento simples, *status*, fofoca etc. Esses obstáculos impedem a simplicidade da vida. Além disso, uma especialização aprimora a mente, produz um meio de concentração no pensamento, apesar de não ser realmente o florescimento do pensamento-sentimento.

A liberdade da distração é mais difícil quando não entendemos completamente o processo do pensamento-sentimento, que em si tornou-se o meio da distração. Ser sempre incompleto, capaz de curiosidade especulativa e formulação, tem o poder de criar obstáculos e ilusões, que impedem a consciência do real. Então, torna-se sua própria distração, seu próprio inimigo. Quando a mente é capaz de criar ilusão, esse poder deve ser entendido antes que fique inteiramente liberto de suas próprias distrações autocriadas. A mente deve estar completamente tranquila, silente, para que todo pensamento se torne uma distração.

3 de setembro

Unidade da mente e do coração

O treinamento do intelecto não resulta em inteligência. Ao contrário, a inteligência passa a existir quando uma pessoa age em perfeita harmonia, intelectual e emocionalmente. Há uma enorme distinção entre o intelecto e a inteligência. O intelecto é apenas o pensamento funcionando independentemente da emoção. Quando o intelecto é treinado em determinada direção, a pessoa pode ter um grande intelecto, mas não inteligência, porque na inteligência há a capacidade inerente de sentir e raciocinar. Na inteligência as duas capacidades estão igualmente presentes, intensa e harmoniosamente.

Hoje, a educação moderna está desenvolvendo o intelecto, oferecendo cada vez mais explicações da vida, cada vez mais teorias, sem a qualidade harmoniosa da afeição. Por isso temos desenvolvido mentes sagazes para fugir do conflito; por isso ficamos satisfeitos com as explicações que os cientistas e os filósofos nos dão. A mente – o intelecto – fica satisfeita com essas inúmeras explicações, mas a inteligência não, porque para entender deve haver uma completa unidade entre mente e coração na ação.

4 de setembro

O intelecto corrompe o sentimento

Você sabe, existe o intelecto e existe o sentimento puro – o sentimento puro de amar algo, de ter grandes e generosas emoções. O intelecto raciocina, calcula, pesa, equilibra. Ele questiona: "Isso tem valor? Vai me proporcionar algum benefício?". Por outro lado, há o sentimento puro – o sentimento extraordinário pelo céu, por seu vizinho, seu cônjuge, seu filho, pelo mundo, pela beleza de uma árvore etc. Quando esses dois estão juntos, há a morte. Você entende? Quando o sentimento puro é corrompido pelo intelecto, há a mediocridade. É isso que a maioria de nós está fazendo. Nossas vidas são medíocres porque estamos sempre calculando, perguntando a nós mesmos se vale a pena, que lucro vamos obter, não apenas financeiramente, mas também no chamado mundo espiritual – "Se eu fizer isto, vou obter aquilo?".

5 de setembro

O intelecto não vai resolver nossos problemas

A maioria de nós está muito despreocupada com o extraordinário universo que nos cerca: nunca vemos o oscilar da folha ao vento; nunca observamos um talo de grama, o tocamos com a mão e conhecemos a qualidade da sua existência. Isso não é apenas ser poético – portanto, por favor, não entre em um estado especulativo e emocional. É essencial ter esse profundo sentimento pela vida e não ficar confinado a ramificações intelectuais, discussões, aprovações em exames, citar e ignorar algo novo dizendo que aquilo já foi dito. O intelecto não é o caminho. O intelecto não vai resolver nossos problemas, não vai nos dar esse alimento que é imperecível. O intelecto pode raciocinar, discutir, analisar, chegar a uma conclusão a partir de inferências etc., mas ele é limitado, porque é resultado do nosso condicionamento. A sensibilidade, no entanto, não é. A sensibilidade não tem condicionamento, ela nos tira do campo dos medos e das ansiedades... Nós passamos dias e anos cultivando o intelecto, argumentando, discutindo, brigando, lutando para ser algo. Mas este mundo extraordinariamente maravilhoso, esta Terra que é tão rica – não a terra de Bombaim, a de Punjab, a russa ou a norte-americana –, esta Terra é nossa, e isso não é uma bobagem sentimental, é um fato. Contudo, infelizmente, a temos dividido mediante a nossa insignificância, o nosso provincialismo. E sabemos por que o temos feito dessa maneira: em prol da nossa segurança, por mais e melhores empregos. Esse é o jogo político que vem sendo jogado em todo o mundo, e assim nos esquecemos de ser humanos, de viver felizes nesta Terra que é nossa, e extrair algo dela.

6 de setembro

O instante do entendimento

Não sei se você já percebeu que há entendimento quando a mente está muito quieta, ainda que por um segundo; o instante do entendimento existe quando a verbalização do pensamento não está presente. Experimente e verá que você tem o instante do entendimento, essa extraordinária rapidez do *insight*, quando a mente está muito tranquila, o pensamento ausente, a mente livre do seu próprio ruído. Portanto, o entendimento de qualquer coisa – um quadro moderno, uma criança, seu cônjuge, seu vizinho, ou o entendimento da verdade que está em todas as coisas – só pode acontecer quando a mente está muito tranquila. Mas essa tranquilidade não pode ser cultivada, porque, ao cultivar uma mente tranquila, não é possível tê-la tranquila, ela morre.

Quanto mais você estiver interessado em alguma coisa, maior será a sua intenção de entendê-la, e mais simples, clara e livre estará a sua mente. Então a verbalização cessa. Afinal, o pensamento é palavra, e é ela que interfere. É a tela das palavras (a memória) que intervém entre o desafio e a resposta. É a palavra que responde ao desafio, o qual chamamos de intelecção. Assim, a mente que conversa, verbaliza, não pode entender a verdade – a verdade no relacionamento, não uma verdade abstrata. Não há verdade abstrata. Mas a verdade é muito sutil...

Como um ladrão na noite, ela chega misteriosamente, quando você está menos preparado para recebê-la.

7 de setembro

O intelecto desprotegido

Você só pode se conhecer quando está inconsciente, quando não está calculando, protegendo, constantemente observando para guiar, transformar, subjugar ou controlar, quando você se vê inesperadamente, ou seja, quando a mente não tem preconceitos com relação a si mesma, está aberta, despreparada para encontrar o desconhecido.

Se a sua mente está preparada, certamente você não pode conhecer o desconhecido, porque você é o desconhecido. Se você diz para si mesmo: "Eu sou Deus" ou "Eu não sou nada além de uma massa de influências sociais ou um feixe de qualidades"; ou seja, se você tem quaisquer ideias preconcebidas sobre si mesmo, não pode compreender o desconhecido, aquilo que é espontâneo.

Portanto, a espontaneidade só pode surgir quando o intelecto está desprotegido, quando não tem mais medo de si mesmo, e isso só pode ocorrer de dentro para fora. Ou seja, o espontâneo deve ser o novo, o desconhecido, o incalculável, o criativo que deve ser expressado, amado, em que a vontade como o processo do intelecto, do controle, da direção, não participa. Observe seus próprios estados emocionais e vai ver que os momentos de grande alegria, de grande êxito, não são premeditados: eles acontecem misteriosamente, enigmaticamente, involuntariamente.

8 de setembro

A memória não tem vida própria

O que entendemos por pensamento? Quando pensamos? Obviamente, o pensamento é o resultado de uma resposta, neurológica ou psicológica, não é? É a resposta imediata dos sentidos a uma sensação, ou é psicológica, a resposta da memória armazenada. Há a resposta imediata dos nervos a uma sensação, e há a resposta psicológica da memória armazenada, da influência de raça, grupo, guru, família, tradição etc. – tudo ao que chamamos de pensamento. Portanto, o processo do pensamento é a resposta da memória, não é? Não teríamos pensamentos se não tivéssemos memória, e a resposta da memória a determinada experiência põe em ação o processo do pensamento.

O que, então, é a memória? Se você observar sua própria memória e a maneira como a coleta, vai perceber que ela é factual, relacionada com a informação, a engenharia, a matemática, a física etc. – ou é o resíduo de uma experiência inacabada, incompleta, não é? Observe a sua memória e verá. Quando você termina uma experiência, não há memória dela no sentido de um resíduo psicológico. Só há resíduo quando uma experiência não é totalmente entendida; então não há entendimento da experiência, porque olhamos para cada experiência por meio das lembranças passadas, e por isso nunca encontramos o novo como o novo, mas sempre através da tela do velho. Por isso, está claro que a nossa resposta às experiências é condicionada, sempre limitada.

9 de setembro

A consciência pertence ao passado

Se você observar muito atentamente, perceberá que há um intervalo entre dois pensamentos, ainda que não seja uma constante. Embora possa ser apenas uma fração infinitesimal de um segundo, há um intervalo relevante na oscilação de um lado para o outro de um pêndulo.

Enxergamos o fato de o nosso pensamento ser condicionado pelo passado, projetado para o futuro. No momento em que você admite o passado, deve também admitir o futuro, porque esses dois estados não existem, apenas um que inclui tanto o consciente quanto o inconsciente, tanto o passado coletivo quanto o passado individual. Os passados coletivo e individual, em reação ao presente, emitem algumas respostas que criam a consciência individual – por isso a consciência faz parte do passado, e esse é todo o pano de fundo da nossa existência. No momento em que você tem o passado, inevitavelmente tem o futuro, porque o futuro é apenas a continuidade do passado modificado, mas ainda é passado. Portanto, nosso problema é de que maneira realizar uma transformação nesse processo do passado sem criar outro condicionamento, outro passado.

10 de setembro

Por que somos negligentes?

O pensador raciocina mediante o hábito, a repetição, a cópia, produzindo ignorância e tristeza. O hábito não é uma negligência? A consciência cria ordem, mas nunca o hábito. As tendências acomodadas só produzem negligência. Por que somos negligentes? Porque pensar é doloroso, cria perturbações, oposição, pode fazer com que nossas ações sejam contrárias ao padrão estabelecido. Pensar-sentir de maneira extensiva, tornar-se consciente sem escolha, pode conduzir a profundidades desconhecidas, e a mente se rebela contra o desconhecido. Então, ela se move do conhecido para o conhecido, do hábito para o hábito, do padrão para o padrão. Tal mente jamais abandona o conhecido para descobrir o desconhecido. Entendendo a dor do pensamento, o pensador torna-se negligente mediante a cópia, ao hábito; temendo pensar, ele cria padrões de negligência. Quando o pensador está com medo, suas ações nascem do medo, e então ele encara suas ações e tenta mudá-las. O pensador tem medo de suas próprias criações, mas a ação é o agente, por isso o pensador tem medo de si mesmo. O pensador é a causa da ignorância, da tristeza. Ele pode se dividir em muitas categorias de pensamento, mas o pensamento é ainda o pensador. O pensador e seus esforços para ser, tornar-se, são a verdadeira causa do conflito e da confusão.

11 de setembro

O pensador é o pensamento

Não é necessário entender o pensador, o agente, o ator, uma vez que seu pensamento, seu feito, sua ação não podem ser separados dele? O pensador é o pensamento, o agente é o feito, o ator é a ação. Em seu pensamento o pensador é revelado. Por meio de suas ações o pensador cria sua própria infelicidade, sua ignorância, seu conflito. O artista pinta um retrato da felicidade, da tristeza, da confusão passageiras. Por que ele produz esse quadro doloroso? Certamente, esse é o problema que deve ser estudado, entendido e desfeito. Por que o pensador pensa seus pensamentos, a partir dos quais fluem todas as suas ações? Esse é o muro de pedra contra o qual você tem batido a sua cabeça, não é? Se o pensador pudesse transcender a si mesmo, todo conflito cessaria – e para transcender ele precisa se conhecer. O que é conhecido e entendido, o que é cumprido e completado, não se repete. A repetição é o que dá continuidade ao pensador.

12 de setembro

Não há liberdade de pensamento

Não sei se está claro que todos nós vivemos em um estado de contradição. Falamos sobre paz, mas nos preparamos para a guerra. Falamos sobre a não violência, mas somos fundamentalmente violentos. Falamos sobre sermos bons, mas não somos. Falamos sobre o amor, mas somos cheios de ambição, competitividade, implacável eficiência. Há, de fato, uma contradição. A ação que deriva dessa contradição só produz frustração e mais contradição.

Todo pensamento é parcial. O pensamento é a resposta da memória, e a memória é sempre parcial, porque ela é resultado da experiência. Portanto, o pensamento é a reação de uma mente condicionada pela experiência. Todo pensamento, toda experiência, todo conhecimento é inevitavelmente parcial; por isso o pensamento não pode resolver os muitos problemas que temos. Você pode tentar raciocinar com lógica e lucidez sobre esses muitos problemas, mas se observar sua própria mente verá que o seu pensamento é condicionado por suas circunstâncias, pela cultura em que você nasceu, pelo alimento que você come, pelo clima em que vive, pelos jornais que lê, pelas pressões e influências da sua vida diária...

Precisamos entender muito claramente que o nosso pensamento é a resposta da memória, e a memória é mecanicista. O conhecimento é sempre incompleto, e todo pensamento nascido do conhecimento é limitado, parcial, jamais é livre. Então, não existe liberdade de pensamento. Contudo, podemos começar a descobrir uma liberdade que não é um processo do pensamento, na qual a mente está simplesmente consciente de todos os seus conflitos e influências a ela impostas.

13 de setembro

O pensamento sem o pensador

O macaco na árvore sente fome, e então surge a urgência de comer uma fruta ou uma noz. A ação vem primeiro, depois a ideia que indicaria ter sido melhor você tê-la armazenado. Em outras palavras, o que vem primeiro, a ação ou o agente? Há um agente sem a ação? É isso que estamos sempre perguntando a nós mesmos: quem é que vê? Quem é o observador? É o pensador separado dos seus pensamentos, o observador separado do que observa, o experimentador separado da experiência, o agente separado da ação?... Se você realmente examinar o processo muito atentamente, de perto e com inteligência, verá que a ação sempre vem primeiro, e que a ação com um fim planejado cria o agente. Você está me acompanhando? Se a ação tem um fim em vista, a obtenção desse fim cria o agente. Se você pensar com muita clareza e sem preconceitos, sem conformidade, sem tentar convencer alguém, sem um fim em vista, nesse próprio pensamento não há um pensador – há apenas o pensamento. Só quando você busca um fim em seu pensamento este torna *você* importante, não o pensamento. Talvez você já tenha observado isso. É realmente uma coisa importante a ser descoberta, porque a partir daí saberemos como agir. Se o pensador vier primeiro, então ele será mais importante que o pensamento, e todas as filosofias, costumes e atividades da civilização contemporânea são baseadas nessa suposição. Contudo, se o pensamento vier primeiro, então ele é mais importante que o pensador.

14 de setembro

Percepção imediata

Em minha opinião, há apenas percepção, que é enxergar algo imediatamente como falso ou verdadeiro. Essa percepção imediata do que é falso ou verdadeiro é o fator essencial – não o intelecto, com seu raciocínio baseado em sagacidade, conhecimento, compromissos. Às vezes, deve ter lhe ocorrido que você enxergou a verdade de algo imediatamente – como a verdade de não poder pertencer a nada. Isso é a percepção: enxergar a verdade de algo imediatamente, sem análise, raciocínio, sem todas as coisas que o intelecto cria para adiar a percepção. Ela é inteiramente diferente da intuição, que é uma palavra que usamos com abundância e facilidade...

Existe apenas essa percepção direta, não o raciocínio, nem o cálculo nem a análise. Você deve ter a capacidade de analisar, ter uma mente boa e aguda para raciocinar, mas uma mente limitada à razão e à análise é incapaz de perceber o que é real.

Se você se comunica consigo mesmo, vai saber por que pertence, por que se comprometeu. Se você insistir um pouco mais, verá a escravidão, a redução da liberdade, a ausência de dignidade humana que esse compromisso envolve. Quando você percebe tudo isso instantaneamente, está livre. Não é necessário esforçar-se para ser livre. Por isso a percepção é essencial.

15 de setembro

O entendimento de momento a momento

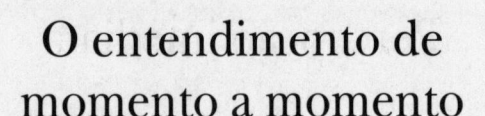

O entendimento fundamental de si mesmo não surge por meio do conhecimento ou da acumulação de experiências, que é apenas o cultivo da memória. O entendimento de si mesmo surge de momento a momento. Se meramente acumularmos o conhecimento do *self*, isso impedirá o entendimento adicional, porque o conhecimento e a experiência acumulados tornam-se o centro por meio do qual o pensamento se concentra e tem seu ser.

16 de setembro

Entenda o processo do seu pensamento

Suponhamos que você nunca tenha lido um livro religioso ou sobre psicologia e teve de encontrar o significado, a importância da vida. Como se ajustaria a isso? Suponhamos que não existissem mestres, organizações religiosas, Buda, Cristo, e você tivesse que começar do início. Como faria? Primeiro, teria de entender seu processo de pensamento, não é? Além disso, não projetar a si mesmo, seus pensamentos no futuro e criar um Deus que o agrade – isso seria muito infantil. Então, primeiro você teria de entender o processo do seu pensamento. Essa é a única maneira de descobrir qualquer coisa nova, não é?

Quando dizemos que a aprendizagem ou o conhecimento é um impedimento, um obstáculo, não se trata do conhecimento técnico – como, por exemplo, dirigir um carro e fazer funcionar uma máquina – ou da eficiência que esse conhecimento produz. Trata-se de algo totalmente diferente: a sensação de felicidade criativa que nenhuma quantidade de conhecimento ou aprendizagem vai proporcionar. Ser criativo no sentido mais verdadeiro dessa palavra é estar livre do passado de momento a momento, porque é o passado que está continuamente encobrindo o presente. Simplesmente se apegar às informações, às experiências de outros, ao que alguém falou, por mais importante que seja, e tentar aproximar disso a sua ação – tudo isso é conhecimento, não é? Mas para descobrir qualquer coisa nova você deve começar por si mesmo. Precisa iniciar uma jornada completamente desnudo, especialmente do conhecimento, porque é muito fácil, por meio do conhecimento e da crença, ter experiências. No entanto, essas experiências são meramente produtos da autoprojeção, portanto, totalmente irreais, falsas.

17 de setembro

Conhecimento não é sabedoria

Em nossa busca por conhecimento, em nossos desejos aquisitivos, estamos perdendo o amor, embotando o sentimento pela beleza, a sensibilidade para com a crueldade, estamos nos tornando cada vez mais especializados e cada vez menos integrados. A sabedoria não pode ser substituída pelo conhecimento, e nenhuma quantidade de explicação, nenhuma acumulação de fatos, vai libertar o homem do sofrimento. O conhecimento é necessário, a ciência tem o seu lugar; mas se a mente e o coração forem sufocados pelo conhecimento, e se a causa do sofrimento for explicada, a vida vai se tornar vã e sem significado.

As informações, o conhecimento dos fatos, embora sempre aumentando, são por sua própria natureza limitados. A sabedoria é infinita, ela inclui o conhecimento e a maneira de agir; mas nós agarramos um galho e achamos que ele é toda a árvore. Por meio do conhecimento da parte nunca podemos entender a alegria do todo. O intelecto nunca pode conduzir ao todo porque ele é apenas um segmento, uma parte.

Separamos o intelecto do sentimento, e desenvolvemos o intelecto à custa do sentimento. Somos como um objeto de três pernas com uma perna muito mais comprida do que as outras, e não temos equilíbrio. Somos treinados para ser intelectuais. Nossa educação cultiva o intelecto para ele ser agudo, sagaz, aquisitivo, e por isso ele desempenha o papel mais importante na nossa vida. A inteligência é muito maior que o intelecto, pois ela é a integração da razão e do amor, mas só pode haver inteligência quando há autoconhecimento, o entendimento profundo do processo total de si mesmo.

18 de setembro

A função do intelecto

Não sei se você já considerou sobre a natureza do intelecto. O intelecto e suas atividades são corretos em certo nível, não são? Mas quando o intelecto interfere com aquele sentimento puro, a mediocridade se instala nele. Conhecer a função do intelecto e estar consciente desse sentimento puro, sem deixar os dois se misturarem e destruírem um ao outro, requer uma consciência muito clara, muito aguda...

Por isso a função do intelecto é sempre investigar, analisar, buscar. Mas como queremos ser interior e psicologicamente seguros (porque temos medo, somos ansiosos em relação à vida), chegamos a alguma forma de conclusão com a qual ficamos comprometidos. De um compromisso passamos a outro, e eu digo que tal mente, tal intelecto, sendo escravos de uma conclusão, deixaram de pensar, de investigar.

19 de setembro

Ser um forasteiro

Não sei se você já observou que parte enorme o intelecto desempenha em nossa vida. Os jornais, as revistas, tudo o que nos diz respeito é o cultivo da razão. Não que eu seja contra a razão. Ao contrário, devemos ter a capacidade de raciocinar muito clara, muito aguçada. Mas se você observar, vai descobrir que o intelecto está eternamente analisando por que pertencemos ou não pertencemos, por que devemos ser um forasteiro para encontrar a realidade etc. Aprendemos o processo de analisar a nós mesmos. Então há o intelecto com sua capacidade de investigar, de analisar, de raciocinar e chegar a conclusões; e há o sentimento, o sentimento puro, que está sempre sendo interrompido, colorido pelo intelecto. E quando o intelecto interfere com o sentimento puro, dessa interferência brota uma mente medíocre. Por um lado temos o intelecto, com sua capacidade para raciocinar baseada em seus gostos e aversões, em seu condicionamento, na sua experiência e conhecimento; e por outro temos o sentimento, que é corrompido pela sociedade, pelo medo. Será que esses dois revelam o que é verdadeiro? Ou há apenas percepção, e nada mais?

20 de setembro

Uma mente que aprende

O que entendemos por aprendizagem? Existe aprendizagem quando estamos meramente acumulando conhecimento, reunindo informações? Esse é um tipo de aprendizagem, não é? Como estudante de engenharia, você estuda matemática, por exemplo, aprende e se informa sobre o assunto. Acumula conhecimento para usá-lo de maneira prática. Sua aprendizagem é acumulativa, aditiva. Quando a mente está meramente confrontando, adicionando, adquirindo, ela está aprendendo? Ou a aprendizagem é algo inteiramente diferente? O processo aditivo, que agora chamamos de aprendizagem, não é aprendizagem nenhuma. É apenas um cultivo da memória, que se torna mecânica; e uma mente que funciona mecanicamente não é capaz de aprender. Uma máquina nunca é capaz de aprender, exceto no sentido aditivo. A aprendizagem é algo completamente diferente.

Uma mente que aprende jamais diz "Eu sei", porque o conhecimento é sempre parcial, enquanto a aprendizagem é completa o tempo todo. Aprender não significa iniciar com certa quantidade de conhecimento e adicioná-la a outro conhecimento. Isso não é de modo nenhum aprendizagem, é um processo meramente mecânico. Aprender é algo inteiramente diferente. Estou aprendendo sobre mim mesmo de momento a momento, e o meu eu é extraordinariamente vital, é viver, se mover: não tem início nem fim. Quando eu digo: "Conheço a mim mesmo", a aprendizagem chegou a um fim no conhecimento acumulado. A aprendizagem nunca é cumulativa, é um movimento do conhecimento que não tem início nem fim.

21 de setembro

Conhecimento pressupõe autoridade

Não há aprendizagem quando há aquisição de conhecimento: os dois são incompatíveis, contraditórios. A aprendizagem implica um estado em que a mente não tem experiência prévia armazenada como conhecimento. O conhecimento é adquirido, enquanto a aprendizagem é um movimento constante, não um processo aquisitivo. Por isso, o movimento da aprendizagem implica um estado em que a mente não tem autoridade. Todo conhecimento pressupõe autoridade, e uma mente que está entrincheirada na autoridade do conhecimento não pode aprender. A mente só pode aprender quando o processo aditivo foi completamente encerrado.

É muito difícil para a maioria de nós diferenciar entre aprender e adquirir conhecimento. Mediante a experiência, a leitura, a escuta, a mente acumula conhecimento; esse é um processo aquisitivo, no qual adiciona-se ao que já é conhecido, e a partir dessa base de conhecimento nós funcionamos. O que em geral chamamos de aprendizagem é esse próprio processo de adquirir novas informações e adicioná-las ao estoque de conhecimento que já possuímos... Mas refiro-me a algo inteiramente diferente. Para nós, aprender não significa adicionar ao que já sabemos. Só podemos aprender quando não há ligação com o passado como conhecimento, ou seja, quando vemos algo novo e não o interpretamos em termos do conhecido.

A mente que está aprendendo é uma mente inocente, enquanto a mente que está meramente adquirindo conhecimento é velha, estagnada, corrompida pelo passado. Uma mente inocente percebe instantaneamente, está o tempo todo aprendendo sem acumulação, e somente uma mente desse tipo é madura.

22 de setembro

O cérebro produz a mente

O que é a mente? Quando faço essa pergunta, por favor não espere que eu a responda. Olhe para sua própria mente; observe os caminhos do seu próprio pensamento. O que escrevo é apenas uma indicação, não é a realidade. A realidade você precisa experienciar por si mesmo. A palavra, a descrição, o símbolo não são a coisa real. A palavra *porta* obviamente não é a porta. A palavra *amor* não é o sentimento, a qualidade extraordinária que a palavra indica. Então, não vamos confundir a palavra, o nome, o símbolo com o fato. Se você permanecer apenas no nível verbal e discutir o que é a mente, estará perdido, porque então jamais sentirá a qualidade dessa coisa surpreendente chamada mente.

Então, o que é a mente? Obviamente, é a nossa total percepção ou consciência; é o modo total da nossa existência, todo o processo do nosso pensamento. A mente é resultado do cérebro. Sem o cérebro não há mente, mas a mente está separada do cérebro. Ela é a filha do cérebro. Se o cérebro for limitado, danificado, a mente também estará danificada. O cérebro, que registra toda sensação, todo sentimento de prazer ou sofrimento – o cérebro em todo o seu conjunto, com todas as suas respostas –, cria o que chamamos de mente, embora a mente seja independente do cérebro.

Você não tem de aceitar isso. Pode experimentar e ver por si mesmo.

23 de setembro

A mente ancorada

Nós nos movemos como máquinas em nossa cansativa rotina diária. Com quanta ansiedade a mente aceita um padrão de existência, e com que tenacidade se apega a ele! Como que direcionada por um prego, a mente é unida a uma ideia, e em torno dela ela vive e tem sua existência. A mente nunca está livre, maleável, pois está sempre ancorada; ela se move dentro do raio, estreito ou amplo, do seu próprio centro. Ela não se atreve a se desviar do seu centro e, quando o faz, fica perdida no medo. Não é um medo do desconhecido, mas da perda do conhecido. O desconhecido não incita o medo; o que incita o medo é a dependência do conhecido. O medo está sempre com desejo, o desejo por mais ou por menos. A mente, com seu incessante entrelaçamento de padrões, é o que cria o tempo; e com o tempo há medo, esperança e morte.

24 de setembro

A mente é resultado do tempo

A mente é influenciada o tempo todo a pensar ao longo de determinada linha. Estava acostumada a ser apenas aquilo que as religiões organizadas se interessavam que ela fosse, mas agora, na maioria dos casos, os governos assumiram essa função. Eles querem moldar e controlar sua mente. Aparentemente, a mente pode resistir ao controle deles... Superficialmente, você tem alguma opinião sobre a questão, mas sob a superfície, no inconsciente profundo, há todo um peso do tempo, da tradição, incitando-o em determinada direção. A mente consciente pode até certo ponto controlar e guiar a si mesma, mas no inconsciente suas ambições, seus problemas não resolvidos, suas compulsões, superstições, medos, estão esperando, palpitando, insistindo...

Todo esse campo da mente é resultado do tempo; é resultado de conflitos e ajustamentos, de toda uma série de aceitações sem plena compreensão. Por isso, vivemos em um estado de contradição; nossa vida é um processo de infinita luta. Somos infelizes e queremos ser felizes. Praticamos o ideal da não violência mesmo sendo violentos. Então há um conflito persistente – a mente é um campo de batalha. Queremos estar seguros, sabendo interna e profundamente que não existe essa coisa chamada segurança. A verdade é que não queremos enfrentar o fato de que não há segurança. Por isso, estamos sempre buscando a segurança, com o medo resultante de não estarmos seguros.

25 de setembro

Viver é a maior revolução

A mente está presa a um padrão: sua própria existência é a estrutura dentro da qual ela funciona e se move. O padrão é aquele do passado ou do futuro; é desespero e esperança, confusão e utopia, o que foi e o que deve ser. Com isso estamos todos familiarizados. Você rompe o velho padrão e o substitui por um "novo", o novo sendo o velho modificado... Você quer produzir um novo mundo. Isso é impossível. Você pode decepcionar a si mesmo e aos outros, mas, a menos que o velho padrão seja completamente destruído, não poderá haver uma transformação radical. Você pode testar isso, mas você não é a esperança do mundo. A ruptura do padrão, tanto do velho quanto do chamado novo, é de fundamental importância para a saída deste caos. Por isso é essencial entender os caminhos da mente...

Será que a mente pode viver sem um padrão, livrar-se desse movimento de vai e vem do desejo? Isso é definitivamente possível. Estamos vivendo nessa ação. Viver é existir sem esperança, sem a preocupação com o amanhã – não é desesperança nem indiferença. Mas não estamos vivendo, estamos sempre buscando a morte, o passado ou o futuro. Viver é a maior revolução. Viver não tem padrões, mas a morte tem: o passado ou o futuro, o que foi ou a Utopia. Você está vivendo para a Utopia, e por isso está convidando a morte e não a vida.

26 de setembro

Revolução interior

O que é verdade só pode ser encontrado de momento a momento: não é uma continuidade, mas a mente que quer descobri-la, ser ela própria o produto do tempo, só pode funcionar no campo do tempo. Por isso ela é incapaz de descobrir o que é verdadeiro.

Para conhecer a mente, ela precisa se conhecer, pois não existe o "eu" separado da mente. Não há qualidades separadas da mente, apenas as qualidades do diamante não são separadas do próprio diamante. Para entender a mente, você não pode interpretá-la segundo a ideia de outra pessoa, mas observar por si mesmo como ela funciona. Quando você conhecer todo o processo dela – como raciocina, seus desejos, motivos, ambições, buscas, sua inveja, ambição e medo –, então a mente pode ir além de você. E quando isso acontece há a descoberta de algo totalmente novo. Essa qualidade da novidade proporciona uma paixão extraordinária, um enorme entusiasmo que produz uma profunda revolução interior. Só essa revolução interior, não qualquer sistema político ou econômico, pode transformar o mundo.

27 de setembro

Só existe consciência

Na verdade, só existe um estado, não dois, como o consciente e o inconsciente. Há apenas um estado de ser, que é a consciência, embora você possa dividi-la entre consciente e inconsciente. Mas essa consciência pertence sempre ao passado, nunca ao presente; você só tem consciência das coisas que já terminaram. Você tem consciência do que eu estou tentando lhe transmitir passados alguns segundos, não é? Você o entende um momento mais tarde. Você nunca está consciente ou ciente do agora. Observe seu próprio coração e mente e verá que a consciência está funcionando entre o passado e o futuro e que o presente é apenas uma passagem do passado para o futuro.

Se você observar sua própria mente em ação, vai ver que o movimento para o passado ou para o futuro é um processo em que o presente não existe. Ou o passado é um meio de fugir do presente, o que pode ser desagradável, ou o futuro é uma esperança para além do presente. Então, a mente se ocupa com o passado ou com o futuro e descarta o presente... Ou condena e rejeita o fato ou aceita e se identifica com ele. Essa mente obviamente não é capaz de ver, de verdade, nenhum fato. Ou seja, nosso estado de consciência, que é condicionado pelo passado e pelo nosso pensamento, é a resposta ao desafio de um fato: quanto mais você reage de acordo com o condicionamento da crença, do passado, mais há um fortalecimento do passado.

Esse fortalecimento do passado é obviamente a continuidade de si mesmo, o que evoca o futuro. De forma que o estado da nossa mente, da nossa consciência, é um pêndulo oscilando entre o passado e o futuro.

28 de setembro

Além do tempo

A mente condicionada, certamente, é incapaz de descobrir o que está além do tempo. Ou seja, a mente como a conhecemos é condicionada pelo passado. O passado, movendo-se através do presente em direção ao futuro, condiciona a mente, e essa mente condicionada, em conflito, perturbada, temerosa e insegura, busca algo que está além das fronteiras do tempo. Por isso, estamos todos fazendo isso de várias maneiras, não é? Mas como uma mente que é resultado do tempo vai descobrir o que é atemporal?

A casa das nossas crenças, das nossas propriedades, das nossas ligações e dos modos confortáveis de pensar está constantemente sendo arrombada. Mas a mente prossegue buscando segurança, e por isso há um conflito entre o que você quer e o que o processo da vida exige de você. É isso que está acontecendo com cada um de nós.

Não sei se esse problema lhe interessa. A existência cotidiana, com todas as suas perturbações rotineiras, parece ser suficiente para a maioria de nós. Nossa única preocupação é encontrar uma resposta imediata para nossos vários problemas. Mas mais cedo ou mais tarde as respostas imediatas são consideradas insatisfatórias, porque nenhum problema tem uma resposta separada do próprio problema. No entanto, se eu conseguir entender o problema, todas as suas complicações, então ele deixa de existir.

29 de setembro

Uma mente com problemas não é uma mente séria

Uma das principais perguntas que uma pessoa tem de fazer a si mesma é a seguinte: até que ponto ou a que profundidade a mente pode penetrar em si mesma? Essa é a qualidade da seriedade, porque implica a consciência de toda a estrutura do próprio ser psicológico da pessoa, com seus anseios, suas compulsões, seu desejo de se realizar e suas frustrações, infelicidades, tensões e ansiedades, suas lutas, tristezas e os inúmeros problemas que ela tem. A mente que eternamente tem problemas não é de modo nenhum uma mente séria, mas a mente que entende cada problema quando ele surge e o destrói imediatamente, para que ele não seja levado para o próximo dia, essa é uma mente séria.

Em que a maioria de nós está interessada? Se tivermos dinheiro, nos voltamos para as chamadas coisas espirituais, ou para as diversões intelectuais, ou discutimos arte, ou usamos uma pintura para nos expressarmos. Se não temos dinheiro, o nosso tempo está ocupado dia após dia em ganhá-lo, e somos capturados nessa infelicidade, na infinita rotina e no tédio de tudo isso. A maioria de nós está treinada para funcionar mecanicamente em algum emprego, ano após ano. Temos responsabilidades, um cônjuge e filhos para prover, e aprisionados neste mundo louco tentamos ser sérios, nos tornar religiosos, vamos à igreja, nos unimos nessa ou naquela organização religiosa – ou talvez ouvimos falar sobre esses encontros e, como temos dias livres, aparecemos ali. Mas nada disso vai produzir essa extraordinária transformação da mente.

30 de setembro

A mente religiosa
inclui a mente científica

Uma mente religiosa está isenta de toda autoridade. E é extremamente difícil estar isento de autoridade – não apenas da autoridade imposta por outro, mas também da autoridade da experiência que uma pessoa reuniu, que faz parte do passado, que é a tradição. A mente religiosa não tem crenças, dogmas, ela se move de um fato a outro, e por isso a mente religiosa é a mente científica. Mas a mente científica não é a mente religiosa. A mente religiosa inclui a mente científica, mas a mente que é treinada no conhecimento da ciência não é uma mente religiosa.

Uma mente religiosa está interessada na totalidade – não em uma função particular, mas no funcionamento total da existência humana. O cérebro está interessado em uma função particular, em especializar-se. Ele se especializa como cientista, médico, engenheiro, músico, artista, escritor. São essas técnicas especializadas, limitadas, que criam divisão, não só internamente, mas externamente. O cientista é provavelmente considerado o homem mais importante requerido pela sociedade neste momento, pois ele é um doutor. Então a função torna-se absolutamente importante, e ela é acompanhada pelo *status*. Então, onde há especialização haverá contradição e limitação, e essa é a função do cérebro.

Outubro

Tempo

Percepção

Cérebro

Transformação

1 de outubro

O tempo não traz solução

Todas as religiões têm afirmado que o tempo é necessário, o tempo psicológico do qual estamos falando. O céu é muito longe e só se consegue chegar até ele mediante o processo gradual da evolução, a supressão, o crescimento ou a identificação com um objeto, com algo superior. Nossa questão é se é possível ficar livre do medo imediatamente. Do contrário, o medo produz desordem; o tempo psicológico invariavelmente traz consigo uma extraordinária desordem.

Estou questionando toda a ideia da evolução, não do ser físico, mas do pensamento, que tem se identificado com uma forma particular de existência no tempo. O cérebro tem obviamente evoluído para chegar a esse estágio, e pode evoluir ainda mais, se expandir ainda mais. Mas como ser humano tenho vivido há quarenta ou cinquenta anos em um mundo composto de todos os tipos de teorias, conflitos e conceitos, em uma sociedade em que a ambição, a inveja e a competição têm produzido guerras. Sou uma parte de tudo isso. Para um homem que está triste, não tem significado olhar para o tempo em busca de uma solução, evoluir lentamente para os próximos dois milhões de anos como um ser humano. Constituídos como nós somos, será possível nos livrarmos do medo e do tempo psicológico? O tempo físico precisa existir; não podemos nos livrar disso. A questão é se o tempo psicológico pode produzir não apenas ordem dentro do indivíduo, mas também ordem social. Somos parte da sociedade; não somos separados dela. Onde há ordem em um ser humano, haverá inevitavelmente ordem social externa.

2 de outubro

Um estado atemporal

Quando estamos falando sobre o tempo, não estamos nos referindo ao tempo cronológico, o tempo marcado pelo relógio. Esse tempo existe, precisa existir. Se quisermos pegar um ônibus, um trem ou comparecer a um compromisso, precisamos do tempo cronológico. Mas será que existe um amanhã, psicologicamente, que é o tempo da mente? Há, na verdade, psicologicamente, um amanhã? Ou o amanhã é criado pelo pensamento porque o pensamento enxerga a impossibilidade de mudança, direta e imediatamente, e inventa esse processo gradual? Percebo que é terrivelmente importante produzir uma revolução radical em meu modo de viver, pensar, sentir, e em minhas ações, então digo a mim mesmo: "Vou assumir o controle do tempo; vou ser diferente amanhã, ou daqui a um mês". Esse é o tempo sobre o qual estamos falando: a estrutura psicológica do tempo, do futuro, e nesse tempo nós vivemos. O tempo é o passado, o presente e o futuro, não aquele medido pelo relógio. Ontem, eu era; o ontem opera por meio do hoje e cria o futuro. Essa é uma coisa bastante simples. Tive uma experiência um ano atrás que deixou uma marca em minha mente, e o presente eu interpreto de acordo com essa experiência, o conhecimento, a tradição, o condicionamento, e crio o amanhã. Sou prisioneiro desse círculo. É isso que chamamos de viver; é isso que chamamos de tempo.

O pensamento, que é você, com todas as suas memórias, condicionamento, ideias, esperanças, desespero, a absoluta solidão da existência – tudo isso é este tempo... E para entender um estado atemporal, quando o tempo parar, deve-se questionar se a mente pode ficar totalmente livre de toda experiência, que é a experiência do tempo.

3 de outubro

A verdadeira natureza
do pensamento

O tempo é pensamento, e o pensamento é o processo da memória que cria o tempo como ontem, hoje e amanhã, como uma coisa que usamos como um meio de realização, um modo de vida. O tempo para nós é extraordinariamente importante, vida após vida, uma vida conduzindo a outra que é modificada, que continua. Certamente, o tempo é a própria natureza do pensamento, o pensamento é tempo. E enquanto o tempo existir como um meio para se chegar a alguma coisa, a mente não poderá ir além de si – a qualidade de ir além de si mesmo pertence à nova mente, que está liberta do tempo. O tempo é um fator no medo. Por tempo não me refiro ao tempo cronológico, o tempo do relógio – segundo, minuto, hora, dia, ano –, mas o tempo como um processo psicológico, interior. É esse fato que produz o medo. O tempo é medo. Como o tempo é pensamento, ele gera o medo. É o tempo que cria a frustração, os conflitos, porque a percepção imediata do fato, a visão do fato, é atemporal...

Então, para entender o medo devemos estar conscientes do tempo – o tempo como distância, espaço, o "eu", que o pensamento cria como ontem, hoje e amanhã, usando a memória de ontem para se ajustar ao presente e assim condicionar o futuro. Para a maioria de nós o medo é uma realidade extraordinária. E uma mente capturada pelo medo, pela complexidade do medo, nunca poderá ser livre; ela nunca poderá entender a totalidade do medo sem entender as complexidades do tempo. Eles andam juntos.

4 de outubro

A desordem que o tempo cria

Tempo significa mover-se *do que existe* para "o que deveria existir". Eu tenho medo, mas um dia me livrarei dele. Por isso, o tempo é necessário para nos libertarmos do medo – pelo menos, é o que achamos. Mudar *do que existe* para "o que deveria existir" envolve tempo. Ora, o tempo implica esforço nesse intervalo entre *o que existe* e "o que deveria existir". Não gosto do medo e vou fazer um esforço para entendê-lo, analisá-lo, dissecá-lo, ou vou descobrir a causa dele ou vou escapar totalmente dele. Tudo isso implica esforço – e esforço é aquilo com que estamos acostumados. Estamos sempre em conflito entre *o que existe* e "o que deveria existir". Aquilo "que eu deveria ser" é uma ideia, e a ideia é fictícia, não é "o que eu sou", que é o fato; e "o que eu sou" só pode ser modificado quando eu entender a desordem que o tempo cria.

Então, será possível me livrar total e completamente do medo no momento? Se eu permitir que o medo continue, vou criar desordem o tempo todo; por isso, vê-se que o tempo é um elemento de desordem, não um meio de nos livrarmos fundamentalmente do medo. Então, não há um processo gradual de nos livrarmos do medo, assim como não há um processo gradual de nos livrarmos do veneno do nacionalismo. Se você é nacionalista e diz que finalmente haverá a fraternidade do homem, haverá guerras, ódio, infelicidade – enfim, toda essa terrível divisão entre os homens. Por isso, o tempo está criando desordem.

5 de outubro

O tempo é um veneno

Em seu banheiro você tem um frasco escrito "veneno", e você sabe que aquilo é veneno; por isso tem muito cuidado com esse frasco, mesmo no escuro. Está sempre prestando atenção nele. Você não diz: "Como vou me manter longe dele, como vou ter cuidado com esse frasco?". Você sabe que é veneno, e por isso está sempre atento a ele. O tempo é um veneno; ele cria desordem. Se isso é um fato para você, então pode passar a entender como se livrar do medo imediatamente. Mas se ainda está se apegando ao tempo como um meio de se libertar, não há comunicação entre nós.

Pode haver um tipo totalmente diferente de tempo. Só conhecemos dois tempos, o físico e o psicológico, e somos prisioneiros deles. O tempo físico desempenha um papel importante na psique, que exerce grande influência no próprio tempo. Estamos presos nessa batalha, nessa influência. Devemos aceitar o tempo físico para pegar o ônibus ou o trem, mas se rejeitarmos totalmente o tempo psicológico podemos chegar a um tempo totalmente diferente, um tempo que não está relacionado a nenhum desses dois. Gostaria que você viesse comigo para esse tempo! Esse tempo não é desordem, é uma fantástica ordem.

6 de outubro

A verdade chega em um flash

A verdade ou o entendimento chegam em um flash, e esse flash não tem continuidade, não está dentro do campo do tempo. O entendimento é novo, instantâneo; não é a continuidade de algo que já foi. O que foi não pode lhe trazer entendimento. Enquanto se está buscando uma continuidade – desejando permanência no relacionamento, no amor, no anseio para encontrar uma paz duradoura etc. – busca-se algo que está dentro do campo do tempo, e por isso não pertence ao atemporal.

7 de outubro

Uma busca inútil

Enquanto pensarmos em termos do tempo, haverá o medo da morte: eu estudei, mas não encontrei o fundamental, e antes de morrer preciso encontrá-lo; ou se não encontrá-lo antes de morrer, pelo menos espero encontrá-lo na próxima vida, e assim por diante. Todo o nosso pensamento é baseado no tempo. Nosso pensamento é o conhecido, o resultado do conhecido, e o conhecido é o processo do tempo. Com essa mente estamos tentando descobrir o que é ser imortal, estar além do tempo, e isso é uma busca inútil. Isso não tem significado, exceto para filósofos, teóricos e especuladores. Se eu quiser encontrar a verdade, não amanhã, mas como um fato, diretamente, não devo – o "eu", o *self* que está sempre coletando, se esforçando e se dedicando a uma continuidade através da memória – parar de continuar? Não é possível morrer enquanto se está vivendo – não se trata de perder a memória, sofrer de amnésia, mas realmente deixar de acumular por meio da memória –, e assim parar de dar continuidade ao "eu"? Vivendo neste mundo, que é do tempo, não é possível à mente produzir, sem alguma forma de compulsão, um estado em que o experimentador e a experiência não tenham base? Enquanto houver o experimentador, o observador, o pensador, haverá o medo do fim e, portanto, da morte.

Se for possível à mente saber tudo isso, estar totalmente consciente e não simplesmente dizer: "Sim, isto é simples"; se a mente puder ficar consciente do processo total da consciência, ver a total importância da continuidade e do tempo, e a inutilidade dessa busca no correr do tempo para encontrar o que está além do tempo; se ela puder tomar consciência de tudo isso, então pode haver uma morte que é, na verdade, uma criatividade totalmente além do tempo.

8 de outubro

A percepção atua

Você vê e eu não vejo – por que isso acontece? Eu acho que isso acontece porque você está envolvido no tempo; você não vê as coisas na hora, eu as vejo na hora. Sua visão é uma ação de todo o seu ser, e todo o seu ser não está capturado no tempo; você não pensa na chegada gradual; você vê algo imediatamente, e essa própria percepção atua. Eu não vejo; eu quero descobrir por que não vejo. Que coisa é essa que vai me fazer ver algo totalmente, de maneira que eu entenda a coisa toda imediatamente? Você vê a total estrutura da vida: a beleza, a feiura, a tristeza, a alegria, a sensibilidade extraordinária – você vê a coisa inteira, e eu não consigo. Eu vejo uma parte dela, mas não vejo o seu todo... O homem que vê algo totalmente, que vê a vida em sua totalidade, deve obviamente estar fora do tempo. Ouça isto, meu amigo, porque isto tem realmente algo a ver com a nossa existência diária; não é algo espiritual, filosófico, fora da existência diária. Se entendermos isso, então entenderemos a nossa rotina diária, o tédio e a tristeza, as ansiedades nauseantes e os medos. Então, não o afaste dizendo: "O que isso tem a ver com a nossa existência diária?". Tem a ver, sim. Você pode ver – pelo menos para mim isso está muito claro – que pode cortar, como um cirurgião, todo o fio do sofrimento imediatamente. Por isso eu quero entrar nisso com você.

9 de outubro

No limite de todo pensamento

Já lhe aconteceu – estou certo de que sim – perceber de repente algo e, nesse momento de percepção, você não ter nenhum problema? No exato momento em que você percebeu o problema, ele deixou imediatamente de existir. Você entende isso? Você tem um problema, pensa sobre ele, argumenta com ele, se preocupa com ele; utiliza todos os meios dentro dos limites do seu pensamento para entendê-lo. E finalmente diz: "Não posso fazer mais nada". Não há ninguém para ajudá-lo a entender, nenhum guru, nenhum livro. Você é deixado com o problema, e não há como sair dele. Tendo investigado o problema em toda a extensão da sua capacidade, você o deixa de lado. Sua mente não está mais preocupada, não está mais se atormentando pelo problema, não está mais dizendo: "Eu preciso encontrar uma resposta". Então ela se aquieta, não é? E nessa quietude você encontra a resposta. Isso já aconteceu com você? Não é uma coisa enorme. Ela acontece com grandes matemáticos e cientistas, e as pessoas a experienciam ocasionalmente na vida diária. Mas o que significa isso? A mente exerceu plenamente sua capacidade de pensar, e chegou ao limite de todo pensamento sem ter encontrado uma resposta; por isso, ela se torna quieta – não por meio do desgaste, da fadiga, não dizendo: "Vou ficar quieto e assim encontrarei a resposta". Já tendo feito tudo o que era possível para encontrar uma resposta, a mente se torna espontaneamente quieta. Há uma consciência sem escolha, sem nenhuma exigência, uma consciência em que não há ansiedade; e nesse estado da mente há a percepção. Só essa percepção resolverá todos os nossos problemas.

10 de outubro

Consciência sem escolha

Os grandes videntes sempre nos disseram para adquirir experiência. Disseram que a experiência nos proporciona entendimento. Mas isso só ocorre com a mente inocente, a mente não toldada pela experiência, totalmente libertada do passado – só uma mente desse tipo pode perceber o que é a realidade. Se você enxergar a verdade disso, se a perceber por uma fração de segundo, conhecerá a extraordinária clareza de uma mente inocente. Isso significa o desaparecimento gradual de todas as crostas da memória, que é o descarte do passado. Mas, para perceber isso, não pode haver o questionamento do "como". Sua mente não deve estar distraída pelo "como", pelo desejo de uma resposta. Tal mente não é uma mente atenta. Como eu já disse anteriormente, no início está o fim. No início está a semente do fim daquilo que chamamos de tristeza. O fim da tristeza ocorre na própria tristeza, não distante dela. Afastar-se da tristeza é simplesmente encontrar uma resposta, uma conclusão, uma escapatória; mas a tristeza continua. Enquanto isso, se você lhe concede sua total atenção (ou seja, torna-se atento com todo o seu ser), então verá que há uma percepção imediata em que nenhum tempo está envolvido, em que não há esforço nem conflito, e é essa percepção imediata, essa consciência sem escolha que põe um fim à tristeza.

11 de outubro

A mente ainda ativa

A mente que é realmente tranquila é surpreendentemente ativa, viva, potente – não na direção de qualquer coisa em particular. Ela é apenas uma mente que está verbalmente livre – da experiência, do conhecimento. Tal mente pode perceber o que é verdade, tem uma percepção diferente, que está além do tempo.

A mente só pode ficar silenciosa quando entendeu o processo do tempo, e isso requer vigilância, não é? Uma mente assim pode ser livre, não de alguma coisa, mas ser livre? Só conhecemos a liberdade de alguma coisa. Uma mente que é livre de algo não é uma mente livre. Essa libertação é apenas uma reação, e isso não é liberdade. Uma mente em busca de liberdade nunca está livre. Mas a mente é livre quando entende o fato como ele é, sem interpretar, condenar, julgar. Livre, tal mente é uma mente inocente, embora tendo vivido cem dias, cem anos, tendo tido todas as experiências. Ela é inocente porque é livre, não de alguma coisa, mas em si mesma: só essa mente pode perceber o que é verdadeiro, o que está além do tempo.

12 de outubro

Da percepção vem a energia

O problema é, certamente, libertar totalmente a mente para que ela fique em um estado de consciência que não tem limite, não tem fronteira. Mas como a mente vai descobrir esse estado? Como vai atingir essa liberdade?

Espero que você esteja seriamente colocando essa pergunta para si mesmo, porque não cabe a mim isso. Não estou tentando influenciá-lo, estou simplesmente apontando a importância de colocar para si mesmo essa pergunta. A colocação verbal da pergunta por outra pessoa não tem significado se você não a colocar para si mesmo com insistência, com urgência. A margem da liberdade fica mais estreita a cada dia, como você deve saber se for um observador atento. Os políticos, os líderes, os sacerdotes, os jornais e os livros que você lê, o conhecimento que adquire, as crenças a que se apega – tudo isso está tornando a margem da liberdade cada vez mais estreita. Se você estiver consciente do progresso desse processo, se realmente perceber a estreiteza do espírito, a crescente escravidão da mente, então vai descobrir que da percepção vem a energia; e é essa energia nascida da percepção que vai abalar a mente pequena, a mente respeitável, a mente que vai ao templo, a mente que tem medo. Então, a percepção é o caminho da verdade.

13 de outubro

A mente tagarela

Você sabe que perceber algo é uma experiência surpreendente. Não sei se você realmente já percebeu alguma coisa – uma flor, uma face, o céu ou o mar. É claro que você vê essas coisas quando passa por elas em um ônibus ou um carro, mas eu pondero se você já se deu ao trabalho de realmente olhar para uma flor. E quando você olha para uma flor, o que acontece? Você imediatamente lhe dá um nome, você está interessado na espécie à qual ela pertence ou diz: "Que cores adoráveis ela tem. Eu gostaria de plantá-la no meu jardim; gostaria de dá-la a alguém ou colocá-la na minha lapela". Em outras palavras, no momento em que você olha para uma flor, sua mente começa a tagarelar sobre ela; por isso você nunca percebe a flor. Você só percebe algo quando sua mente está silente, quando não há nenhum tipo de tagarelice. Se você pode olhar para a estrela da noite sobre o mar sem um movimento da mente, então você realmente percebe sua extraordinária beleza; e quando você percebe a beleza, também não experiencia o estado do amor? Certamente, beleza e amor são a mesma coisa. Sem amor não há beleza, e sem beleza não há amor. A beleza está na forma, na fala, na conduta. Se não há amor, a conduta fica vazia. Ela é meramente o produto da sociedade, de determinada cultura, e o que é produzido é mecânico, sem vida. Mas quando a mente percebe sem a menor agitação, então ela é capaz de penetrar na total profundidade de si mesma; e tal percepção é realmente atemporal. Você não tem de fazer algo para produzi-la; não há disciplina, não há prática, não há método pelo qual você consiga aprender a perceber.

14 de outubro

O conhecimento desvia a mente

Você só tem um instrumento, que é a mente; e a mente é também o cérebro. Por isso, para descobrir a verdade dessa questão, você precisa entender os caminhos da mente, não é? Se a mente estiver deformada, você nunca a verá corretamente; se a mente for muito limitada, você não conseguirá perceber o ilimitável. A mente é o instrumento da percepção e, para perceber realmente, ela deve estar arrumada, deve estar livre de todo condicionamento, de todo o medo. A mente também deve estar livre de conhecimento, porque o conhecimento desvia a mente e distorce as coisas. A enorme capacidade da mente para inventar, imaginar, especular, pensar, essa capacidade não deve ser posta de lado para que a mente fique muito clara e muito simples? Porque só a mente inocente, a mente que teve uma vasta experiência e ainda assim está livre do conhecimento e da experiência, só essa mente pode descobrir aquilo que é mais do que cérebro e mente. Do contrário, o que você descobrir será tingido pelo que você já experienciou, e sua experiência é resultado do seu condicionamento.

15 de outubro

Inundado pela influência

Por que a mente envelhece? Ela é ou não é velha, no sentido de ficar decrépita, deteriorada, se repetindo, presa a hábitos – hábitos sexuais, religiosos, de trabalho ou de ambição. A mente está tão sobrecarregada com inúmeras experiências e memórias, tão desfigurada e ferida com a tristeza, que não consegue enxergar nada com um olhar novo. Mas está sempre interpretando o que vê em termos das suas próprias memórias, conclusões, fórmulas, sempre citando. Ela é prisioneira da autoridade, é uma mente velha. Você pode ver por que isso acontece. Toda a nossa educação é meramente o cultivo da memória; e há essa comunicação de massa por meio dos jornais, do rádio, da televisão. Há os professores que fazem preleções e repetem a mesma coisa repetidas vezes até seu cérebro afundar naquilo que eles repetiram, e você as vomita no exame, e obtém seu diploma e vai em frente no processo – o emprego, a rotina, a repetição incessante. Não só isso, há também a nossa própria luta interna entre a ambição e as frustrações, a competição não apenas por emprego, mas por Deus, querer estar perto dEle, imaginar qual o caminho mais rápido para chegar até Ele.

O que acontece é que, por meio da pressão, do estresse e da tensão, nossas mentes são sobrecarregadas, afundadas pela influência, pela tristeza, consciente ou inconscientemente... Nós estamos desgastando a mente, não a usando.

16 de outubro

O velho cérebro, nosso cérebro animalístico

É importante entender a operação, o funcionamento, a atividade do velho cérebro. Quando o novo cérebro opera, o velho cérebro provavelmente não consegue entender o primeiro. Só quando o velho cérebro, que é o nosso cérebro condicionado, animalístico, que tem sido cultivado durante séculos, que está eternamente em busca de sua própria segurança e conforto, só quando esse velho cérebro está quieto você verá que há um tipo totalmente diferente de movimento, e é esse movimento que vai proporcionar clareza. Esse movimento é a própria clareza. Para entender, você precisa entender o velho cérebro, estar consciente dele, conhecer todos os seus movimentos, suas atividades, suas exigências, suas buscas – por isso a meditação é muito importante. Não me refiro ao cultivo absurdo e sistemático de algum hábito de pensamento, tudo isso é demasiado imaturo e infantil. Meditação significa entender as operações do velho cérebro, observá-lo, saber como ele reage, quais são suas respostas, suas tendências, suas exigências, suas buscas agressivas – conhecer a totalidade disso, as partes inconsciente e consciente. Quando você conhece o velho cérebro, quando há uma consciência dele, sem controlá-lo, sem direcioná-lo, sem dizer: "Isto é bom e isto é ruim", ou "Vou manter isto, mas não aquilo"; quando você enxerga o movimento total da velha mente, quando você a vê em sua totalidade, então ela se torna quieta.

17 de outubro

Uma mente fresca

O esforço contínuo para ser algo, para se tornar algo, é a causa real da destruição e do envelhecimento da mente. Veja como estamos envelhecendo rapidamente, não só as pessoas com mais de sessenta anos, mas também as pessoas jovens. Como elas já são mentalmente velhas! Muito poucas sustentam ou mantém a qualidade de uma mente jovem. Por jovem, não me refiro apenas à mente que simplesmente quer se divertir, passar bons momentos, mas à mente que não está contaminada, arranhada, deturpada, contorcida pelos acidentes e incidentes da vida, uma mente que não está desgastada pela luta, pelo luto, por esforços constantes. Certamente, é necessário ter uma mente jovem, porque a mente velha está tão repleta de cicatrizes das memórias que não consegue viver, não consegue ser ardente; é uma mente morta, uma mente decidida. Uma mente que decidiu e vive de acordo com suas decisões está morta. Mas uma mente jovem está sempre decidindo de novo, e uma mente fresca não se sobrecarrega com inúmeras memórias. Uma mente que não carrega sombra de sofrimento, embora possa atravessar o vale da tristeza, permanece ilesa...

Essa mente jovem não pode ser adquirida. Não é uma coisa que você pode adquirir por meio de esforço, sacrifício. Não há moeda que possa comprá-la, e ela não é uma coisa negociável. Mas se você enxergar a importância dela, sua necessidade, se vir a verdade dela, então alguma outra coisa acontece.

18 de outubro

Descarte todos os métodos

Como a mente religiosa ou a nova mente podem passar a existir? Será possível ter um sistema, um método? Mediante um método, um sistema, uma prática, uma coisa repetida dia após dia? Um método produzirá uma nova mente?... Certamente, um método implica a continuidade de uma prática, direcionada ao longo de determinada linha rumo a determinado resultado – o que significa adquirir um hábito mecânico, e por meio dele realizar uma mente que não seja mecânica...

Quando você diz "disciplina", toda disciplina é baseada em um método que segue certo padrão, e o padrão lhe promete um resultado que é predeterminado por uma mente que já tem uma crença, que já assumiu uma posição. Então, será que um método, no sentido mais amplo ou mais estreito da palavra, produz essa nova mente? Se não produzir, então o método enquanto hábito deve desaparecer completamente, porque ele é falso... O método só condiciona a mente segundo o resultado desejado. Você tem de descartar todos os processos mecânicos da mente... A mente deve descartar todos os processos mecânicos do pensamento. Então, a ideia de que um método, um sistema, uma disciplina, uma continuidade do hábito vai produzir essa mente não é verdadeira. Tudo isso deverá ser totalmente descartado como mecânico. Uma mente mecânica é uma mente tradicional. Ela não pode encontrar a vida, que não é mecânica. Portanto, o método deve ser descartado.

19 de outubro

Uma mente sem ancoradouro ou porto

Você necessita de uma nova mente, uma isenta de tempo, uma que não mais pense em termos de distância ou de espaço, uma sem horizonte, sem ancoradouro ou porto. Você necessita dessa mente para lidar não somente com os problemas eternos, mas com os problemas imediatos da existência.

É possível para cada um de nós ter essa mente? Não gradualmente, não para cultivá-la, porque o cultivo, o desenvolvimento, o processo, implica tempo. Ela deve ocorrer imediatamente, deve haver uma transformação agora, no sentido de uma qualidade atemporal. A vida é morte, e a morte o está esperando; você não pode argumentar com a morte como pode com a vida. Então, será possível ter essa mente? Não como uma realização, um objetivo, uma coisa a ser visada, algo a ser atingido, porque tudo isso implica tempo e espaço. Temos uma teoria muito conveniente, exuberante, de que há tempo para progredirmos, para chegarmos, para alcançarmos, para nos aproximarmos da verdade. Essa é uma ideia falaciosa, é uma completa ilusão – nesse sentido, o tempo é uma ilusão.

20 de outubro

Ativo, porém quieto

Para descobrir a nova mente, não só é necessário entendermos as reações do velho cérebro, mas também é necessário que o velho cérebro se aquiete. O velho cérebro deve estar ativo, mas quieto. Você está acompanhando o que estou dizendo? Olhe! Se você descobrisse por si mesmo que existe uma realidade, que existe um Deus – a palavra *Deus* não é o fato –, seu velho cérebro, que foi alimentado em uma tradição, seja ele anti-Deus ou pró-Deus durante séculos de afirmação social, deveria ficar quieto. Porque, do contrário, isso só faria projetar suas próprias imagens, seus próprios conceitos, seus próprios valores. Mas esses valores, esses conceitos, essas crenças são resultado do que lhe foi dito ou de suas reações ao que lhe foi dito. Por isso, inconscientemente, você diz: "Esta é a minha experiência!".

Você tem de questionar a própria validade da experiência – da sua própria experiência ou da experiência de outra pessoa, não importa quem ela seja. Ao questionar, investigar, perguntar, exigir, observar e escutar atentamente, as reações do velho cérebro se aquietam. Mas o cérebro não está dormindo; ele é muito ativo, mas está quieto. Ele chegou a essa quietude por meio da observação, da investigação. E para investigar, observar, você precisa ter luz; e a luz é sua constante vigilância.

21 de outubro

Há uma quietude

Espero que você escute, mas não com a memória do que já sabe – e isso é algo muito difícil de fazer. Você escuta algo, e sua mente imediatamente reage com seu conhecimento, suas conclusões, suas opiniões, suas memórias passadas. Ela escuta, investigando para um futuro entendimento. Simplesmente observe a si mesmo, de que maneira você escuta, e verá que é isso que está ocorrendo. Ou você escuta com conclusões, conhecimento, algumas memórias e experiências ou você quer uma resposta e está impaciente. Você quer saber o que é tudo isso, qual o propósito da vida, sua extraordinária complexidade. Na verdade, você não está escutando nada. Você só pode escutar quando a mente está quieta, quando ela não reage imediatamente, quando há um intervalo entre a sua reação e o que está sendo dito. Então, nesse intervalo há uma quietude, há um silêncio em que só existe uma compreensão, que não é o entendimento intelectual. Se houver uma lacuna entre o que é dito e sua própria reação ao que é dito, nesse intervalo (quer você o prolongue indefinidamente ou por alguns segundos), se você observar, surge a clareza. É o intervalo que é o novo cérebro. A reação imediata é o velho cérebro, e ele funciona em seu próprio sentido tradicional: aceito, reacionário, animalístico. Quando há um adiamento disso, quando a reação é suspensa, então há um intervalo. E você descobrirá que o novo cérebro atua, só ele cérebro pode entender.

22 de outubro

Nossa responsabilidade

Para transformar o mundo, devemos começar por nós mesmos, e o importante em começar por nós mesmos é a intenção. A intenção deve ser entendermos a nós mesmos, e não deixar que os outros transformem a si mesmos ou produzam uma mudança modificada por meio da revolução, seja ela de esquerda ou de direita. É importante entender que essa é nossa responsabilidade, porque, por menor que seja o mundo em que vivemos, se pudermos transformar a nós mesmos, produzir um ponto de vista radicalmente diferente em nossa existência, então talvez afetaremos o mundo em geral, o relacionamento estendido com os outros.

23 de outubro

Se a mente estiver ocupada

Independentemente se a mudança é provocada consciente ou inconscientemente, a mudança consciente implica esforço, e o empenho inconsciente para produzir uma mudança também implica um esforço, uma luta. Enquanto houver uma luta, um conflito, a mudança é simplesmente imposta, então não existe entendimento; por isso não há nenhuma mudança. Será que a mente é capaz de enfrentar o problema da mudança – da aquisição, por exemplo – sem fazer um esforço, apenas observando a total implicação da aquisição? Porque você não consegue enxergar totalmente o conteúdo da aquisição enquanto houver qualquer esforço para mudá-la. A mudança real só pode ocorrer quando a mente chega nova ao problema, não com todas as lembranças de milhares de dias passados. Obviamente, você não pode ter uma mente fresca e entusiástica se sua mente estiver ocupada. E a mente só deixa de estar ocupada quando ela enxerga a verdade sobre sua própria ocupação. Você não pode enxergar a verdade se não estiver lhe dando toda a atenção, se estiver interpretando o que está sendo dito como algo que lhe será adequado ou a interpretando em seus próprios termos. Você deve chegar a algo novo com uma mente fresca, e uma mente não está fresca quando está ocupada, consciente ou inconscientemente.

24 de outubro

O conhecimento é um prejuízo para a mudança

Isto requer muito *insight* e investigação. Não concorde comigo, mas aprofunde-se, medite, destrua a sua mente para encontrar a verdade ou a falsidade de tudo isso. Será que o conhecimento, que é o conhecido, produz mudança? Eu preciso ter conhecimento para construir uma ponte, mas será que a minha mente sabe para que ela está mudando? É claro que se eu sei qual será o estado da mente quando ela for mudada, não haverá mais mudança. Esse conhecimento é um prejuízo para a mudança porque se torna um meio de satisfação, e enquanto houver um centro em busca de satisfação, recompensa ou segurança, não haverá nenhuma mudança. E todos os nossos esforços são baseados nesse centro de recompensa, punição, sucesso, ganho, não é mesmo? É com isso que a maioria de nós está preocupada, e se irá nos ajudar a obter o que queremos, vamos mudar; mas essa mudança não muda nada. A mente que deseja estar fundamental e profundamente em um estado de mudança, em um estado de revolução, precisa estar livre do conhecido. Então a mente se torna espantosamente tranquila, e só essa mente vai experienciar a transformação radical que é tão necessária.

25 de outubro

Vazio completo

Para ocorrer a completa mutação na consciência você precisa negar a análise e a busca e não mais ficar sob qualquer influência – o que é imensamente difícil. A mente, enxergando a falsidade, colocou o falso completamente de lado, não sabendo o que é verdadeiro. Se você já sabe o que é verdadeiro, então está simplesmente trocando o que você considera falso pelo que imagina ser verdadeiro. Não há renúncia se você sabe o que vai receber em troca. Só há renúncia quando você faz algo sem saber o que vai acontecer. Esse estado de negação é completamente necessário. Por favor, siga isso atentamente, porque se você for longe demais verá que nesse estado de negação vai descobrir o que é verdadeiro; porque a negação é o esvaziamento da consciência do conhecido. Afinal, a consciência é baseada no conhecimento, na experiência, na herança racial, na memória, nas coisas que a pessoa experienciou. As experiências são sempre do passado, operando no presente, sendo modificadas pelo presente e continuando rumo ao futuro. Tudo isso é consciência, o verdadeiro depósito de séculos. Ela só tem sua utilidade na vida mecânica. Seria absurdo negar todo o conhecimento científico adquirido no passado. Mas para produzir uma mutação na consciência, uma revolução em toda a sua estrutura, precisa haver um completo vazio. E esse vazio só é possível quando há a descoberta, a visão real do que é falso. Então você verá, se tiver ido tão longe, que o próprio vazio produz uma completa revolução na consciência: ela aconteceu.

26 de outubro

A mudança deliberada
não é absolutamente mudança

Na própria ação da mudança individual, certamente o coletivo também vai mudar. Eles não são duas coisas separadas, opostas uma da outra, o indivíduo e o coletivo, embora alguns grupos políticos tentem separar os dois e obrigar o indivíduo a se adaptar ao chamado coletivo.

Se pudéssemos desvendar juntos todo o problema da mudança – como produzir uma mudança no indivíduo e o que essa mudança implica –, então, talvez no próprio ato da escuta, ao participar da investigação, poderia surgir uma mudança desprovida da sua volição. Para mim, uma mudança deliberada, compulsória, disciplinar, conformativa, não é, de maneira nenhuma, mudança. Força, influência, alguma nova invenção, propaganda, um medo, um motivo o impelem à mudança – isso não é mudança. E embora intelectualmente você possa concordar muito facilmente com isso, eu lhe asseguro que entender a fundo a natureza real da mudança sem um motivo é algo absolutamente extraordinário.

27 de outubro

Fora do campo do pensamento

Você mudou suas ideias, seu pensamento, mas o pensamento é sempre condicionado. Seja ele o pensamento de Jesus, de Buda, de X, Y ou Z, ele ainda é pensamento, e por isso pode estar em oposição a outro. Quando há oposição, um conflito entre dois pensamentos, o resultado é uma continuidade modificada do pensamento. Em outras palavras, a mudança está ainda dentro do campo do pensamento, e a mudança dentro do campo do pensamento não é, de maneira nenhuma, mudança. Uma ideia ou um conjunto de ideias foi meramente substituído por outro.

Ao enxergar todo esse processo, será possível deixar o pensamento e produzir uma mudança fora do campo do pensamento? Certamente, toda a consciência (do passado, do presente ou do futuro) está dentro do campo do pensamento. E qualquer mudança dentro desse campo, que estabelece os limites da mente, não é uma mudança real. Uma mudança radical só pode acontecer fora do campo do pensamento, não dentro dele, e a mente só pode deixar o campo quando ela enxerga os confins, os limites do campo, e entende que qualquer mudança dentro do campo não é mudança nenhuma. Essa é a verdadeira meditação.

28 de outubro

Mudança real

Uma mudança só é possível do conhecido para o desconhecido, não o contrário. Por favor, pense nisso junto comigo. Na mudança do conhecido para o conhecido há autoridade, uma perspectiva de vida hierárquica – "você sabe, mas eu não sei". Por isso, eu crio um sistema, vou atrás de um guru, sigo alguém porque ele me dá o que eu quero saber, uma certeza de conduta que produzirá resultado, sucesso. O sucesso é o conhecido. Eu sei o que é ser bem-sucedido. É isso o que eu quero. Então prosseguimos do conhecido para o conhecido, em que a autoridade precisa existir – a autoridade da sanção, do líder, do guru, a hierarquia, aquele que sabe e o outro que não sabe –, e aquele que sabe deve me garantir o sucesso, o sucesso em meu esforço, na mudança, para que eu seja feliz, eu tenha o que quero. Isso não é motivo para a mudança da maioria de nós? Por favor, observe seu próprio pensamento e verá os caminhos da sua própria vida e da sua própria conduta. Quando você olha para elas, isso é mudança? A mudança, a revolução, é algo do conhecido para o desconhecido, em que não há autoridade, em que pode haver um total fracasso. Mas se você está assegurado de que vai progredir, de que vai ser bem-sucedido, de que ficará feliz, terá uma vida eterna, então não há problema. Você busca o curso de ação conhecido, ou seja, você se coloca sempre no centro das coisas.

29 de outubro

Um ser humano pode mudar?

Uma pessoa devia perguntar a si mesma: "Tenho absoluta certeza de que alguém realmente muda?". Eu sei que as circunstâncias externas mudam: nós casamos, nos divorciamos, temos filhos, pessoas ao nosso redor morrem, surgem empregos melhores, a pressão de novas invenções etc. Externamente, há uma enorme revolução ocorrendo na cibernética e na automação. Devíamos nos questionar se isso tudo é possível para uma pessoa mudar, não em relação aos eventos externos, não uma mudança que seja uma mera repetição ou uma continuidade modificada, mas uma revolução radical, uma total mutação da mente. Quando alguém percebe, como deve ter percebido dentro de si mesmo, que ele realmente não muda, fica terrivelmente deprimido ou foge de si mesmo. Então surge a questão inevitável: pode haver, afinal, uma mudança? Voltamos a um período em que éramos jovens, e isso torna a voltar para nós. Há alguma mudança nos seres humanos? Você mudou? Talvez tenha havido uma modificação na superfície, mas você mudou profunda e radicalmente? Talvez não desejemos mudar porque nos sentimos muito confortáveis.

Eu quero mudar. Vejo que estou terrivelmente infeliz, deprimido, feio, violento, com um ocasional *flash* de alguma outra coisa além do mero resultado de um motivo; e exerço a minha vontade para fazer alguma coisa a respeito disso. Eu digo que devo ser diferente, abandonar esse ou aquele hábito, pensar de maneira diferente, agir de maneira diferente. Devo ser mais isto e menos aquilo. A pessoa faz um enorme esforço, mas, no fim, continua inferior, deprimida, feia, brutal, sem nenhum senso de qualidade. Então, pergunta a si mesmo se realmente existe a mudança. Um ser humano pode mudar?

30 de outubro

Transformação sem motivação

Como eu me transformo? Eu vejo a verdade – pelo menos, vejo alguma coisa nela – que uma mudança, uma transformação, deve ter início em um nível que a mente, tanto a consciente quanto a inconsciente, não pode alcançar, porque minha consciência como um todo está condicionada. Então, o que eu faço? Está claro o problema? Se eu apresentá-lo de maneira diferente, será que a minha mente, tanto a consciente quanto a inconsciente, pode se livrar da sociedade? A sociedade enquanto educação, cultura, norma, valores e padrões. Porque, se minha mente não for livre, quando surgir qualquer mudança, ela vai tentar organizar dentro desse estado condicionado, que continua limitado; ou seja, não haverá mudança nenhuma.

Então, posso olhar sem nenhum motivo? Minha mente pode existir sem nenhum incentivo, sem nenhum motivo para mudar ou não mudar? Como qualquer motivo é resultado da reação de uma cultura particular, ela nasce de uma origem particular. Então, minha mente consegue se livrar da cultura em que fui criado? Essa é realmente uma questão muito importante. Porque se a mente não se livrar da cultura em que foi criada, certamente o indivíduo nunca poderá estar em paz, nunca poderá ter liberdade. Seus deuses e mitos, seus símbolos e todos os seus esforços são limitados, pois eles ainda estão dentro do campo da mente condicionada. Quaisquer esforços que ele faça dentro daquele campo limitado são realmente inúteis no sentido mais profundo da palavra. Pode-se ornamentar uma prisão – fornecer mais luminosidade, mais janelas, comida melhor –, mas ainda será a prisão de determinada cultura.

31 de outubro

Uma revolução psicológica

Será possível para o pensador e o pensamento, para o observador e o observado serem um só? Você nunca descobrirá se simplesmente olhar de relance esse problema e superficialmente me pedir para explicar o que quero dizer com isto ou aquilo. Com certeza, isso é problema seu, não é apenas meu. Você não está aqui para descobrir como eu encaro esse problema ou os problemas do mundo. Essa constante batalha interior, que é tão destrutiva, tão deteriorante, é problema seu, não é? Assim como é produzir uma mudança radical em si mesmo e não estar satisfeito com revoluções superficiais na política, na economia, nas diferentes burocracias. Você não está tentando me entender ou entender a maneira como encaro a vida. Você está tentando entender a si mesmo, e esses são problemas seus que você tem de enfrentar. Ao considerá-los uma unidade, talvez seja possível observá-los com mais clareza, vê-los mais distintamente. Mas enxergar claramente apenas no nível verbal não é o suficiente. Isso não produz uma mudança psicológica criativa. Devemos ir além das palavras, além de todos os símbolos e de suas sensações...

Devemos pôr de lado tudo isso e ir à questão central: como dissolver o "eu", que está vinculado ao tempo, em que não há amor nem compaixão. Só é possível ir além quando a mente não se separa, como o pensador e o pensamento. Somente quando o pensador e o pensamento são um só há o silêncio, o silêncio em que não há a construção de imagens ou a espera de experiência adicional. Nesse silêncio não há o experimentador, e somente dessa maneira há uma revolução psicológica criativa.

Novembro

Viver

Morrer

Renascimento

Amor

1 de novembro

Rompendo hábitos

Vamos descobrir como entender todo esse processo de formação e rompimento de hábitos. Tomemos o exemplo do cigarro (mas você pode substitui-lo por seus próprios hábitos, seu próprio problema particular e experienciar seu próprio problema diretamente como estou experienciando o problema do cigarro). O cigarro se torna um problema quando quero abandoná-lo; enquanto estou satisfeito com ele, não é um problema. O problema surge quando tenho de fazer algo em relação a determinado hábito, quando o hábito se torna um incômodo. Fumar se tornou um problema, então quero me livrar dele. Quero parar de fumar. Desse modo, minha abordagem é resistir ou condenar. Ou seja, não quero fumar, então minha abordagem é suprimir o hábito, condená-lo ou encontrar um substituto para ele – em vez de fumar, vou mascar chiclete. Será que consigo encarar o problema sem condenação, justificação ou supressão? Será que consigo encarar o hábito de fumar sem algum sentido de rejeição? Tente experimentar isso agora, enquanto estou falando, e verá como é extraordinariamente difícil não rejeitá-lo ou aceitá-lo. Porque toda a nossa tradição, todo o nosso passado, nos impele a rejeitar ou justificar, em vez de ser curioso a respeito do hábito. Em vez de ser um observador passivo, a mente sempre opera sobre o problema.

2 de novembro

Viva as quatro estações em um dia

Não é essencial que deva haver uma renovação constante, um renascimento? Se o presente está sobrecarregado com a experiência do ontem, não pode haver renovação. A renovação não é a ação do nascimento e da morte; está além dos opostos; somente a liberdade da acumulação da memória traz a renovação, e não há entendimento salvo no presente.

A mente só pode entender o presente se não compará-lo, julgá-lo; o desejo de alterar ou condenar o presente sem entendê-lo dá continuidade ao passado. Só compreendendo o reflexo do passado no espelho do presente, sem distorção, haverá renovação...

Se você viveu uma experiência integralmente, não descobriu que ela não deixa traços? Só a experiência incompleta deixa sua marca, dando continuidade à memória autoidentificada. Consideramos o presente como um meio para atingir um fim, e assim o presente perde seu imenso significado. O presente é o eterno. Mas como uma mente que é composta, reunida, pode entender aquilo que não seja reunido, aquilo que está além de todo valor, do eterno?

No surgir de cada experiência, viva-a da maneira mais integral e profunda possível. Analise-a, sinta-a extensiva e profundamente, esteja consciente do seu sofrimento e do seu prazer, de seus julgamentos e identificações. Só quando a experiência é completada há uma renovação. Devemos ser capazes de viver as quatro estações em um dia; estar intensamente conscientes, experienciar, entender e estar livres dos acúmulos de cada dia.

3 de novembro

Criatividade anônima

Queremos ser famosos como um escritor, um poeta, um pintor, um político, um cantor etc. Por quê? Porque realmente não amamos o que estamos fazendo. Se você adorasse cantar, ou pintar, ou escrever poemas – se realmente adorasse isso –, não estaria preocupado com o fato de ser famoso. Querer fama é de mau gosto, trivial, estúpido, não tem significado. Mas como não amamos o que estamos fazendo, queremos nos enriquecer com a fama. Nossa educação é podre porque nos ensina a amar o sucesso e não o que estamos fazendo. O resultado se tornou mais importante do que a ação.

É bom manter seu brilho escondido, ser anônimo, amar o que está fazendo e não exibi-lo. É bom ser gentil sem um nome. Isso não o torna famoso, não faz com que sua fotografia apareça nos jornais. Os políticos não vêm até sua porta. Você é apenas um ser humano criativo vivendo anonimamente, e nisso está a riqueza e a grande beleza.

4 de novembro

Técnicas vazias

Não é possível conciliar a criatividade com a realização técnica. Você pode ser perfeito tocando piano, mas não ser criativo; você pode tocar piano da maneira mais brilhante, mas não ser um músico. Você pode ser habilidoso com cores, com a tinta numa tela, mas não ser um pintor criativo. Você pode criar um rosto, uma imagem a partir de uma pedra porque aprendeu a técnica, mas não ser um mestre criador. A criação vem primeiro, não a técnica, e é por isso que somos infelizes durante nossa vida toda. Sabemos a técnica – como levantar uma casa, construir uma ponte, montar um motor, educar os filhos –, mas nossos corações e mentes estão vazios. Somos máquinas de primeira classe: sabemos como atuar da maneira mais bela, mas não amamos uma coisa viva. Você pode ser um bom engenheiro, um bom pianista ou um bom escritor, mas a criatividade não é encontrada por meio da técnica. Se você tem algo a dizer, cria seu próprio estilo; mas quando não tem nada a dizer, mesmo que tenha um belo estilo, o que escreve é apenas a rotina tradicional, uma repetição em novas palavras da mesma coisa velha.

Então, tendo perdido a canção, buscamos o cantor. Aprendemos com o cantor a técnica da canção, mas não há canção, e eu digo que a canção é essencial, a alegria de cantar é essencial. Quando a alegria está aqui, a técnica pode ser construída do nada; você vai inventar sua própria técnica, não precisará estudar elocução ou estilo. Quando você tem, você vê, e a própria visão da beleza é uma arte.

5 de novembro

Saiba quando não cooperar

Os reformadores – políticos, sociais e religiosos – só causarão mais tristeza ao homem, a menos que o homem entenda o funcionamento da sua própria mente. No entendimento do processo total da mente há uma revolução radical, interior, e dessa revolução interior brota a ação da verdadeira cooperação, que não é a cooperação com um padrão, com a autoridade, com alguém que "sabe". Quando você sabe como cooperar porque existe essa revolução interna, então também vai saber quando não cooperar, o que é, na verdade, muito importante – talvez até mais importante. Atualmente, cooperamos com qualquer pessoa que ofereça uma reforma, uma mudança, o que só perpetua o conflito e a infelicidade. Mas se conseguirmos saber o que é ter o espírito da cooperação que surge com o entendimento do processo total da mente e em que há a libertação do *self*, então há uma possibilidade de criar uma nova civilização, um mundo totalmente diferente em que não haja consumismo, inveja, comparação. Isso não é uma utopia teórica, mas o estado real da mente que está constantemente investigando e em busca daquilo que é verdadeiro e abençoado.

6 de novembro

Por que o crime existe?

Veja, existe uma revolta dentro do padrão da sociedade, ou uma revolução completa fora da sociedade? A revolução completa fora da sociedade é o que eu chamo de revolução religiosa. Qualquer revolução que não seja religiosa está dentro da sociedade, e por isso não é revolução nenhuma, apenas uma continuação modificada do velho padrão. O que acontece no mundo todo é revolta dentro da sociedade, e essa revolta, com frequência, assume a forma do que é chamado de crime. É provável que esse tipo de revolta exista enquanto a nossa educação estiver preocupada apenas em treinar a juventude para se adequar à sociedade – ou seja, conseguir um emprego, ganhar dinheiro, consumir, ter posses, se adaptar.

É isso que a chamada educação está fazendo, ensinando o jovem a se adaptar, religiosa, moral e economicamente, de maneira tão natural que sua revolta deixou de ter significado, deve ser reprimida, reformada ou controlada. Essa revolta ainda está dentro da estrutura da sociedade, e por isso não é absolutamente criativa. Mas a partir da educação correta podemos criar um entendimento diferente, ajudar a libertar a mente de todo condicionamento – ou seja, encorajar o jovem a ser consciente das muitas influências que condicionam a mente e a fazem se adaptar.

7 de novembro

O propósito da vida

Há muitas pessoas que lhe darão o propósito da vida; elas lhe dirão o que os livros sagrados dizem. Pessoas inteligentes prosseguirão inventando qual é o propósito da vida. O grupo político terá um propósito, o religioso terá outro propósito, e assim por diante. Diante dessa confusão, qual é, afinal, o propósito da vida? Quando estou confuso, eu lhe faço esta pergunta: "Qual é o propósito da vida?", porque espero que por meio dessa confusão eu encontre uma resposta. Como posso encontrar uma resposta verdadeira quando estou tão confuso? Você entende? Se eu estou confuso, só posso receber uma resposta, que também será confusa. Se a minha mente está confusa, perturbada, se a minha mente não é bela ou quieta, qualquer resposta que eu receba virá por meio desse filtro de confusão, ansiedade e medo; por isso, a resposta será pervertida. Então, o importante não é perguntar: "Qual é o propósito da vida, da existência?", mas acabar com a confusão que está dentro de você. É como um homem cego que pergunta: "O que é a luz?". Se eu lhe digo o que é a luz, ele vai ouvir de acordo com a sua cegueira, de acordo com a sua escuridão. Mas suponhamos que esse indivíduo seja capaz de ver, então ele nunca fará essa pergunta, pois a luz existe para ele.

Portanto, se você conseguir esclarecer a confusão dentro de si mesmo, descobrirá qual é o propósito da vida. Você não terá de perguntar ou buscar por ele. Tudo o que tem a fazer é se libertar das causas que geram confusão.

8 de novembro

Viva neste mundo anonimamente

Não é possível viver neste mundo sem ambição, sendo apenas o que você é? Se você começar a entender o que é sem tentar mudar, então o que você é vai sofrer uma transformação. Uma pessoa pode viver neste mundo anonimamente. Pode-se viver muito feliz quando nenhuma importância é dada ao *self*, e isso também é parte da educação certa.

O mundo todo adora o sucesso. Você escuta histórias de como o menino pobre estudava à noite e então se tornou um juiz ou como ele começou vendendo jornais e terminou milionário. Você é alimentado na glorificação do sucesso. Com a obtenção de um grande sucesso vem também uma grande tristeza; mas a maioria de nós é capturada no desejo de realização, e o sucesso é muito mais importante para nós do que o entendimento e a dissolução da tristeza.

9 de novembro

Apenas uma hora
para viver

Se você tivesse apenas uma hora para viver, o que faria? Não organizaria o que é necessário externamente, seus negócios, seu testamento etc.? Não chamaria sua família e reuniria os amigos e lhes perdoaria por qualquer dano que eles possam lhe ter causado? Não morreria completamente para as coisas da mente, para os desejos e para o mundo? Se isso pode ser feito durante uma hora, então também pode ser feito nos dias e anos que lhe restam... Experimente e descobrirá.

10 de novembro

Morra todos os dias

O que é a idade? É o número de anos que você viveu? Isso é parte da idade: você nasceu em determinado ano, e agora tem quinze, quarenta ou sessenta anos de idade. Seu corpo envelhece, e também a sua mente, quando ela está sobrecarregada com todas as experiências, infelicidades e desgastes da vida. Essa mente nunca poderá descobrir o que é a verdade. A mente só pode descobrir quando ela é jovem, fresca, inocente; mas a inocência não é uma questão de idade. Não é apenas a criança que é inocente – ela pode não ser –, mas a mente que é capaz de experienciar sem acumular o resíduo da experiência. A mente deve experienciar, isso é inevitável. Ela deve reagir a tudo: ao rio, ao animal doente, ao corpo morto sendo carregado para ser cremado, aos aldeões pobres que carregam suas cargas ao longo da estrada, às torturas e às misérias da vida. Do contrário, ela já está morta, mas deve ser capaz de reagir sem ser dominada pela experiência. É a tradição, o acúmulo de experiências, as cinzas da memória que envelhecem a mente. A mente que morre todos os dias para as memórias de ontem, para todas as alegrias e tristezas do passado – essa mente é fresca, inocente, não tem idade. Sem essa inocência, independentemente de você ter dez ou sessenta anos, você não encontrará Deus.

11 de novembro

Sinta o estado da morte

temos medo de morrer. Para pôr fim ao medo da morte precisamos entrar em contato com ela, não com a imagem que o pensamento criou, mas precisamos realmente sentir o estado da morte. Do contrário, o medo não terá fim, porque a palavra *morte* cria medo, e nem sequer queremos falar sobre ela. Se formos saudáveis, normais, com a capacidade de raciocinar com clareza, de pensar objetivamente, de observar, será possível entrarmos totalmente em contato com o fato? Nosso organismo inevitavelmente vai morrer. Se formos saudáveis, queremos descobrir o que a morte significa. Esse não é um desejo mórbido, porque talvez possamos entender a vida por meio da morte. A vida como é agora é tortura, uma desordem sem fim, uma contradição, e por isso há conflito, miséria e confusão. A ida cotidiana ao escritório, a repetição do prazer, a ansiedade, o andar às cegas, a incerteza – é isso que chamamos de vida. Nós nos acostumamos com esse tipo de vida. Aceitamos, envelhecemos com isso e morremos.

Para descobrir o que é a vida, assim como para descobrir o que é a morte, precisamos entrar em contato com a morte. Ou seja, devemos concluir todos os dias tudo o que conhecemos. Devemos pôr fim à imagem que construímos sobre nós mesmos, sobre a nossa família, sobre nosso relacionamento, à imagem que construímos por meio do prazer, do nosso relacionamento com a sociedade etc. É isso que vai acontecer quando a morte ocorrer.

12 de novembro

Medo da morte?

Por que você tem medo da morte? Talvez seja porque não sabe como viver? Se você soubesse como viver plenamente, será que temeria a morte? Se você amasse as árvores, o pôr do sol, os pássaros, a folha caindo, se estivesse ciente dos homens e das mulheres chorando, das pessoas pobres e realmente sentisse amor em seu coração, teria medo da morte? Teria? Não se convença por minha causa. Vamos pensar sobre isso juntos. Você não vive com alegria, não é feliz, não é sensível às coisas: é por isso que pergunta o que vai acontecer quando você morrer? A vida pra você é tristeza, e por isso está muito mais interessado na morte. Você acha que talvez haja felicidade após a morte. Mas esse é um problema enorme, e eu não sei se você quer se aprofundar nele. Afinal, o medo está no fundo de tudo isso – o medo de morrer, de amar, do sofrimento. Se você não consegue entender o que lhe causa medo e se livrar dele, então não importa muito se você está vivo ou morto.

13 de novembro

Estou com medo

Minha indagação agora é como ficar livre do medo do conhecido, que é o medo de perder minha família, minha reputação, meu caráter, minha conta bancária, meus desejos etc. Você pode dizer que o medo vem da consciência; mas a sua consciência é formada por seu condicionamento, então a consciência é resultado do conhecido. O que eu sei? Conhecimento é ter ideias, ter opiniões sobre as coisas, ter uma sensação de continuidade em relação ao conhecido, e nada mais.

Há o medo da dor. A dor física é uma resposta nervosa, mas a dor psicológica ocorre quando eu me apego a coisas que me dão satisfação, porque temo qualquer um ou qualquer coisa que possa tirá-las de mim. As acumulações psicológicas impedem a dor psicológica enquanto elas estiverem intocadas; ou seja, eu sou um punhado de acumulações, experiências, que impedem qualquer forma de perturbação – e não quero ser perturbado. Por isso, temo qualquer um que as perturbe. Assim, meu medo é do conhecido: temo as acumulações, físicas ou psicológicas, que reuni como forma de afastar a dor ou impedir a tristeza... O conhecimento também ajuda a impedir a dor. Assim como o conhecimento médico ajuda a evitar a dor física, as crenças ajudam a evitar a dor psicológica, e por isso tenho medo de perder minhas crenças, embora eu não tenha um conhecimento perfeito ou uma prova concreta da realidade dessas crenças.

14 de novembro

Só aquilo que morre pode se renovar

Quando falamos de uma entidade espiritual, estamos nos referindo, obviamente, àquilo que não está dentro do campo da mente. O "eu" é uma entidade espiritual? Se ele é uma entidade espiritual, deve estar além de todo o tempo; por isso, não pode ser renascido ou continuado. O pensamento não pode pensar sobre ele porque ele chega dentro da medida do tempo. O pensamento vem de ontem, é um movimento contínuo, a resposta do passado. Então, é essencialmente um produto do tempo. Se o pensamento pode pensar sobre o "eu", então ele é parte do tempo; por isso, esse "eu" não está isento de tempo, e por isso não é espiritual – o que é óbvio. O "eu", o "você" são apenas um processo do pensamento. E você quer saber se esse processo de pensamento, ainda separado do corpo físico, nasce de novo, é reencarnado em uma forma física. Aquilo que continua pode em algum momento descobrir o real, que está além do tempo e da medida. Esse "eu", essa entidade que é um processo do pensamento, pode algum dia ser novo? Se não pode, então deve haver um fim para o pensamento. Não é algo que continua inerentemente destrutivo? Aquilo que tem continuidade nunca pode se renovar. Enquanto o pensamento continuar a existir por meio da memória, do desejo, da experiência, ele nunca poderá se renovar; por isso, aquilo que é continuado não pode conhecer o real. Você pode renascer mil vezes, mas nunca poderá conhecer o real, pois somente aquilo que morre, que chega a um fim, pode se renovar.

15 de novembro

Morrer sem discussão

Você sabe o que significa entrar em contato com a morte, morrer sem discussão? Porque a morte, quando chega, não discute com você. Para encontrá-la, você tem de morrer todos os dias para tudo: para sua agonia, para sua solidão, para o relacionamento ao qual você se apega; você tem de morrer para o seu pensamento, morrer para o seu hábito, morrer para o seu cônjuge para poder parecer renovado para ele; tem de morrer para a sociedade para que você esteja novo, fresco, jovem. Mas você não pode encontrar a morte se não morrer todos os dias. Só quando você morre existe o amor. Uma mente amedrontada não tem amor – ela tem hábitos, tem simpatia, pode se obrigar a ser boa e superficialmente atenciosa. Mas o medo gera a tristeza, e a tristeza é tempo, como o pensamento.

Pôr fim à tristeza é entrar em contato com a morte enquanto se está vivo, morrendo para o seu nome, para a sua casa, para a sua propriedade, para a sua causa, a fim de ser novo, jovem, claro e poder enxergar as coisas como elas são sem nenhuma distorção. É isso que vai acontecer quando você morrer. Mas temos uma morte limitadamente física. Sabemos muito bem, do ponto de vista lógico, sadio, que o organismo vai morrer. Então inventamos uma vida de agonia e insensibilidade diárias, de aumento dos problemas e sua estupidez. Essa vida nós queremos levar adiante. O que chamamos de "alma", que dizemos ser a coisa mais sagrada, uma parte do divino, mas é ainda parte do seu pensamento e, por isso, não tem nada a ver com divindade, é a sua vida!

Então, temos de viver cada dia morrendo, morrendo porque estamos em contato com a vida.

16 de novembro

Na morte há imortalidade

Certamente, no fim há renovação, não é? Só na morte uma coisa nova passa a existir. Não vou lhe dar conforto. Isso não é algo para se acreditar, pensar a respeito ou intelectualmente examinar e aceitar, porque, dessa maneira, você o transformará em outro conforto, como acredita em reencarnação ou continuidade na vida após a morte etc. O fato é que aquilo que continua não tem renascimento, não tem renovação. Por isso, morrer a cada dia significa renovação, renascimento. Isso é imortalidade. Na morte há imortalidade – não a morte que você teme, mas a morte de conclusões prévias, memórias, experiências, com as quais você é identificado como o "eu". Na morte do "eu" há eternidade a cada minuto, há uma coisa a ser experienciada – não especulada ou transmitida em uma palestra, como se faz sobre a reencarnação e assuntos relacionados...

Quando você não está mais temeroso, porque a todo minuto há um fim e, portanto, uma renovação, então você está aberto para o desconhecido. A realidade é o desconhecido. A morte é também o desconhecido. Mas ao chamar a morte de bela, ao dizer como ela é maravilhosa porque vamos continuar na vida após a morte e toda essa bobagem, não existe realidade. A realidade é enxergar a morte como ela é – uma finalização na qual há uma renovação, um renascimento, não uma continuidade. Porque aquilo que continua se deteriora, e aquilo que tem o poder de se renovar é eterno.

17 de novembro

A reencarnação é essencialmente egoísta

Você quer que eu lhe dê uma garantia de que viverá outra vida, mas nisso não há felicidade ou sabedoria. A busca por imortalidade por meio da reencarnação é essencialmente egoísta, e por isso não é verdadeira. Sua busca por imortalidade é apenas outra forma do desejo de continuação das reações de autodefesa contra a vida e a inteligência. Tal anseio só pode conduzir à ilusão. Então, o que importa não é se há reencarnação, mas cumprir o que se deve fazer no presente. E você só consegue fazer isso quando sua mente e seu coração não estão mais se protegendo contra a vida. A mente é perspicaz e sutil em sua autodefesa, e deve discernir sozinha a natureza ilusória da autoproteção. Isso significa que você precisa pensar e agir de maneira completamente nova. Precisa se libertar da rede de falsos valores que o ambiente lhe impôs. Deve haver uma nudez absoluta. Então haverá a imortalidade, a realidade.

18 de novembro

O que é reencarnação?

Vamos descobrir o que você entende por reencarnação – a verdade dela, não aquilo em que você gosta de acreditar, o que alguém lhe disse ou aquilo que seu professor ensinou. Certamente, é a verdade que liberta, não sua própria conclusão, sua própria opinião... Quando você diz "Eu renascerei", precisa saber o que é o "eu"... O "eu" é uma entidade espiritual, algo que continua, algo independente da memória, da experiência, do conhecimento? Ou o "eu" é uma entidade espiritual ou é apenas um processo do pensamento. Ou ele é algo fora do tempo, que chamamos de espiritual e não é mensurável ou está dentro do campo do tempo, do campo da memória, do pensamento. Ele não pode ser outra coisa. Vamos descobrir se ele está além da medição do tempo. Espero que você esteja acompanhando tudo isso. Vamos descobrir se o "eu" é, em essência, algo espiritual. Por "espiritual" refiro-me a algo que não é capaz de ser condicionado, não é a projeção da mente humana, não está dentro do campo do pensamento, não morre. Quando falamos de uma entidade espiritual, estamos obviamente nos referindo a algo que não está dentro do campo da mente. O "eu" é esse tipo de entidade espiritual? Se ele é uma entidade espiritual, deve estar além do tempo; por isso, não pode ser renascido ou continuado... Aquilo que tem continuidade nunca pode se renovar. Enquanto o pensamento continuar a existir por meio da memória, do desejo, da experiência, ele não poderá nunca se renovar. Por isso, aquilo que perpetua não pode conhecer o real.

19 de novembro

Existe essa coisa chamada alma?

Para entender a questão da morte, devemos nos livrar do medo, que inventa diversas teorias de vida após a morte, imortalidade ou reencarnação. Diz-se que existe reencarnação, um renascimento, uma renovação constante sempre acontecendo – o que se chama de alma.

Existe tal coisa? Gostamos de pensar que ela existe porque nos dá prazer, porque isso é algo que colocamos além do pensamento, das palavras, além de tudo. É coisa eterna, espiritual, que nunca pode morrer, e assim o pensamento se apega a ela. Mas será que existe essa coisa chamada alma, algo além do tempo, do pensamento, algo que não é inventado pelo homem, que está além da natureza do homem, que não foi formado por uma mente perspicaz? Porque a mente enxerga essa enorme incerteza, confusão, nada permanente na vida – nada. O relacionamento com seu parceiro, com seu trabalho: nada é permanente. E assim a mente inventa algo que é permanente, que ela chama de alma. Mas como a mente pode pensar sobre ela, como o pensamento pode pensar sobre ela, a mente ainda está no campo do tempo. Se eu posso pensar sobre algo, isso faz parte do meu pensamento. E o meu pensamento é o resultado do tempo, da experiência, do conhecimento. Então, a alma ainda está dentro do campo do tempo.

Assim, a ideia da continuidade de uma alma que renascerá é inconcebível, porque ela é a invenção de uma mente amedrontada, de uma mente que quer perpetuar, quer a certeza, porque nela há esperança.

20 de novembro

O que você entende por carma?

O carma implica causa e efeito, não é? A ação baseada na causa, produzindo certo efeito; a ação nascida do condicionamento, produzindo mais resultados. Então, o carma implica causa e efeito. Mas a causa e o efeito são estáticos, a causa e o efeito são sempre fixos? O efeito também não se torna causa? Então, não há causa nem efeito fixos. O hoje é resultado do ontem, não é? O hoje é resultado do ontem, tanto cronológica quanto psicologicamente, e o hoje é a causa do amanhã. Então, a causa é efeito, e o efeito se torna causa – é um movimento cíclico..., não há causa nem efeito fixos. Se houvesse uma causa e um efeito fixos, haveria especialização, e a especialização não é a morte? Qualquer espécie que se especialize obviamente chega a um fim. A grandeza do homem é que ele não pode se especializar. Ele pode se especializar tecnicamente, mas, na estrutura, ele não pode se especializar. Uma semente de noz é especializada – ela não pode ser nada além do que é. Mas o ser humano não termina completamente. Há a possibilidade de uma constante renovação, ele não é limitado pela especialização. Enquanto encararmos a causa, a origem e o condicionamento como não relacionados ao efeito, haverá conflito entre o pensamento e a origem. O problema é muito mais complexo do que acreditar ou não em reencarnação ou carma, porque a questão é como agir. A crença nessas duas coisas é absolutamente irrelevante.

21 de novembro

Ação baseada na ideia

A ação pode algum dia produzir a libertação da cadeia de causa e efeito? Eu fiz algo no passado; tive uma experiência, o que obviamente condiciona o meu hoje, o qual, por sua vez, condiciona o amanhã. Esse é todo o processo do carma: causa e efeito. Obviamente, embora possa temporariamente proporcionar prazer, esse processo de causa e efeito conduz ao sofrimento. Esse é o verdadeiro cerne da questão. O pensamento pode ser livre? O pensamento ou a ação que são livres não produzem sofrimento nem ocasionam condicionamento. Esse é o ponto fundamental de toda essa questão. Então, pode haver uma ação não relacionada ao passado? Pode haver uma ação não baseada em uma ideia? A ideia é a continuação do ontem de maneira modificada, e essa continuação condicionará o amanhã, o que significa que a ação baseada na ideia nunca pode ser livre. Enquanto a ação for baseada na ideia, ela inevitavelmente produzirá mais conflito. A ação pode não estar relacionada com o passado? Pode haver ação sem a carga da experiência, do conhecimento do ontem? Enquanto a ação for o resultado do passado, a ação nunca poderá ser livre, e somente na liberdade é possível descobrir o que é verdadeiro. O que acontece é que, quando a mente não está livre, ela não pode agir, apenas reagir, e a reação é a base da nossa ação. A nossa ação não é ação, somente a continuação da reação, porque ela é o resultado da memória, da experiência do ontem. Portanto, a questão é a seguinte: pode a mente se livrar do seu condicionamento?

22 de novembro

Amor não é prazer

Sem o entendimento do prazer você nunca será capaz de entender o amor. Amor não é prazer. Amor é algo inteiramente diferente. E para entender o prazer, você tem de aprender sobre ele. Para a maioria de nós, o sexo é um problema. Por quê? Como você não é capaz de resolvê-lo, você foge dele. O *sannyasi*[7] foge do sexo fazendo um voto de celibato, negando-o. Por favor, veja o que acontece com uma mente assim. Negando algo que é parte de toda a sua estrutura – o organismo –, suprimindo-o, o indivíduo se torna árido, e há uma constante batalha sendo travada dentro dele.

Aparentemente, temos apenas duas maneiras de enfrentar qualquer problema: reprimir ou fugir dele. Repressão é a mesma coisa que fuga. E temos toda uma rede de fugas – muito intrincadas, intelectuais, emocionais –, assim como nossas atividades rotineiras. O *sannyasi* foge do problema de uma maneira, mas não o resolve; ele o reprime fazendo um voto, e todo o problema permanece fervendo dentro dele. Ele pode vestir o manto externo da simplicidade, mas esta se torna uma questão extraordinária para ele, como é para o homem que vive uma vida corriqueira. Como você resolve esse problema?

---

7 *Sannyasi*, de modo geral, se aplica a uma pessoa que abandona todo interesse mundano, dedicando-se exclusivamente ao verdadeiro encontro com o *self*. (N. T.)

23 de novembro

O amor não é cultivado

O amor não deve ser cultivado. O amor não pode ser dividido em divino e físico: é apenas amor, não importa se você ama muitos ou um só. Essa também é uma pergunta absurda de se fazer: "Você ama todos?". Uma flor que tem perfume não está preocupada com quem vai ou não cheirá-la. Assim é o amor. O amor não é uma memória. O amor não é uma coisa da mente ou do intelecto. Mas ele passa a existir naturalmente como a compaixão quando todo o problema da existência – como o medo, a ambição, a inveja, o desespero, a esperança – tiver sido entendido e resolvido. Um homem ambicioso não consegue amar. Um homem ligado à sua família não sente amor. O ciúme também não tem nada a ver com o amor. Quando você diz: "Eu amo meu cônjuge", você na verdade não quer dizer isso, porque no momento seguinte já está sentindo ciúmes dele.

O amor implica uma grande liberdade, não tem a ver com o que você gosta. Mas o amor surge apenas quando a mente está muito quieta, desinteressada, não autocentrada. Estes não são ideais. Se você não sente amor, faça o que deseja, procure todos os deuses da Terra, faça todas as atividades sociais, tente reformar a pobreza, a política, escrever livros, poemas: você é um ser humano morto. Sem amor, seus problemas vão aumentar, multiplicar interminavelmente. Por outro lado, com amor, faça o que quiser, não haverá risco, não haverá conflito. O amor é a essência da virtude. E uma mente fora do estado de amor não é, de maneira nenhuma, uma mente religiosa. Somente a mente religiosa está liberta dos problemas, somente essa conhece a beleza do amor e da verdade.

24 de novembro

O amor sem incentivo

O que é o amor sem motivo? Pode haver amor sem nenhum incentivo, sem o desejo por algo? Pode haver amor sem que haja a sensação de ser ferido quando ele não é retribuído? Se eu lhe ofereço a minha amizade e você a rejeita, eu não fico ferido? Essa sensação de ser ferido é resultado de amizade, generosidade ou compreensão? Certamente, enquanto eu me sentir ferido, enquanto houver medo, enquanto eu lhe ajudar esperando que você possa me ajudar, não existirá amor.

Se você entende isso, então tem a resposta.

25 de novembro

O amor é perigoso

Como o homem pode viver sem amor? Podemos existir, mas a existência sem amor é controle, confusão e sofrimento – e isso é o que a maioria de nós está criando. Nós nos organizamos para a existência e aceitamos o conflito como inevitável porque a nossa existência é uma demanda incessante por poder. Certamente, quando amamos, a organização tem seu próprio lugar; mas, sem amor, a organização se torna um pesadelo, meramente mecânica e eficiente, como o exército. Contudo, como a sociedade moderna é baseada na mera eficiência, nós temos exércitos – e o propósito de um exército é criar a guerra. Mesmo na chamada paz, quanto mais intelectualmente eficientes nós formos, mais cruéis, brutais e insensíveis nos tornaremos. Por isso há confusão no mundo, por isso a burocracia é cada vez mais poderosa, por isso cada vez mais governos estão se tornando totalitários. Nós nos sujeitamos a tudo isso como se fosse inevitável, porque vivemos em nossos cérebros e não em nossos corações, e por isso o amor não existe. O amor é o elemento mais perigoso e incerto da vida, e como não queremos estar em perigo, vivemos na mente. Um homem que ama é perigoso, e não queremos viver perigosamente; queremos viver eficientemente, apenas na estrutura da organização, porque achamos que as organizações vão proporcionar ordem e paz no mundo. As organizações nunca produziram ordem e paz. Só o amor, a boa vontade e a compaixão podem proporcionar ordem e paz.

26 de novembro

Qual é a sua reação?

Quando você observa aquelas pobres mulheres carregando uma sacola pesada até o mercado ou vê crianças camponesas brincando na lama sem qualquer outra coisa para brincar, que não terão a educação que você recebe nem possuem casa própria, hábitos de higiene, roupas suficientes e alimentação adequada – quando você observa tudo isso, qual é a sua reação? É muito importante descobrir por si mesmo qual é a sua reação. Vou lhe dizer qual era a minha.

Essas crianças não têm lugar adequado para dormir; o pai e a mãe estão ocupados o dia inteiro, sem um dia sequer de folga, as crianças nunca sabem o que é serem amadas, cuidadas; os pais nunca se sentam com elas e lhes contam histórias sobre a beleza da terra e do céu. Que tipo de sociedade é essa que produziu essas circunstâncias: pessoas imensamente ricas que têm tudo o que querem na Terra e, ao mesmo tempo, meninos e meninas que não têm nada? Que tipo de sociedade é essa, e como ela passou a existir? Você pode revolucionar, romper o padrão dessa sociedade, mas a partir do próprio rompimento dela nasce uma nova, que é igual, ainda que de forma diferente – os comissários com suas casas especiais no campo, os privilégios, os uniformes etc. E isso aconteceu após as revoluções, a Francesa, a Russa e a Chinesa. Será possível criar uma sociedade em que toda essa corrupção e miséria não existam? Ela só pode ser criada quando você e eu rompermos com o coletivo, quando estivermos livres da ambição e soubermos o que significa amar. Essa foi toda a minha reação, num instante.

27 de novembro

Compaixão não é a palavra

O pensamento não pode, por qualquer meio que seja, cultivar a compaixão. Não uso a palavra *compaixão* para significar a antítese do ódio ou da violência. A menos que cada um de nós tenha um profundo senso de compaixão, vamos nos tornar cada vez mais brutais e desumanos uns com os outros. Teremos mentes mecânicas como os computadores, que foram treinadas para realizar somente determinadas funções; iremos em busca de segurança, tanto física quanto psicológica, e perderemos a profundidade e a beleza extraordinárias, todo o significado da vida.

Por compaixão não me refiro a uma coisa que possa ser adquirida. Não se trata da palavra, que é meramente do passado, mas algo que faz parte do presente ativo. É o verbo, não a palavra, o nome ou o substantivo. Há uma diferença entre o verbo e a palavra. O verbo é do presente ativo, enquanto a palavra é sempre do passado e, por isso, é estática. Você pode dar vitalidade ou movimento ao nome, à palavra, mas ela não é a mesma coisa que o verbo, que é ativamente presente...

Compaixão não é sentimento; não é essa vaga simpatia ou empatia. A compaixão não é algo que você pode cultivar por meio do pensamento, da disciplina, do controle, da supressão, não sendo bondoso, educado, gentil etc. A compaixão só passa a existir quando o pensamento chegou ao fim em sua própria raiz.

28 de novembro

Compaixão e bondade

Será que a compaixão, esse senso de bondade, esse sentimento da sacralidade da vida sobre o qual já falamos, será que esse sentimento pode passar a existir por meio da compulsão? Certamente, quando há qualquer forma de compulsão, quando existe propaganda ou moralização, não há compaixão, nem há compaixão quando a mudança é produzida simplesmente quando se vê a necessidade de enfrentar o desafio tecnológico de tal maneira que os seres humanos permaneçam seres humanos e não se tornem máquinas. Portanto, deve haver uma mudança sem nenhuma causalidade. Uma mudança provocada pela causalidade não é compaixão, é apenas produto do mercado. E isso é um problema.

Outro problema é: se eu mudar, como isso afetará a sociedade? Ou eu não estou nem um pouco preocupado com isso? Porque a vasta maioria das pessoas não está interessada naquilo que estamos falando – nem você, se estiver ouvindo por curiosidade ou por algum tipo de impulso, esquecendo tudo logo depois. As máquinas estão progredindo tão rapidamente que a maioria dos humanos está simplesmente indo em frente, incapazes de enfrentar a vida com o enriquecimento do amor, com compaixão, com um sentimento profundo. Se eu mudar, como isso irá afetar a sociedade? A sociedade não é uma entidade mítica extraordinária, é o relacionamento entre indivíduos, e se dois ou três de nós mudarmos, como isso afetará o resto do mundo? Ou será que há uma maneira de afetar a mente total do homem?

Ou seja, será que existe um processo pelo qual o indivíduo que é modificado consiga tocar o inconsciente do homem?

29 de novembro

Transmitir compaixão

Se estou preocupado com a compaixão, com o amor, com o sentimento real de algo sagrado, como esse sentimento deve ser transmitido? Se eu o transmito através do microfone, do maquinário da propaganda, e assim convenço outro, o coração desse indivíduo continuará vazio. A chama da ideologia vai operar, e ele vai simplesmente repetir, como todos estão repetindo que devemos ser afáveis, bondosos, livres – toda a bobagem que os políticos, os socialistas e o resto deles falam. Então, vendo que qualquer forma de compulsão, por mais sutil que seja, não produz beleza, florescimento da bondade, da compaixão, o que o indivíduo pode fazer?

Qual é o relacionamento entre o homem com esse senso de compaixão e aquele cuja mente está entrincheirada no coletivo, no tradicional? Como vamos encontrar o relacionamento entre esses dois, não teoricamente, mas verdadeiramente?

Aquele que se conforma nunca poderá florescer em bondade. Deve haver liberdade, e a libertação só surge quando você entende todo o problema da inveja, da avareza, da ambição e do desejo de poder. É a libertação disso tudo que permite que a coisa extraordinária chamada caráter floresça. Um homem assim tem compaixão, ele sabe o que é amar – não o homem que simplesmente repete um monte de palavras sobre a moralidade.

O florescimento da bondade não está dentro da sociedade, porque a sociedade em si é sempre corrupta. Só o homem que entende toda a estrutura e o processo da sociedade, e está se libertando dela, tem caráter, e só ele pode florescer na bondade.

30 de novembro

Chegue até ela de mãos vazias

A compaixão não é difícil de alcançar quando o coração não está repleto das coisas astuciosas da mente. É a mente, com suas exigências e medos, suas ligações e negações, suas determinações e urgências, que destrói o amor. E como é difícil ser simples com relação a tudo isso! Você não precisa de filosofias e doutrinas para ser gentil e bondoso. Os eficientes e os poderosos da terra vão se organizar para alimentar e vestir o povo, para lhes fornecer abrigo e cuidados médicos. Isso é inevitável com o rápido aumento da produção, é função do governo bem organizado e de uma sociedade equilibrada. Mas a organização não dá a generosidade do coração e da mão. A generosidade vem de uma fonte bem diferente, uma fonte além de toda medida. A ambição e a inveja a destroem da mesma maneira que o fogo queima. Essa fonte deve ser tocada, mas o homem precisa chegar até ela de mãos vazias, sem oração nem sacrifício. Os livros não podem ensinar nem nenhum guru pode conduzi-lo até essa fonte. Ela não pode ser alcançada por meio do cultivo da virtude, embora a virtude seja necessária, nem por meio da capacidade e da obediência. Quando a mente está serena, sem nenhum movimento, ela está ali. A serenidade é isenta de motivos, do desejo de mais.

Dezembro

Solidão

Religião

Deus

Meditação

1 de dezembro

A beleza de estar só

Não sei se você já se sentiu solitário, quando de repente percebeu que não tem relacionamento com ninguém – não uma compreensão intelectual, mas factual... – e você se sente completamente isolado. Toda forma de pensamento e emoção está bloqueada, você não pode se dirigir a parte nenhuma; não há ninguém a quem recorrer; os deuses, os anjos, todos desapareceram para além das nuvens, e quando as nuvens se desvanecem eles também se desvanecem; você está completamente solitário (não usarei a palavra "só").

A palavra "só" tem um significado totalmente diferente, tem beleza. "Estar só" significa algo inteiramente diferente do que "estar solitário". E você precisa estar só. Quando um homem se liberta da estrutura social da avareza, da inveja, da ambição, da arrogância, da realização, do *status*, quando ele se liberta disso, então está completamente só. É algo bem diferente: há uma grande beleza, a sensação de uma grande energia.

2 de dezembro

Estar só não significa solidão

Embora sejamos todos humanos, construímos paredes entre nós mesmos e nossos vizinhos por meio do nacionalismo, da etnia, da casta e da classe. Isso gera isolamento, solidão.

Uma mente capturada na solidão, nesse estado de isolamento, provavelmente nunca poderá entender o que é religião. Pode-se acreditar, pode-se ter algumas teorias, conceitos, fórmulas, pode-se tentar se identificar com aquilo que chama de Deus, mas religião, em minha opinião, não tem absolutamente nada a ver com qualquer crença, com nenhum sacerdote, igreja ou o chamado livro sagrado. O estado da mente religiosa só pode ser compreendido quando começamos a entender o que é a beleza, e o entendimento da beleza deve ser abordado a partir da total solidão. Apenas quando a mente está completamente só ela pode saber o que é a beleza.

A solidão obviamente não é isolamento nem unicidade. Ser único é ser excepcional de alguma forma, enquanto estar completamente só demanda uma sensibilidade, uma inteligência e um entendimento extraordinários. Estar completamente só implica que a mente esteja livre de todo tipo de influência e, por isso, não esteja contaminada pela sociedade, devendo estar só para entender o que é religião – ou seja, descobrir por si mesmo se existe algo imortal, além do tempo.

3 de dezembro

Conhecer a solidão

Solidão é completamente diferente de estar só. A solidão não é comparável com "estar só" e deve ser transformada nesse estado. O homem que conhece a solidão nunca poderá saber o que é estar só. Você está nesse estado de solidão? Nossas mentes não estão integradas para estarem sós. O próprio processo da mente é separativo. E aquele que separa conhece a solidão.

Mas estar só não é separativo. É algo que não é multidão, não é influenciado por muitos, não é o resultado de muitos, não é unido como a mente é – a mente é da multidão. A mente não é uma entidade que está só, sendo unida, articulada, manufaturada no correr dos séculos. A mente nunca pode estar só. A mente nunca pode conhecer o "estar só". Mas estar consciente da solidão ao passar por ela é estar na solidão. Então, só pode existir o que é imensurável. Infelizmente, a maioria de nós busca a dependência. Queremos companheiros, amigos, queremos viver em um estado de separação, em um estado que gera conflito. Aquele que está só nunca poderá estar em um estado de conflito. Mas, a mente que não consegue perceber isso, nunca poderá entendê-lo; ela só pode entender a solidão.

4 de dezembro

Apenas no estar só existe inocência

A maioria de nós nunca está só. Você pode se isolar nas montanhas e viver como um recluso, mas quando está fisicamente entregue a si mesmo, terá com você todas as suas ideias, suas experiências, suas tradições, seu conhecimento. O monge cristão em uma cela de mosteiro não está só, ele está com seu Jesus conceitual, com sua teologia, com as crenças e os dogmas do seu condicionamento particular. Do mesmo modo, o *sannyasi* na Índia, que se retira do mundo e vive em isolamento, não está só, porque ele também vive com suas lembranças.

Refiro-me a um estar só em que a mente está totalmente livre do passado, e apenas tal mente é virtuosa, porque apenas nesse estar só existe inocência. Talvez você diga: "Isso é pedir muito. Não se consegue viver assim neste mundo caótico, onde se tem de ir para o escritório todos os dias, ganhar o sustento, criar filhos, suportar as implicâncias do cônjuge etc.". Mas "estar só" está diretamente relacionado à vida e à ação cotidianas; do contrário, não tem valor nenhum. Veja, do estar só vem uma virtude que é viril e que produz uma extraordinária sensação de pureza e delicadeza. Não importa se a pessoa comete erros. O que importa é ter a sensação de estar completamente só, não contaminado, porque apenas essa mente consegue saber ou estar consciente do que está além da palavra, além do nome, além de todas as projeções da imaginação.

5 de dezembro

Aquele que está só é inocente

Um dos fatores da tristeza é a extraordinária solidão do homem. Você pode ter companheiros, deuses, muito conhecimento, pode ser extraordinariamente ativo socialmente, fazer infinitos comentários sobre política – a maioria dos políticos também faz comentários –, mas, mesmo assim, a solidão persiste. Por isso, o homem procura uma importância na vida e a inventa. Mas a solidão persiste. Você consegue olhar para ela sem nenhuma comparação, apenas enxergá-la como ela é, sem tentar fugir dela, sem tentar encobri-la ou escapar dela? Então você verá que a solidão se torna algo inteiramente diferente.

Nós não somos sós. Somos o resultado de muitas influências, condicionamentos, heranças psicológicas, propaganda, cultura. Não somos sós, e por isso somos seres de segunda mão. Quando uma pessoa está só, totalmente só, sem pertencer a nenhuma família, embora possa ter uma, a nenhuma nação, cultura, nenhum compromisso particular, ela se sente um estranho – um estranho a toda forma de pensamento, ação, família, nação. E só aquele completamente só é inocente. É essa inocência que liberta a mente da tristeza.

6 de dezembro

Crie um novo mundo

Para você criar um novo mundo, uma nova civilização, uma nova arte, sem estar contaminado pela tradição, pelo medo, pelas ambições, a fim de criar algo anônimo que seja seu e meu, uma nova sociedade, juntos, em que não haja você e eu, mas uma "identidade comum" ("*ourness*"), não deve existir uma mente que seja completamente anônima, e portanto só? Isso implica uma revolta contra a conformidade, contra a respeitabilidade, porque o homem respeitável é o homem medíocre, pois ele quer algo – ele é dependente da influência para a sua felicidade, dependente do que o seu vizinho ou o seu guru pensam, do que o Bhagavad-Gita, os Upanishads, a Bíblia ou Cristo dizem. Sua mente nunca está só. Ele nunca caminha só, sempre com uma companhia: a companhia de suas ideias.

Não é importante descobrir, enxergar toda a importância da interferência, da influência, do estabelecimento do "eu", que é a contradição do anônimo? Enxergar a totalidade disso não gera inevitavelmente a questão. Será possível produzir de imediato o estado da mente que não é influenciado, que não pode ser influenciado por sua própria experiência ou pela de outros, uma mente incorruptível, que seja só? Portanto, há apenas uma possibilidade de produzir um mundo, uma cultura, uma sociedade diferentes em que a felicidade seja possível.

7 de dezembro

O estar só em que o medo não existe

Apenas quando a mente é capaz de se desfazer de todas as influências, de todas as interferências, de ficar completamente só, existe a criatividade.

No mundo, a técnica está sendo cada vez mais desenvolvida – a técnica de como influenciar as pessoas mediante a propaganda, a compulsão, a imitação... Há inúmeros livros escritos sobre como fazer uma coisa, como pensar com eficiência, como construir uma casa, como montar uma máquina. Então, pouco a pouco, vamos perdendo a iniciativa de pensar algo original por nós mesmos. Na nossa educação, no nosso relacionamento com o governo, e por meio de vários instrumentos, estamos sendo influenciados a nos adaptar, a imitar. Quando permitimos que uma influência nos convença a ter uma atitude ou ação particular, naturalmente criamos resistência a outras influências. Nesse próprio processo de criar uma resistência a outra influência, não estamos negativamente sucumbindo a ela?

A mente não deve estar sempre tumultuada para entender as influências que estão sempre lhe impingindo, interferindo, controlando, moldando? Esse não é um dos fatores da mente medíocre que é sempre temerosa e, por se encontrar em um estado de confusão, ela quer ordem, consistência, uma forma, um modelo pelo qual ela possa ser guiada e controlada? No entanto, essas formas, essas várias influências, criam contradições no indivíduo... Qualquer escolha entre as influências certamente ainda é um estado de mediocridade.

...A mente não deve ter a capacidade de entender a fundo – não imitar, não ser moldada – e não sentir medo? Tal mente não deve estar só e, portanto, ser criativa? Essa criatividade não é sua ou minha, é anônima.

8 de dezembro

Comece aqui

Um homem religioso não busca Deus. O homem religioso está preocupado com a transformação da sociedade, que é ele próprio. O homem religioso não é o homem que faz inúmeros rituais, segue tradições, vive em uma cultura morta, passada, explicando infinitamente o Gita ou a Bíblia, infinitamente cantando ou adotando o *sannyasi* – esse não é um homem religioso, esse homem está fugindo dos fatos. O homem religioso está total e completamente interessado no entendimento da sociedade. Ele não está separado dela. Produzir em si mesmo uma mutação completa e total significa a completa cessação da avareza, da inveja, da ambição; e por isso ele não depende das circunstâncias, embora seja resultado da circunstância – o alimento que ele come, os livros que lê, os filmes que assiste, os dogmas, as crenças e os rituais religiosos em que crê. Ele é responsável, e por isso o homem religioso precisa entender a si mesmo, que é produto da sociedade que ele próprio criou. Por isso, para encontrar a realidade, ele deve começar aqui, não em um templo nem em uma imagem – seja a imagem criada pelas mãos ou pela mente. Do contrário, como ele poderá encontrar algo totalmente novo, um novo estado?

9 de dezembro

A mente religiosa é explosiva

Será que podemos descobrir por nós mesmos o que é a mente religiosa? O cientista em seu laboratório é realmente um cientista; ele não é persuadido por seu nacionalismo, seus medos, suas vaidades, ambições e demandas locais; ali ele está simplesmente investigando. Mas fora do laboratório ele é como qualquer outra pessoa, com seus preconceitos, ambições, nacionalidade, vaidades, ciúmes etc. Uma mente assim não pode abordar a mente religiosa. A mente religiosa não funciona a partir de um centro de autoridade, seja o conhecimento acumulado como tradição ou a experiência. O espírito religioso não pensa em termos do tempo, dos resultados imediatos, da reforma imediata dentro do padrão da sociedade... A mente religiosa não é uma mente ritualística, não pertence a nenhuma igreja, a nenhum grupo, a nenhum padrão de pensamento. A mente religiosa é a mente que penetrou no desconhecido, e não se pode entrar no desconhecido a não ser saltando; não se pode fazer cálculos para penetrar no desconhecido. A mente religiosa é a verdadeira mente revolucionária, e a mente revolucionária não é uma reação ao que era anteriormente. A mente religiosa é, na verdade, explosiva, criativa – não no sentido aceito da palavra, como em um poema, na decoração ou na construção, na arquitetura, na música etc.; ela está em um estado de criação.

10 de dezembro

Oração é um assunto complexo

Como todos os problemas humanos profundos, a oração é um assunto complexo e não se deve ter pressa para abordá-lo; é preciso paciência, uma sondagem atenta e tolerante, e não se pode exigir conclusões e decisões definidas. Sem entender a si mesmo, aquele que reza pode, mediante sua própria oração, ser conduzido à autoilusão. Às vezes ouvimos as pessoas dizerem, e várias têm me dito, que quando rezam para o que elas chamam de Deus para coisas mundanas, suas orações são com frequência atendidas. Se elas têm fé, e dependendo da intensidade da sua oração, o que elas buscam – saúde, conforto, bens materiais – finalmente conseguem. Se uma pessoa se entrega à oração para pedir coisas, ela produz sua própria recompensa, a coisa pedida é, com frequência, atendida e isso fortalece ainda mais suas súplicas. Depois há a oração sem pedidos para coisas ou pessoas, mas para experienciar a realidade, Deus, que é também frequentemente atendida; e há ainda outras formas de oração petitória, mais sutis e tortuosas, mas não obstante suplicantes, implorantes e de oferecimento. Todas essas orações têm sua própria recompensa; elas causam suas próprias experiências, mas será que conduzem ao entendimento da realidade fundamental?

Será que não somos o resultado do passado, e será que não estamos por isso relacionados com o enorme reservatório de avareza e ódio, com seus opostos? Certamente, quando fazemos um apelo ou oferecemos uma oração petitória, apelamos para esse reservatório de avareza acumulada, que traz sua própria recompensa e tem o seu próprio preço... Será que a súplica a outra pessoa, ou a algo externo, proporciona o entendimento da verdade?

11 de dezembro

A resposta à oração

A oração, que é uma súplica, um pedido, nunca pode encontrar aquela realidade que não é o resultado de uma demanda. Nós pedimos, suplicamos, rezamos, apenas quando estamos confusos, tristes; e não entendendo essa confusão e essa tristeza recorremos a outro alguém. A resposta à oração é a nossa própria projeção; de uma maneira ou de outra ela é sempre satisfatória, gratificante, do contrário a rejeitaríamos. Então, quando alguém aprendeu o truque de aquietar a mente por meio da repetição, continuamos com esse hábito, mas a resposta à súplica deve obviamente ser moldada de acordo com o desejo da pessoa que suplica.

A oração, a súplica, o pedido nunca revelam o que não é a projeção da mente. Para descobrir o que não é criação da mente, esta deve estar quieta – não aquietada pela repetição de palavras, que é auto-hipnose, nem por quaisquer outros meios para induzir a mente a ficar tranquila.

A quietude induzida, imposta, não é de modo nenhum quietude. É como colocar uma criança num canto de castigo – superficialmente, ela pode ficar quieta, mas interiormente está fervendo. Então, uma mente que é aquietada pela disciplina nunca está realmente quieta, e a quietude induzida nunca pode revelar esse estado criativo em que a realidade passa a existir.

12 de dezembro

A religião é uma questão de crença?

A religião, como em geral a conhecemos ou reconhecemos, é uma série de crenças, dogmas, rituais, superstições, adoração de ídolos, encantamentos e gurus que vão conduzi-lo ao que você quer como um objetivo fundamental. A verdade fundamental é a sua projeção, que é aquilo que você quer, que vai lhe tornar feliz, lhe dar uma certeza da condição imortal. Então, a mente capturada em tudo isso cria uma religião, uma religião de dogmas, clericalismo, superstições e adoração de ídolos – e nisso você é capturado, e sua mente fica estagnada. Isso é religião? A religião é uma questão de crença, uma questão de conhecimento das experiências e das afirmações de outras pessoas? Ou a religião é apenas o acompanhamento da moralidade? Você sabe que é comparativamente fácil ser moral – fazer isto e não fazer aquilo. Porque isso é fácil, você pode imitar um sistema moral. Por trás dessa mortalidade espreita o *self*, crescendo, expandindo, agressivo, dominador. Mas isso é religião?

Você tem de descobrir o que é a verdade porque essa é a única coisa que importa, não se você é rico ou pobre nem se está casado e feliz e tem filhos, porque tudo isso chega a um fim, há sempre a morte. Então, sem alguma forma de crença, você precisa descobrir, precisa ter o vigor, a autoconfiança, a iniciativa, para que por si mesmo descubra o que é a verdade, o que é Deus. A crença não lhe dá nada; a crença só corrompe, amarra, obscurece. A mente só pode ser livre a partir do vigor, da autoconfiança.

13 de dezembro

Há verdade na religião?

Não há verdade nas religiões, nas teorias, nos ideais, nas crenças? O que entendemos por religião? Certamente, não a religião organizada, como o hinduísmo, o budismo ou o cristianismo – que são crenças organizadas com sua propaganda, conversão, proselitismo, compulsão etc. Há alguma verdade na religião organizada? Ela pode engolfar, capturar a verdade, mas a religião organizada em si não é verdadeira. Por isso, a religião organizada é falsa, ela separa o homem do homem. Você é muçulmano, eu sou hindu, outro é cristão ou budista – e estamos brigando e assassinando uns aos outros. Há alguma verdade nisso? Não estamos discutindo a religião como a busca da verdade, mas considerando se há alguma verdade na religião organizada. Estamos tão condicionados pela religião organizada a pensar que há verdade nela que passamos a acreditar que chamar a si mesmo de hindu significa que se é alguém ou alguém que vai encontrar Deus. Que absurdo! Para encontrar Deus, para encontrar a realidade, precisa haver virtude. Virtude é liberdade, e só por meio da liberdade a verdade pode ser descoberta – não quando você é prisioneiro nas mãos da religião organizada, com suas crenças. Será que há alguma verdade nas teorias, nos ideais, nas crenças? Por que você tem crenças? Obviamente, porque as crenças lhe proporcionam proteção, conforto, segurança, um guia. Dentro de si você está amedrontado, quer ser protegido, quer se apoiar em alguém, e por isso cria o ideal, que o impede de entender *o que existe*. Por isso, um ideal se torna um obstáculo à ação.

14 de dezembro

Para chegar ao alto é preciso começar de baixo

As organizações religiosas tornam-se tão rígidas quanto os pensamentos daqueles que lhes pertencem. A vida está em constante mudança, é um contínuo tornar-se, uma revolução sem fim, e como uma organização nunca pode ser flexível, ela fica no caminho da mudança; torna-se reacionária para se proteger. A busca pela verdade é individual, não congregacional. Para comungar com o real é preciso estar só; não em isolamento, mas livre de toda influência e opinião. As organizações de pensamento inevitavelmente tornam-se um obstáculo ao pensamento.

Como você próprio está consciente, a ambição pelo poder é quase inesgotável em uma chamada organização espiritual; essa ambição é disfarçada por todos os tipos de palavras suaves e com um "ar oficial", mas o câncer da avareza, do orgulho e do antagonismo é alimentado e compartilhado. Daí crescem o conflito, a intolerância, o sectarismo e outras manifestações repugnantes.

Não seria mais sábio ter pequenos grupos informados de vinte ou vinte e cinco pessoas, sem mensalidades ou filiações, reunindo-se quando fosse conveniente para discutir afavelmente a abordagem da realidade? Para evitar que qualquer grupo se tornasse exclusivo, cada membro podia, de tempos em tempos, encorajar e talvez se juntar a outro pequeno grupo. Desse modo, a prática seria extensiva, não restrita nem paroquial.

Para chegar ao alto é preciso começar de baixo. Desse início pequeno pode-se ajudar a criar um mundo mais sadio e feliz.

15 de dezembro

Seus deuses estão dividindo você

O que está acontecendo no mundo? Os homens têm um Deus cristão, deuses hindus, muçulmanos com sua concepção de Deus – cada pequena seita com sua verdade particular; e todas essas verdades estão se tornando parecidas com muitas doenças no mundo, separando as pessoas. Essas verdades, nas mãos de poucos, estão se tornando meios de exploração. Os homens vão a cada uma delas, uma após outra, experimentando todas, porque começam a perder todo senso de discriminação, porque estão sofrendo e querem um remédio, e aceitam qualquer remédio que seja oferecido por qualquer seita, seja ela cristã, hindu etc. Então, o que está acontecendo? Seus deuses estão dividindo você, as crenças em Deus estão dividindo os homens, e eles ainda falam sobre a fraternidade do homem, a unidade em Deus, ao mesmo tempo em que negam a própria coisa que querem encontrar, porque se apegam a essas crenças como os meios mais potentes de destruir a limitação, enquanto elas apenas a intensificam. Essas coisas são absolutamente óbvias.

16 de dezembro

A verdadeira religião

Você sabe o que é religião? Ela não está no canto, não está na performance do *puja*[8] ou em qualquer outro ritual, não está na adoração de deuses de estanho ou imagens de pedra, não está nos templos e igrejas, não está na leitura da Bíblia ou do Gita, não está na repetição de um nome sagrado ou no seguimento de alguma outra superstição inventada pelos homens. Nada disso é religião.

Religião é o sentimento de bondade, esse amor que é como o rio, vive e move-se eternamente. Nesse estado você descobrirá que chega um momento em que a busca cessa, e esse fim é o início de algo totalmente diferente. A busca por Deus, pela verdade, a sensação de ser completamente bom – não o cultivo da bondade, da humanidade, mas a busca por algo que está além das invenções e dos truques da mente, o que significa ter um sentimento por esse algo, viver nele, estar nele –, *essa* é a verdadeira religião. Mas você só pode fazer isso quando deixa o tanque que você cavou para si mesmo e sai para o rio da vida. Então, a vida tem uma maneira impressionante de cuidar de você, porque não há mais o cuidado da sua parte. A vida o leva para onde ela quer porque você é parte dela, então não há mais o problema da segurança, do que as pessoas vão dizer ou deixar de dizer, e essa é a beleza da vida.

---

8 *Puja* é um ritual religioso realizado pelos hindus como forma de oferecer símbolos de gratidão às divindades, pessoas ilustres ou convidados especiais. (N. T.)

17 de dezembro

Uma fuga maravilhosa

Qual é o ímpeto que está por trás da busca por Deus? Essa busca é real? Para a maioria de nós é uma fuga da realidade. Então, devemos ter muito claro dentro de nós se essa busca por Deus é uma fuga ou uma busca pela verdade em tudo – a verdade em nossos relacionamentos, a verdade no valor das coisas, a verdade nas ideias. Se estamos buscando Deus apenas porque estamos cansados deste mundo e de suas misérias, então é uma fuga. Então criamos Deus, e, portanto, isso não é Deus. O Deus dos templos, dos livros, obviamente não é Deus – é uma fuga maravilhosa. Mas, se tentarmos encontrar a verdade, não em um conjunto exclusivo de ações, mas em todas as nossas ações, ideias e relacionamentos, se buscarmos a avaliação correta do alimento, das roupas e do abrigo, porque nossas mentes são capazes de clareza e entendimento, então nós buscaremos a realidade e iremos encontrá-la. Desse modo, não será uma fuga. Mas se estamos confusos com relação às coisas do mundo – alimento, roupas, abrigo, relacionamentos e ideias –, como podemos encontrar a realidade? Podemos apenas inventar a realidade. Então, Deus, a verdade ou a realidade não serão conhecidos por uma mente confusa, condicionada, limitada. Como uma mente assim pensa na realidade ou em Deus? Ela primeiro tem de se descondicionar, tem de se livrar de suas próprias limitações, e só então pode saber o que é Deus. A realidade é o desconhecido, e o que é conhecido não é o real.

18 de dezembro

Seu Deus não é Deus

Um homem que acredita em Deus nunca pode encontrá-Lo. Se você está aberto à realidade, não pode haver crença nela. Se você está aberto para o desconhecido, não pode haver crença nisso. Afinal, a crença é uma forma de autoproteção, e somente uma mente insignificante pode acreditar em Deus. Olhe para a crença dos aviadores durante a guerra, quando disseram que Deus estava com eles no momento em que deixavam cair as bombas! Acredita-se em Deus no assassinato, na exploração das pessoas. Adora-se a Deus, mas continuam brutalmente extorquindo dinheiro, apoiando o exército. Dizem que acreditam na misericórdia, na compaixão, na bondade... Enquanto a crença existir, nunca poderá haver o desconhecido; você não consegue pensar no desconhecido, o pensamento não pode mensurá-lo. A mente é produto do passado, é resultado do ontem; pode uma mente assim estar aberta ao desconhecido? Ela pode apenas projetar uma imagem, mas essa projeção não é real; então seu Deus não é Deus – é uma imagem que você mesmo criou, uma imagem da sua própria gratificação. Só pode haver realidade quando a mente entende o processo total de si mesma e chega a um fim. Só quando a mente está completamente vazia ela é capaz de receber o desconhecido. A mente só é purificada quando entende o conteúdo do relacionamento – seu relacionamento com a propriedade, com as pessoas –, quando estabeleceu o relacionamento certo com tudo. Enquanto a mente não entender todo o processo do conflito no relacionamento, ela não pode ser livre. Só quando a mente está totalmente silenciosa, completamente inativa, não projetando, quando não está buscando e está totalmente quieta – só então aquilo que é eterno e atemporal pode passar a existir.

19 de dezembro

O homem religioso

Qual é o estado da mente que diz: "Eu não sei se Deus existe, se existe amor", ou seja, quando não há resposta da memória? Por favor, não responda imediatamente a pergunta feita a você mesmo porque, se o fizer, sua resposta será apenas o reconhecimento do que você acha que devia ou não devia existir. Se você disser "É um estado de negação", está compartilhando isso com algo que já conhece; portanto, o estado em que você diz "Eu não sei" não existe.

A mente capaz de dizer "Eu não sei" está no único estado em que qualquer coisa pode ser descoberta. Mas o homem que diz "Eu sei", que estudou infinitamente as variedades da experiência humana e cuja mente está sobrecarregada de informações, de conhecimento enciclopédico, pode algum dia experienciar algo que não deve ser acumulado? Ele achará isso extremamente árduo. Quando a mente põe totalmente de lado todo o conhecimento que adquiriu, quando para isso não há Budas, nem Cristos, nem Mestres, nem professores, nem religiões, nem citações, quando a mente está completamente só, não contaminada, o que significa que o movimento do conhecido chegou ao fim, só então há a possibilidade de uma enorme revolução, uma mudança fundamental... O homem religioso é aquele que não pertence a nenhuma religião, a nenhuma nação, a nenhuma etnia, é aquele que está completamente só em seu interior, em um estado de não conhecimento, e para ele a bênção do sagrado passa a existir.

20 de dezembro

Eu não sei

Se alguém consegue realmente chegar àquele estado de dizer: "Eu não sei", isso indica um senso extraordinário de humildade; não há a arrogância do conhecimento nem a resposta autoassertiva para causar uma impressão. Quando você consegue realmente dizer "Eu não sei", o que muito poucos são capazes de dizer, todo medo desaparece, porque todo o senso de reconhecimento, a busca na memória, chegou a um fim. Não há mais investigação no campo do desconhecido. Então vem a coisa extraordinária. Se você, até agora, acompanhou o que estou falando, não apenas verbalmente, mas se o está experienciando de verdade, vai descobrir que quando consegue dizer "Eu não sei" todo o condicionamento parou. Afinal, qual é o estado da mente?

Buscamos algo permanente – permanente no sentido do tempo, algo duradouro, eterno. Vemos que tudo o que nos diz respeito é transitório, está em fluxo, nascendo e morrendo, e a nossa busca é sempre estabelecer algo que vai durar dentro do campo do conhecido. Mas aquilo que é realmente sagrado está além da medida do tempo, não será encontrado dentro do campo do conhecido. O conhecido só opera por meio do pensamento, que é a resposta da memória ao desafio. Se eu vir isso, e quero descobrir como parar de pensar, o que devo fazer? Certamente eu devo, por meio do autoconhecimento, estar consciente de todo o processo do meu pensamento. Devo ver que todo pensamento, por mais sutil, sublime ou ignóbil e estúpido, tem suas raízes no conhecido, na memória. Se eu enxergo isso muito claramente, então a mente, quando confrontada com um imenso problema, é capaz de dizer "Eu não sei", porque não tem resposta.

21 de dezembro

Além das limitações das crenças

Acredito que ser um teísta ou um ateu é um absurdo. Se você soubesse qual é a verdade, o que é Deus, jamais seria um teísta ou um ateu, porque nessa consciência a crença é desnecessária. É o homem que não está consciente, que só espera e supõe, que busca a crença ou a descrença para apoiá-lo e conduzi-lo a agir de determinada maneira.

Mas se a sua abordagem é totalmente diferente, você descobrirá por si mesmo, como indivíduo, algo real que está além das limitações das crenças, além da ilusão das palavras. Mas isso – a descoberta da verdade ou de Deus – exige uma grande inteligência, que não é a asserção da crença ou da descrença, mas o reconhecimento dos obstáculos criados pela falta de inteligência. Então, para descobrir Deus ou a verdade – e eu digo que tal coisa existe, eu entendi isso –, para reconhecer isso, para entender, a mente deve estar livre de todos os obstáculos que foram criados no correr dos tempos, baseados na autoproteção e na segurança. Você não pode estar liberto da segurança simplesmente dizendo que é livre. Para penetrar nos muros desses obstáculos é preciso ter muita inteligência, não o simples intelecto. Inteligência é mente e coração em total harmonia. A partir daí, você descobrirá por si mesmo, sem perguntar a ninguém, o que é a realidade.

22 de dezembro

A libertação da rede do tempo

Sem a meditação não há autoconhecimento; sem o autoconhecimento não há meditação. Então, você precisa começar a saber o que você é. Você não pode ir longe sem começar de perto, sem o entendimento do seu processo diário de pensamento, sentimento e ação. Em outras palavras, o pensamento deve entender seu próprio trabalho, e quando você se vê operando, vai observar que o pensamento se move do conhecido para o conhecido. Você não pode pensar no desconhecido. Aquilo que você conhece não é real, porque o que você conhece está apenas no tempo. A libertação da rede do tempo é a preocupação importante, não pensar sobre o desconhecido, porque você não consegue pensar no desconhecido. As respostas para suas orações pertencem ao conhecido. Para receber o desconhecido, a própria mente precisa se tornar o desconhecido. A mente é o resultado do processo do pensamento, o resultado do tempo, e esse processo do pensamento deve chegar ao fim. A mente não consegue pensar naquilo que é eterno, atemporal; por isso, ela precisa se libertar do tempo; o processo da mente deve ser dissolvido. Só quando a mente estiver completamente liberta do ontem e, portanto, não usando o presente como um meio para chegar ao futuro, ela será capaz de receber o eterno... Por isso, nosso interesse na meditação é conhecer a nós mesmos, não superficialmente, mas todo o conteúdo da consciência interna, oculta. Sem conhecer tudo isso e estar liberto do seu condicionamento, você provavelmente não poderá ir além dos limites da mente. Por isso, o processo do pensamento deve parar, e para cessá-lo deve haver o conhecimento de si mesmo. A meditação é o início da sabedoria, que é o entendimento da sua própria mente e do seu próprio coração.

23 de dezembro

Meditação

Vou discorrer sobre o que é a meditação passo a passo. Por favor, não espere até o fim, aguardando uma completa descrição de como meditar. O que estamos fazendo agora é parte da meditação.

Agora, o que se tem de fazer é estar consciente do pensador, não tentar resolver a contradição e produzir uma integração entre o pensamento e o pensador. O pensador é a entidade psicológica que acumulou experiência como conhecimento; ele é o centro limitado no tempo, que é resultado da influência ambiental em constante mutação. A partir desse centro ele vê, escuta, tem suas experiências. Enquanto não se entende a estrutura e a anatomia desse centro, sempre haverá conflito, e uma mente em conflito não consegue entender a profundidade e a beleza da meditação.

Na meditação não pode haver pensador, o que significa que o pensamento deve chegar a um fim – o pensamento que é impelido pelo desejo de chegar a um resultado. A meditação não tem nada a ver com chegar a um resultado. Não é uma questão de respirar de maneira particular, ou olhar para o seu nariz, ou despertar o poder para realizar alguns truques ou qualquer coisa do tipo dessa imatura bobagem... A meditação não é algo separado da vida. Quando você está dirigindo um carro ou sentado em um ônibus, quando está cantando sem propósito, quando está caminhando sozinho em um bosque ou observando uma borboleta sendo levada pelo vento – você está inevitavelmente consciente de que tudo isso é parte da meditação.

24 de dezembro

Conheça todo o conteúdo de um pensamento

Não ser nada é o início da liberdade. Então, se você for capaz de sentir, de penetrar nisso, vai descobrir, enquanto se torna consciente, que você não é livre, que está ligado a muitas coisas diferentes e que ao mesmo tempo a mente espera ser livre. E você pode ver que as duas coisas são contraditórias. Então a mente tem de investigar por que ela se apega a algo. Tudo isso implica um trabalho árduo. É muito mais árduo do que ir para um escritório, do que realizar qualquer trabalho físico, do que todas as ciências reunidas. Porque a mente humilde, inteligente, está preocupada consigo mesma sem estar autocentrada; por isso ela tem de estar extraordinariamente alerta, consciente, e isso significa um trabalho árduo todo dia, hora, minuto... Isso demanda um trabalho insistente, porque a liberdade não chega facilmente. Tudo a impede: seu parceiro, seu filho, seu vizinho, seus Deuses, suas religiões, sua tradição. Todos eles o impedem, mas você os criou porque quer segurança. E a mente em busca de segurança nunca conseguirá encontrá-la. Se você observou um pouco o mundo, sabe que não existe essa coisa chamada segurança. O parceiro morre, o filho foge de casa... Alguma coisa sempre acontece. A vida não é estática, embora gostaríamos que fosse. Nenhum relacionamento é estático, porque toda a vida é movimento. Isso é uma coisa a ser captada, a verdade a ser vista, sentida, não somente discutida. Então você verá, quando começar a investigar, que esse é realmente um processo de meditação.

Mas não fique impressionado com essa palavra. Estar consciente de todo pensamento, saber de que fonte ele provém e qual é sua intenção – isso é meditação. Conhecer todo o conteúdo de um pensamento revela o processo integral da mente.

25 de dezembro

Acender a chama da autoconsciência

Se você acha difícil estar consciente, experimente escrever cada pensamento e sentimento que surgem durante o dia inteiro, escrever suas reações de ciúme, inveja, vaidade, sensualidade, as intenções por trás de suas palavras etc.

Passe algum tempo antes do café da manhã escrevendo-os – o que pode necessitar que você vá para cama mais cedo e deixe de lado algum compromisso social. Se você escrever essas coisas sempre que puder, e à noite antes de dormir examinar tudo o que escreveu durante o dia, estudar e examinar sem julgamento, sem condenação, vai começar a descobrir as causas ocultas dos seus pensamentos e sentimentos, desejos e palavras...

Mas o importante é estudar com inteligência livre o que você escreveu, e ao fazê-lo tornar-se consciente do seu próprio estado. Na chama da autoconsciência, do autoconhecimento, as causas do conflito são descobertas e consumidas. Você deve continuar a escrever seus pensamentos e sentimentos, intenções e reações, não uma ou duas vezes, mas por um número considerável de dias até conseguir estar consciente deles instantaneamente.

A meditação não é apenas uma autoconsciência constante, mas o abandono contínuo do *self*. Do pensamento certo vem a meditação, da qual vem a tranquilidade da sabedoria; e nessa serenidade o elevado é entendido.

Escrever o que se pensa e sente, os próprios desejos e reações, produz uma consciência interior, a cooperação do inconsciente com o consciente, e isso, por sua vez, conduz à integração e ao entendimento.

26 de dezembro

O caminho da meditação

A verdade é algo final, absoluto, fixo? Gostaríamos que ela fosse absoluta, porque então poderíamos nos abrigar nela. Gostaríamos que ela fosse permanente, porque então poderíamos nos apegar a ela, sentir felicidade com ela. Mas a verdade é absoluta, contínua, deve ser experienciada repetidas vezes? A repetição da experiência é o mero cultivo da memória, não é? Em momentos de quietude, posso experienciar certa verdade, mas se me apego a essa experiência por meio da memória e a torno absoluta, fixa, isso é verdade? A verdade é a continuação, o cultivo da memória? Ou a verdade só será encontrada quando a mente estiver totalmente tranquila? Quando a mente não está presa às lembranças, não está cultivando a memória como o centro do reconhecimento, mas está consciente de tudo o que estou dizendo, de tudo o que estou fazendo em meus relacionamentos, em minhas atividades, enxergando a verdade de tudo como se ocorresse de momento a momento – certamente esse é o caminho da meditação, não é? Só existe compreensão quando a mente está tranquila, e a mente não pode ficar tranquila enquanto desconhece a si mesma. Essa ignorância não é dissipada mediante qualquer forma de disciplina, mediante a busca de alguma autoridade, antiga ou moderna. A crença só cria resistência, isolamento, e onde há isolamento não há nenhuma possibilidade de tranquilidade. A tranquilidade só surge quando eu entendo todo o processo de mim mesmo – as várias entidades em conflito umas com as outras que compõem o "eu". Por ser uma tarefa árdua, recorremos a outros para aprender vários truques, o que chamamos de meditação. Os truques da mente não são meditação. A meditação é o início do autoconhecimento, e sem meditação não há autoconhecimento.

27 de dezembro

Uma mente no estado de criação

A meditação é o esvaziamento mental de todas as coisas que a mente reuniu. Se você fizer isso – talvez não faça, mas não importa, apenas escute –, descobrirá que há um espaço extraordinário na mente, e que espaço é liberdade. Então, você precisa exigir a liberdade logo no início, e não apenas aguardá-la, esperando tê-la no final. Você deve buscar a importância da liberdade no seu trabalho, em seus relacionamentos, em tudo o que você faz. Então, vai descobrir que meditação é criação.

Criação é uma palavra que todos nós usamos demasiado e muito facilmente. Um pintor põe na tela algumas cores e fica extremamente excitado com isso. Essa é a sua realização, o meio pelo qual ele se expressa, pelo qual ele ganha dinheiro ou reputação – e ele chama isso de "criação"! Todo escritor "cria", e há escolas de escrita "criativa", mas nada disso tem a ver com criação. É tudo uma reação condicionada de uma mente que vive em determinada sociedade.

A criação da qual estou falando é algo inteiramente diferente. É uma mente no estado de criação. Ela pode ou não expressar esse estado. A expressão tem muito pouco valor. Esse estado de criação não tem causa e, por isso, uma mente nesse estado está a cada momento morrendo, vivendo, amando e existindo. A totalidade disso é meditação.

28 de dezembro

Assente as bases já

Uma mente tranquila não está em busca de nenhum tipo de experiência. Se ela não está buscando, está completamente tranquila, sem nenhum movimento do passado, portanto isenta do conhecido. Então você vai descobrir, se chegou tão longe, que há um movimento do desconhecido que não é reconhecido, que não é traduzível, que não pode ser expressado com palavras – vai descobrir que há um movimento que vem do infinito. Esse movimento é atemporal, porque nele não há tempo, não há espaço, não há algo a experienciar, não há algo a ganhar, a adquirir. Tal mente conhece o que é criação – não a criação do pintor, do poeta, do orador, mas a criação que não tem motivo, que não tem expressão. Essa criação é amor e morte.

Tudo isso, do início ao fim, é o caminho da meditação. Um homem que queira meditar precisa entender a si mesmo. Sem se conhecer, você não pode ir longe. Por mais que tente ir longe, só pode ir até a sua própria projeção; e sua própria projeção está muito próxima e não o conduz a lugar algum. A meditação é o processo de assentar as bases imediatamente e criar – naturalmente, sem nenhum esforço – esse estado de tranquilidade. Só então haverá uma mente que está além do tempo, da experiência e do conhecimento.

29 de dezembro

Encontrar o silêncio

Se você acompanhou a investigação do que é meditação e entendeu todo o processo do pensamento, vai descobrir que a mente está completamente tranquila. Nessa total quietude da mente não há espectador, e por isso não há nenhum experimentador; não há nenhuma entidade que esteja reunindo experiência, que é a atividade de uma mente autocentrada. Não diga: "Isso é *samadhi*"[9] – é uma completa bobagem, porque você só leu isso em algum livro, não descobriu por conta própria. Há uma enorme diferença entre a palavra e a coisa. A palavra não é a coisa; a palavra *porta* não é a porta.

Meditar é purgar a mente de sua atividade autocentrada. E se você chegou até esse ponto na meditação, vai descobrir que há silêncio, um total vazio. A mente não está contaminada pela sociedade; não está mais sujeita a nenhuma influência, à pressão de nenhum desejo. Ela está completamente só, e estando só, intocada, ela é inocente. Por isso há uma possibilidade de aquilo que é atemporal, eterno, passar a existir.

Todo esse processo é meditação.

---

9 *Samadhi* pode ser traduzido por "meditação completa". No Yoga é a última parte do sistema, quando se atingem a suspensão e a compreensão da existência e da comunhão com o universo. No Budismo, é usado como sinônimo de concentração ou quietude da mente. (N. T.)

30 de dezembro

A generosidade do coração é o início da meditação

Vamos falar sobre algo que necessita de uma mente que possa penetrar muito profundamente. Precisamos começar muito perto, porque não podemos ir longe se não soubermos como começar de perto, se não soubermos como dar o primeiro passo. O florescimento da meditação é a bondade, e a generosidade do coração é o início da meditação. Falamos sobre muitas coisas relacionadas à vida, à autoridade, à ambição, ao medo, à avareza, à inveja, à morte, ao tempo. Se você observou profundamente tudo isso, se escutou corretamente, essas são todas as bases para uma mente capaz de meditar. Você não pode meditar se for ambicioso – você pode brincar com a ideia da meditação. Se sua mente for regida pela autoridade, ligada à tradição, à aceitação, à obediência, jamais saberá o que é meditar sobre essa beleza extraordinária.

É a busca da sua própria realização através do tempo que impede a generosidade. E você precisa de uma mente generosa – não apenas uma mente ampla, mas também de um coração que se doa sem um motivo e que não busca nenhuma recompensa em troca. Mas para dar qualquer coisa, por menor ou maior que seja, essa qualidade da espontaneidade da entrega, sem nenhuma restrição, sem nenhuma hesitação, é necessária. Não pode haver meditação sem generosidade, sem bondade – isso é estar livre do orgulho, jamais subir a ladeira do sucesso, saber o que é ser famoso, morrer para qualquer coisa que tenha sido conseguida, a cada momento do dia. Somente nesse campo fértil essa bondade pode crescer. E a meditação é o florescimento da bondade.

31 de dezembro

A meditação é essencial à vida

Para entender todo o problema da influência, a influência da experiência, a influência do conhecimento, dos motivos internos e externos — para descobrir o que é verdadeiro e o que é falso e enxergar a verdade no chamado falso — tudo isso requer um enorme *insight*, uma profunda compreensão interna das coisas como elas são, não é? Todo esse processo é, certamente, o caminho da meditação. A meditação é essencial na vida, na nossa existência diária, assim como a beleza é essencial. A percepção da beleza, a sensibilidade para as coisas, para o feio e também para o belo, é essencial — ver uma bela árvore, o céu encantador de um anoitecer, enxergar o vasto horizonte onde as nuvens estão se reunindo enquanto o sol se põe. Tudo isso é necessário, a percepção da beleza e o entendimento do caminho da meditação, porque tudo isso é vida, assim como sua ida ao escritório, as brigas, a miséria, a tensão eterna, a ansiedade, os medos profundos, o amor e a fome. Mas o entendimento desse processo total da existência — as influências, as tristezas, a tensão diária, a perspectiva autoritária, as ações políticas etc. — tudo isso é vida, e o processo do entendimento disso tudo, a libertação da mente, é meditação. Se você realmente compreende esta vida, então sempre há um processo meditativo, um processo de contemplação — mas não *sobre* algo. Estar consciente de todo esse processo da existência, observá-lo, penetrar nele desapaixonadamente, e se libertar dele, é meditação.

Siglas para abreviação das referências

COL *Commentaries on Living, Series 1 and 2, Volumes 1, 2 e 3.* Wheaton, IL: Quest Books, 1956, 1958, 1960.
CW *Collected Works of J. Krishnamurti*, 17 Vols. Dubuque, IA: Kendall/Hunt Publishing, 1991, 1992.
ESL *Education and the Significance of Life.* Reprint. San Francisco: HarperSanFrancisco, 1953.
FLF *First and Last Freedom.* Reprint. San Francisco: HarperSanFrancisco, 1954.
JKI *Krishnamurti Interviews* #1-92. Krishnamurti Foundation of America Archives, Ojai, California.
LA *Life Ahead.* Reprint. New York: Harper & Row, 1963.
TTT *Think on These Things.* New York: HarperPerennial, 1964.

Referências

Janeiro 1 – TTT, pp. 27-28
Janeiro 2 – CW, Vol. VII, p. 213
Janeiro 3 – COL, Series I, pp. 171-72
Janeiro 4 – CW, Vol. XIV, p. 234
Janeiro 5 – COL. Seriew II, pp. 147-48
Janeiro 6 – LA, p. 85
Janeiro 7 – CW, Vol. XV, p. 239
Janeiro 8 – CW, Vol. XI, pp. 108-109
Janeiro 9 – FLF, p. 156
Janeiro 10 – CW, Vol. XVI, pp. 213-14
Janeiro 11 – LA, Introduction, p. 8
Janeiro 12 – CW, Vol. XIV, p. 238
Janeiro 13 – CW, Vol XV, p. 173
Janeiro 14 – CW, Vol. XIV, p. 170
Janeiro 15 – CW, Vol. XII, pp. 296-97
Janeiro 16 – CW, Vol. XVII, p. 34
Janeiro 17 – CW, Vol. XIV, p. 15
Janeiro 18 – ESL, p. 60
Janeiro 19 – CW, Vol. IV, p. 46
Janeiro 20 – CW, Vol. IV, p. 44
Janeiro 21 – COL, Series I, pp. 95-96
Janeiro 22 – CW, Vol. VII, pp. 52-53
Janeiro 23 – CW, Vol. V, pp. 334-35
Janeiro 24 – FLF, p. 44
Janeiro 25 – COL, Series I, p. 94
Janeiro 26 – FLF, p. 47
Janeiro 27 – CW, Vol. VII, p. 325
Janeiro 28 – CW, Vol. XIV, p. 107
Janeiro 29 – CW, Vol. VII, p. 55
Janeiro 30 – CW, Vol. IV, p. 1
Janeiro 31 – CW, Vol. IX, p. 137

Fevereiro 1 – FLF, p. 51
Fevereiro 2 – COL, Vol. 1, pp. 196-97
Fevereiro 3 – TTT, p. 14
Fevereiro 4 – COL, Vol. I, pp. 94-95
Fevereiro 5 – CW, Vol. VI, pp. 274-75
Fevereiro 6 – CW, Vol. VI, pp. 272-73
Fevereiro 7 – CW, Vol. VI, p. 276
Fevereiro 8 – CW, Vol. V, p. 49
Fevereiro 9 – CW, Vol. XVI, p. 254
Fevereiro 10 – CW, Vol. VI, pp. 140-43
Fevereiro 11 – CW, Vol. VII, p. 130
Fevereiro 12 – CW, Vol VI, pp. 140-41
Fevereiro 13 – FLF, p. 57
Fevereiro 14 – FLF, p. 58
Fevereiro 15 – CW, Vol. XIII, p. 33
Fevereiro 16 – FLF, p. 56
Fevereiro 17 – CW, Vol. VI, p. 260
Fevereiro 18 – FLF, pp. 52-53
Fevereiro 19 – CW, Vol. VI, p. 79
Fevereiro 20 – FLF, p. 54
Fevereiro 21 – CW, Vol. VI, pp. 261-62
Fevereiro 22 – CW, Vol. VIII, p. 318
Fevereiro 23 – CW, Vol. III, pp. 212-13
Fevereiro 24 – FLF, pp. 145-46
Fevereiro 25 – CW, Vol. IX, pp. 228-29
Fevereiro 26 – CW, Vol. VII, p. 49
Fevereiro 27 – CW, Vol. VII, pp. 232-33
Fevereiro 28 – CW, Vol. VII, pp. 153-54

Março 1 – CW, Vol. XIII, pp. 110-11
Março 2 – CW, Vol. IX, pp. 61-62
Março 3 – CW, Vol. IX, pp. 61-62
Março 4 – JKI # 6
Março 5 – CW, Vol. VI, p. 80
Março 6 – COL, Series I, pp. 162-63
Março 7 – COL, Series I, p. 94
Março 8 – CW, Vol. XI, p. 293
Março 9 – COL, Series I, p. 113

Março 10 – CW, Vol. XVI, p. 120-21
Março 11 – COL, Series II, p. 5
Março 12 – CW, Vol. XII, p. 40
Março 13 – JKI # 109
Março 14 – CW, Vol. XIII, p. 251
Março 15 – CW, Vol. V, p. 335
Março 16 – JKI # 49
Março 17 – CW, Vol. XVII, pp. 112-13
Março 18 – CW, Vol. V, p. 297
Março 19 – CW, Vol. V, p. 96
Março 20 – FLF, p. 42
Março 21 – JKI # 75
Março 22 – CW, Vol. XIII, p. 247
Março 23 – CW, Vol. XII, pp. 58-59
Março 24 – CW, Vol. XII, p. 62
Março 25 – CW, Vol. VII, pp. 132-33
Março 26 – FLF, pp. 187-88
Março 27 – CW, Vol. XIV, p. 251
Março 28 – FLF, pp. 85-86
Março 29 – CW, Vol. XV, pp. 158-59
Março 30 – CW, Vol. XII, pp. 61-62
Março 31 – CW, Vol. III, p. 225

Abril 1 – COL, Series I, p. 105
Abril 2 – CW, Vol. XII, p. 244
Abril 3 – CW, Vol. XII, p. 244
Abril 4 – CW, Vol. XII, p. 245
Abril 5 – CW, Vol. XV, p. 164
Abril 6 – CW, Vol. XVI, p. 88
Abril 7 – CW, Vol. XI, p. 78
Abril 8 – CW, Vol. V, p. 216
Abril 9 – CW, Vol. VI, pp. 129-30
Abril 10 – CW, Vol. VI, p. 129
Abril 11 – CW, Vol. IV, p. 209
Abril 12 – CW, Vol. VI, p. 132
Abril 13 – CW, Vol. V, p. 88
Abril 14 – CW, Vol. VI, pp. 132-33
Abril 15 – CW, Vol. IV, p. 145
Abril 16 – CW, Vol. V, pp. 217-18
Abril 17 – CW, Vol. V, p. 99
Abril 18 – CW, Vol. XV, pp. 89-90
Abril 19 – CW, Vol. IV, p. 177
Abril 20 – COL, Series II, p. 56

Abril 21 – CW, Vol. VI, pp. 56-57
Abril 22 – CW, Vol. XI, p. 205
Abril 23 – CW, Vol. XIII, p. 251
Abril 24 – CW, Vol. XII, p. 245
Abril 25 – CW, Vol. XIV, p. 95
Abril 26 – CW, Vol. XI, p. 251
Abril 27 – CW, Vol. XI, p. 97
Abril 28 – CW, Vol. XI, pp. 97-98
Abril 29 – CW, Vol. XIV, p. 97
Abril 30 – CW, Vol. XIII, p. 251

Maio 1 – CW, Vol. XIV, pp. 142-43
Maio 2 – CW, Vol. XVII, p. 115
Maio 3 – CW, Vol. II, p. 98
Maio 4 – CW, Vol. I, pp. 115-16
Maio 5 – CW, Vol. XVII, p. 203
Maio 6 – CW, Vol. XIII, p. 189
Maio 7 – CW, Vol. XV, pp. 6-7
Maio 8 – CW, Vol. XV, p. 144
Maio 9 – CW, Vol. XIII, pp. 57-58
Maio 10 – CW, Vol. XIII, pp. 236-37
Maio 11 – CW, Vol. XVII, p. 115
Maio 12 – CW, Vol. IV, p. 184
Maio 13 – FLF, pp. 251-52
Maio 14 – COL, Series III, pp. 196-97
Maio 15 – CW, Vol. XII, pp. 84-85
Maio 16 – CW, Vol. XII, pp. 85-86
Maio 17 – CW, Vol. XII, p. 85
Maio 18 – CW, Vol IX, pp. 249, 252
Maio 19 – CW, Vol. XVII, p. 156
Maio 20 – CW, Vol. XII, p. 86
Maio 21 – CW, Vol. V, p. 214
Maio 22 – CW, Vol. XI, p. 338
Maio 23 – CW, Vol. XI, p. 34
Maio 24 – CW, Vol. IX, p. 35
Maio 25 – COL, Series III, pp. 31-32
Maio 26 – CW, Vol. XIII, p. 326
Maio 27 – CW, Vol. IX, p. 35
Maio 28 – CW, Vol. X, pp. 158-59
Maio 29 – CW, Vol. XIV, p. 190
Maio 30 – FLF, pp. 225-26
Maio 31 – CW, Vol. XIII, p. 240

Junho 1 – TTT, pp. 211-12
Junho 2 – CW, Vol. XIV, pp. 289-90
Junho 3 – CW, Vol. XIV, p. 290
Junho 4 – CW, Vol. XIII, p. 109
Junho 5 – CW, Vol. XII, p. 64
Junho 6 – CW, Vol. XIV, p. 288
Junho 7 – CW, Vol. XII, p. 67
Junho 8 – TTT, p. 152
Junho 9 – CW, Vol. IX, p. 280
Junho 10 – CW, Vol. IX, p. 69
Junho 11 – LA, p. 17
Junho 12 – CW, Vol. X, pp. 139-40
Junho 13 – LA, p. 18
Junho 14 – CW, Vol. IX, p. 240
Junho 15 – CW, Vol. XIII, p. 34
Junho 16 – CW, Vol. III, p. 179
Junho 17 – CW, Vol. XII, pp. 54-55
Junho 18 – CW, Vol. IV, p. 209
Junho 19 – CW, Vol. XII, p. 306
Junho 20 – CW, Vol. IV, p. 209
Junho 21 – JKI # 87
Junho 22 – CW, Vol. XVII, p. 259
Junho 23 – CW, Vol. XVI, pp. 289-90
Junho 24 – CW, Vol. III, p. 176
Junho 25 – CW, Vol. XVII, pp. 170-71
Junho 26 – CW, Vol. XVII, p. 142
Junho 27 – CW, Vol. XVII, p. 256
Junho 28 – CW, Vol. X, pp. 80-81
Junho 29 – CW, Vol. III, pp. 154-55
Junho 30 – CW, Vol. III, p. 203

Julho 1 – FLF, p. 28
Julho 2 – CW, Vol. VIII, pp. 117-18
Julho 3 – CW, Vol. VII, p. 101
Julho 4 – COL, Series I, pp. 240-41
Julho 5 – CW, Vol. IV, p. 105
Julho 6 – CW, Vol. VIII, p. 119
Julho 7 – CW, Vol. VII, pp. 214-15
Julho 8 – CW, Vol XV. p. 225
Julho 9 – CW, Vol. V, p. 46
Julho 10 – FLF, p. 84
Julho 11 – CW, Vol. VI, pp. 358-59
Julho 12 – FLF, p. 170

Julho 13 – CW, Vol. XII, p. 91
Julho 14 – CW, Vol. XV, p. 221
Julho 15 – CW, Vol. I, p. 141
Julho 16 – CW, Vol. XII, p. 246
Julho 17 – TTT, p. 204
Julho 18 – CW, Vol. VIII, p. 105
Julho 19 – CW, Vol. III, pp. 157-58
Julho 20 – CW, Vol. VII, p. 224
Julho 21 – CW, Vol. II, p. 68
Julho 22 – COL, Series III, pp. 195-96
Julho 23 – CW, Vol. XI, p. 284
Julho 24 – CW, Vol. XIII, pp. 309-10
Julho 25 – CW, Vol. XIII, p. 308
Julho 26 – FLF, pp. 168-70
Julho 27 – FLF, pp. 170-71
Julho 28 – CW, Vol. XII, pp. 94-95
Julho 29 – CW, Vol. XIII, p. 311
Julho 30 – CW, Vol. XIII, p. 255
Julho 31 – CW, Vol. VI, pp. 312-13

Agosto 1 – CW, Vol. V, p. 205
Agosto 2 – CW, Vol. VI, p. 134
Agosto 3 – CW, Vol. VI, pp. 134-35
Agosto 4 – COL, Series I, p. 46
Agosto 5 – CW, Vol. VII, p. 265
Agosto 6 – CW. Vol. V, p. 124
Agosto 7 – CW, Vol. XI, p. 207
Agosto 8 – COL, Series III, p. 146
Agosto 9 – CW, Vol. XII, p. 50
Agosto 10 – COL, Series III, p. 253
Agosto 11 – FLF, pp. 264-65
Agosto 12 – FLF, p. 170
Agosto 13 – COL, Series I, p. 92
Agosto 14 – CW, Vol. XVI, pp. 177-80
Agosto 15 – CW, Vol. XVI, pp. 23-24
Agosto 16 – COL, Series II, p. 66
Agosto 17 – COL, Series II, p. 67
Agosto 18 – CW, Vol. XVI, p. 249
Agosto 19 – CW, Vol. IX, p. 64
Agosto 20 – COL, Series II, pp. 66-67
Agosto 21 – CW, Vol. XVI, p. 183
Agosto 22 – FLF, p. 265
Agosto 23 – CW, Vol. XVII, p. 12

Agosto 24 – FLF, p. 45
Agosto 25 – FLF, p. 46
Agosto 26 – COL, Series I, pp. 216-17
Agosto 27 – CW, Vol. VII, pp. 211-12
Agosto 28 – CW, Vol. IV, p. 117
Agosto 29 – CW, Vol. VII, p. 212
Agosto 30 – CW, Vol. VII, p. 212
Agosto 31 – CW, Vol. VII, pp. 212-13

Setembro 1 – CW, Vol. XV, p. 118
Setembro 2 – CW, Vol. XVII, p. 26
Setembro 3 – CW, Vol. I, p. 115
Setembro 4 – CW, Vol. XI, pp. 261-62
Setembro 5 – CW, Vol. XI, pp. 42-43
Setembro 6 – CW, Vol. V, p. 214
Setembro 7 – CW, Vol. III, p. 125
Setembro 8 – CW, Vol. V, pp. 41-42
Setembro 9 – FLF, p. 224
Setembro 10 – JKI # 71
Setembro 11 – JKI # 71
Setembro 12 – CW, Vol. XI, p. 337
Setembro 13 – CW, Vol. Vi, pp. 43-44
Setembro 14 – CW, Vol. XI, pp. 217-18
Setembro 15 – FLF, p. 46
Setembro 16 – FLF, pp. 155-56
Setembro 17 – ESL, pp. 64-65
Setembro 18 – CW, Vol. XI, pp. 216-17
Setembro 19 – CW, Vol. XI, p. 217
Setembro 20 – CW, Vol. XI, pp. 337-38
Setembro 21 – CW, Vol. XIII, p. 245
Setembro 22 – CW, Vol. XI, pp. 167-68
Setembro 23 – CW, COL, Series II, pp. 96-97
Setembro 24 – CW, Vol. XI, p. 168
Setembro 25 – COL, Series II, pp. 99-100
Setembro 26 – CW, Vol. VIII, p. 250
Setembro 27 – FLF, p. 223
Setembro 28 – CW, Vol. XI, pp. 169-70
Setembro 29 – CW, Vol. XIII, p. 276
Setembro 30 – CW, Vol. XII, p. 260

Outubro 1 – CW, Vol. XV, pp. 117-18
Outubro 2 – CW, Vol. XVII, p. 26

Outubro 3 – CW, Vol. XII, p. 58
Outubro 4 – CW, Vol. XV, pp. 158-59
Outubro 5 – CW, Vol. XV, p. 120
Outubro 6 – CW, Vol. XIII, p. 256
Outubro 7 – CW, Vol. VIII, p. 246
Outubro 8 – CW, Vol. XIII, pp. 24-25
Outubro 9 – CW, Vol. XI, p. 339
Outubro 10 – CW, Vol. XI, p. 223
Outubro 11 – CW, Vol. VIII, pp. 39-40
Outubro 12 – CW, Vol. XI, p. 257
Outubro 13 – CW, Vol. XI, pp. 257-58
Outubro 14 – TTT, pp. 196-97
Outubro 15 – CW, Vol. XI, pp. 75-76
Outubro 16, CW, Vol. XVI, p. 197
Outubro 17 – CW, Vol. XI, pp. 74-75
Outubro 18 – CW, Vol. XIII, pp. 52-53
Outubro 19 – CW, Vol. XII, pp. 51-52
Outubro 20 – CW, Vol. XVI, p. 16
Outubro 21 – CW, Vol. XVI, p. 197
Outubro 22 – FLF, pp. 42-43
Outubro 23 – CW, Vol. IX, p. 28
Outubro 24 – CW, Vol. X, p. 138
Outubro 25 – CW, Vol. XII, p. 256
Outubro 26 – CW, Vol. XII, p. 253
Outubro 27 – CW, Vol. XI, p. 310
Outubro 28 – CW, Vol. VIII, p. 23
Outubro 29 – CW, Vol. XV, pp. 132-33
Outubro 30 – CW, Vol. IX, p. 56
Outubro 31 – CW, Vol. VII, p. 50

Novembro 1 – CW, Vol. VI, p. 56
Novembro 2 – CW, Vol. IV, p. 36
Novembro 3 – TTT, pp. 115-16
Novembro 4 – CW, Vol. V, pp. 145-46
Novembro 5 – CW, Vol. VIII, p. 252
Novembro 6 – CW, Vol. X, p. 83
Novembro 7 – CW, Vol. VII, p. 124
Novembro 8 – TTT, p. 173
Novembro 9 – COL, Series III, p. 303
Novembro 10 – TTT, p. 237
Novembro 11 – CW, Vol. XVI, p. 176
Novembro 12 – LA, p. 41
Novembro 13 – FLF, pp. 83-84

Novembro 14 – CW, Vol. VI, p. 68
Novembro 15 – CW, Vol. XV, p. 33
Novembro 16 – CW, Vol. V, p. 355
Novembro 17 – CW, Vol. II, p. 227
Novembro 18 – CW, Vol. VI, 68
Novembro 19 – CW, Vol. XV, p. 318
Novembro 20 – CW, Vol. VI, pp. 68-69
Novembro 21 – CW, Vol. VI, p. 69
Novembro 22 – CW, Vol. XV, pp. 71-72
Novembro 23 – CW, Vol. XV, p. 74
Novembro 24 – LA, pp. 97-98
Novembro 25 – CW, Vol. V, pp. 101-102
Novembro 26 – TTT, pp. 152-53
Novembro 27 – CW, Vol. XIII, pp. 296-97
Novembro 28 – CW, Vol. X, pp. 191-92
Novembro 29 – CW, Vol. X, pp. 192-93, 196
Novembro 30 – COL, Series II, p. 223

Dezembro 1 – CW, Vol. XV, p. 32
Dezembro 2 – CW, Vol. XIV, p. 220
Dezembro 3 – CW, Vol. VI, p. 312
Dezembro 4 – CW, Vol. XIII, p. 228
Dezembro 5 – CW, Vol. XVII, p. 184
Dezembro 6 – CW, Vol. XVII, p. 221
Dezembro 7 – CW|, Vol. VII, pp. 219-20
Dezembro 8 – CW, Vol. XV, pp. 90-91
Dezembro 9 – CW, Vol. XII, pp. 81-82
Dezembro 10 – JKI # 48
Dezembro 11 – CW, Vol. VI, pp. 204-5
Dezembro 12 – CW, Vol. VII, p. 131
Dezembro 13 – CW, Vol. V, pp. 48-49
Dezembro 14 – JKI # 95
Dezembro 15 – CW, Vol. II, p. 34
Dezembro 16 – TTT, pp. 142-43
Dezembro 17 – CW, Vol. V, p. 4
Dezembro 18 – CW, Vol. VI, pp. 140-41
Dezembro 19 – CW, Vol. IX, pp. 112, 113
Dezembro 20 – CW, Vol. IX, p. 112
Dezembro 21 – CW, Vol. II, p. 34
Dezembro 22 – CW, Vol. V, pp. 165-66
Dezembro 23 – CW, Vol. XIII, pp. 263-64
Dezembro 24 – CW, Vol. XI, p. 67
Dezembro 25 – JKI # 20
Dezembro 26 – CW, Vol. VI, p. 176
Dezembro 27 – CW, Vol. XIII, pp. 324-25
Dezembro 28 – CW, Vol. XIII, pp. 98-99
Dezembro 29 – CW, Vol. X, p. 229
Dezembro 30 – CW, Vol. XIII, p. 150
Dezembro 31 – CW, Vol. XI, pp. 138-39

Acreditamos
nos livros

Este livro foi composto em Baskerville e impresso
pela Gráfica Santa Marta para a Editora Planeta
do Brasil em julho de 2024.